大生意人

做大生意，几千年来都是这套玩法。

一个私盐贩子，如何在夹缝中翻云覆雨、扶摇直上，成为通吃政商两界的清朝首富？
从他的这套"玩法"中，读懂中国传统生意人的至高经商智慧和命运玄机。

赵之羽 著

江苏文艺出版社
JIANGSU LITERATURE AND ART
PUBLISHING HOUSE

图书在版编目(CIP)数据

大生意人 / 赵之羽著. -- 南京：江苏文艺出版社，
2013.12
　　ISBN　978-7-5399-6294-8

　　Ⅰ.①大… Ⅱ.①赵… Ⅲ.① 长篇小说-中国-当代
Ⅳ.①I247.5
　　中国版本图书馆CIP数据核字(2013)第117594号

书　　　名：大生意人
著　　　者：赵之羽
责 任 编 辑：赵　阳
特 约 编 辑：张　廷　赵全一
策　　　划：快读出版　010-84775016
版　　　权：快读出版
封 面 设 计：快读出版
出 版 发 行：凤凰出版传媒股份有限公司
　　　　　　江苏文艺出版社
出版社地址：南京市中央路165号，邮编：210009
出版社网址：http : // www.jswenyi.com
经　　　销：凤凰出版传媒股份有限公司
印　　　刷：北京鹏润伟业印刷有限公司
开　　　本：700×1000 毫米　1/16
印　　　张：20
字　　　数：347千字
版　　　次：2013年12月第1版　2013年12月第1次印刷
标 准 书 号：ISBN　978-7-5399-6294-8
定　　　价：36.00元

出现印装、质量问题，请致电010-64787702（免费更换，邮寄到付）

目　录

2

楔　子

武王伐纣，灭了殷商，商的遗民被赶出自己的土地，只得以生意为活路，以贸易求残喘，四宇之内从此有了"商人"。

商人之称从一开始就带着"贱民"的意味，士农工商排名在最后倒也还罢了，看看史上那些著名的大商人：吕不韦为秦始皇诛杀，沈万三被明太祖流放，石崇为绿珠而夷族，弦高为犒师而破家……如此一来，掐指算算上下五千年，商人若是出人头地，竟没几个有好下场。

朝代更迭，历经血腥的商人们逐渐学会了韬光养晦之术，或者不问政事，但求以巨富之资颐养天年，如一夜之间建起扬州白塔的两淮盐商，又或者成帮结伙来应对官府的无尽需索与同行的种种竞争，如此便有所谓的"十大商帮"流传于世，其中倒也真出了不少名噪一时的大商人，如鲁商的孟洛川、徽商的胡开文、宁绍帮的叶澄衷等等，俱是各自商帮中一时无两的漂亮人物，可惜"成也萧何败也萧何"，这些人也恰恰是因为被各自商帮的利益所困，生意虽然越做越大，却渐渐发现自己始终无法成为一个真正的大生意人。

到了清末，洋商从通商口岸进入中国，一旦发生贸易纠纷，外国兵舰便会为本国商人出头，替他们来争得最大的利益，这也让一向惯于自生自灭的中国商人在大开眼界的同时不免自怨自艾。然而就在众商帮齐齐注目洋商之时，冷不防在一向被商人冷落的关外，居然悄悄起了一个不久之后足以令商界大佬们为之更加动容的变化。

奉天尚阳堡与黑龙江宁古塔齐名，是清朝在关外的两大发配流放地之一。

民谚有云："一入尚阳堡，性命十有九难保；一入宁古塔，情愿地陷与天塌。"就是在这虎狼生惧且不属于十大商帮领地的地方，竟然出现了一位商界奇才：他审时度势，目光高远，把做一个胸怀天下的大生意人作为自己必须去完成的目标，十数年间，以茶发家、以盐立业、以粮济万民、以丝降洋商，聚金拢银数以千万，百业称雄且惠民无数，令当时纵横商界的晋商、湖商、京商、洞庭商帮、龙游商会、广州十三行无不甘拜下风；此人更在国难当头之时，以身家性命力拼洋商，击垮不可一世的上海买办集团，其所作所为让权倾一时的当朝者亦不得不承认是商人为大清挽回了颜面。难怪民国时兆秩裕作《明清商贾奇闻录》，将其排名"财神"胡雪岩之上，称为"一代商王"。

此人出身甚是低微，乃咸丰年间一个被流放发配尚阳堡的犯人，原籍徽州歙县。

别人彻底没救的生意，
被古平原玩活了

　　古平原淡淡一笑，并不言声。其实徽州商人经商的方式共有五种，"走贩"排在了第一位。徽商最善于"走贩"，夹带私货的方法不胜枚举。古平原家中几代都是买卖人，从小到大身边邻里更是商贩无数。适逢乱世，苛捐杂税繁杂，不夹带私货则走贩必定血本无归，所以古平原每日听的都是回乡的行商讲述与各地税关斗智斗勇的故事。加之天分极高，所以别人一筹莫展，他却能在极短的时间内就想出了万无一失的法子。

营口是关外少有的富庶之地，且不说海盐的产销尽皆在此，单说设在北城厢的参茸行，每年连京城百草厅白家老号都要不远千里来此挑选上好的老山人参入药，否则名药"人参养荣丸"就出不去药库，入不了王府，进不得皇宫。

正因为如此，一年一度的秋季药市也就成了关外最为热闹繁华的行市，来自全国各地的药材商人熙来攘往会与此地，谁要是眼力好手腕高，能从看似不起眼的参客手里贱价买到一棵"八两宝"的老参，倒手卖出去，立时就能稳稳当当赚进千两银子。一夜暴富的好戏在参茸行几乎年年都会上演，口口相传自然是越传越神，此刻营口城外五十里田庄的芦苇荡边上，风吹苇杆沙沙作响，几个大姑娘小媳妇正一边杵锤洗衣，一边在谈论着药市上的趣事。

"听说那从东家手里拣了'珍珠眼'的小伙计是你家远方表亲？"

"嗨，八竿子打不着的亲戚，人家发了财可没说分给咱们一分一毫。"被问到的那个媳妇满眼艳羡，又故意装出些不屑的样子。

"说说，到底是怎么回事？"有个泼辣姑娘性子急。

"还不是他那家药铺的掌柜打了眼，硬是把老参看成了造假的'接碴'，其实那是百年不遇的异种，叫'珍珠眼'，哎呦，那掌柜肠子都悔青了。"

"落在你表弟手里，到底卖了多少？"这一问，几个人都停了手，竖着耳朵在听。

"到底多少我也不知道，人家是拉手成交，外人哪里知道究竟？不过转过天来，族里把他停祭了三年。"这小媳妇挺会卖关子，见大家都看自己，不免有几分得意，故意不把话说透，留个尾巴等人来问。

果然有问的。"停祭？发了财还要停祭，哪有这种道理。"停祭俗称"不与祭"，在一族中是极重的处罚，仅次于把名字从族谱中划掉。

"自然是犯了族规。前脚钱到手，他后脚就到瓦窑子里把最红的头牌婊子给赎了身，娶回家做了老婆。咱们那族长为人方正，岂能容这等事。"

"呦，还有这事啊？那赎身钱可不少花吧？"

小媳妇稳稳当当伸出一个手指。"一千两！"

"妈呀，一千两拿来赎个婊子，这么败家？"人人瞠目结舌。

"你可没瞧见，那女人粉嫩嫩的，腰又细腿又长，要说胸脯，十个你也赶不上人家。"

"去你的，拿我跟婊子比，你要作死！"

几个女人嬉笑着互相往身上泼着水，又躲又笑，彼此一拉扯，腰间腿上白白的肌肤露在外面，竟把躲在芦苇丛中的几个男人瞧得呆了，不由自主地就往外探了探头。

有个眼尖的媳妇瞧见了，连忙告诉同伴，虽说关外对男女之防不像江南士绅之地般讲究，但女人嬉闹被男人撞见总是羞事，几个人端起盆刚要匆匆离开，就听那泼辣姑娘陡然一声尖叫。

"死、死人！"

众人都是悚然一惊，定睛瞧去，就见从芦苇荡里缓缓漂起一具面朝下的尸首，最可怕的是，尸首上密密麻麻布满了黄灿灿的铜钱……

"掌柜的。不得了了！"芦苇荡里偷看女人的几个人，原来是在此不远处歇脚的一支商队的脚夫，此刻脚打后脑勺地跑回来报信。掌柜的倒是能沉住气，旁边一个半截铁塔的黑汉子却腾地蹦起来，沉着脸问："怎么？遇到打劫的胡子了？"

胡子就是土匪，脚夫连连摇头，有个口齿伶俐的把在芦苇荡里看见死人的事儿一说，掌柜的想了想，说："不妨事，无论如何也弄不到咱们身上，大伙儿抓紧时间把干粮吃吃就赶路。"

可是掌柜的料事不准，等他们往前赶路的时候，路已经被封了，封路的不是官府，却是一群拿枪拿棒、满眼通红的当地人。

"倒霉，真是倒霉呀！"，抬轿子的轿夫一路上就听轿子里传来仿佛哀鸣般的叫声，不问可知里面的黄知县必定脸色铁青。黄知县出身秀才，捐官而得了个七品顶戴，自知仕途得来不易，战战兢兢做了三年县令，手长的事儿不是没有，但都以息事宁人为前提，所以官声历来不错。眼看三年任满，吏部考评中上，升官即使无望，续任却是可期，正在满心欢喜，没想到里长跑来告知，说是田庄和罗家洼子两处人抄家伙要械斗，他连忙带了几个衙役赶了过来。

黄知县的慌张不是没有道理，关外民风彪悍，说起械斗来，比当年让戚继光为之大为动容的义乌人还要勇猛三分，有时候甚至一场血战下来，全村一半的女人都成了寡妇。若是出了这种事儿，地方官非被撤职查办不可，眨眼间从官到囚。一想到这儿，黄知县当然不由得不慌，连声跺脚催促着轿夫们快些走。

快是快了，等到一下轿看明形势，黄知县马上又后了悔，仕途虽重，说到底没有命值钱，眼前这一亩三分地哪里是父母官调停纠纷的场地，分明就是沾着便死碰着就亡的修罗场。就见芦苇荡中一条窄路，路中央放着一具水淋淋的尸首，两边人都如斗鸡般怒发冲冠，手里攥着铡草的利刀、担筐的嵌铁扁担、翻谷用的尖叉子，连半大的小孩手里都握着两块带棱的石头。双方相距不到五米，就这么用血红的眼珠互相瞪着，空气里仿佛带着股一点就着的火药味。

黄知县一问明眼前这具死尸就是罗家洼子有名的大户罗思举，立时激灵灵打了一个冷战。这件事的前因后果他心里明镜一般，罗思举想要带着自己村人操控药材市场，于是无所不用其极，同是以药材为生的田庄人不肯退让，罗思举心狠手黑，逼死了田庄的村长，还害死了他家的大妞。但是罗思举最后也没落下好，据说是一个外姓人帮着田庄报了仇，让罗思举血本无归，眼下不知怎地却又死在了芦苇荡里。尸体上密密麻麻黄灿灿的，其实是当地特产的一种田螺，背上的螺纹一眼望去仿佛是金钱。

"唉！"罗思举也是远近闻名的富户，平素都是黄知县的座上宾，眼看死得如此之惨，黄知县也大是感慨，说了句，"想不到一辈子钱眼里翻跟头，最后还是死在了钱上。"

一旁的师爷听他还在没来由地慨叹，小声打断道："想必是罗老爷没脸见人寻了短，这也罢了，尸首偏偏无巧不巧漂到了田庄的地界，那可就麻烦了。"

黄知县醒悟过来，抬头望望眼前众人狞恶的神情，登时一个头两个大，不由自主顺着问道："这、这可怎么办？"

师爷一咧嘴，心想官是你做呀，我不过参赞而已，但大老爷问到了，只得答道："看这架势，罗家洼子得知消息来要尸首，田庄不肯放。这种事情务求平息，打起来可就坏了，非死上一、二百人不可！到时候别说御史言官要参劾，就是本省的按察使也不肯放过的。"

黄知县心里苦笑，要是能平息那还说什么，虽说"杀人令尹，灭门县令"，可是眼前这伙人摆明了连生死都不放在心上，民不畏死，官威又有何用？果不其然，黄知县仗着几个衙役护着，两股战战勉力上前，以"牧民以德"的姿态苦口婆心说了半天，结果就如同打雷天放了个屁，人家连眉毛都没动一下。

黄知县急得也顾不得许多，官家体面都暂且抛到脑后，一撩袍服正打算跪下来求。就在这节骨眼上，田庄那边忽然闪开了一条通路，人群忽然静了下来。就见一个披麻戴孝的女子面寒似水，眼睛直盯盯地看着地下的尸首，一步步走了过来。

罗家洼子这边也有人认得那女子，失声道："这不是田庄村长的小女儿吗？"

"四妹。"田庄人也叫道，"好歹你来了，说说怎么办吧？"

黄知县眼盯着四妹的嘴，就听她咬着嘴唇好半天，从牙缝里怨毒无比地挤出一句："戮尸，给我爹和我姐报仇！"

"好嘞！"田庄人就等着这句话呢，听罢各举家伙往前便冲。罗家洼子也不甘示弱，不分老幼也是高喊着迎了上来。

"完了！"黄知县眼前一黑，就要栽倒。离得不远就是方才那支商队，领头的掌柜也被眼前这一幕惊呆了，他方才盘算着绕路的花销，刚下决心要调转马头，一看械斗终于不可避免，知道这一打起来伤亡必重，也是手心捏汗，连同伙计们一起愣呆呆望着当场。

就在这时，从路尽头转弯处疾跑过来一个小伙子，边跑边喊，"别打、别打！"

如此混乱不堪的场面，谁能听他的？好在小伙子跑到人群中一眼看见被人护在后面的田四妹，也顾不得许多，一把扯住道："古大哥有话让我带过来。"

田四妹怔了怔，立时也叫道："大家停手，都停手！"

她的话自然是有人听，田庄人呼啦往下一撤，两边人自然就分开了。可就这么一眨眼的功夫，已经伤了十几个人了，呻吟怒骂辗转于地，地上更是流了几大摊血，看上去触目惊心。

此时在场的数百人眼睛都盯在那个小伙子身上，不知他要说些什么。小伙子样子白净腼腆，看大家都在关注自己，脸腾地红了。他不去管罗家洼子众人，只向田庄人拱了拱手，然后说道："古大哥听说你们要打起来，本来要赶过来，没料想被营官唤了去，要他立时跟着回大营，只得让我过来说话。"

罗四妹点了点头："是，请问古大哥有什么话要说？"

小伙子道："他匆忙间只让我带了两句话，说是'上天有好生之德，冤家宜解不宜结。'"

黄知县方才也被裹挟在人群里吃了拳脚，素金顶子早已不翼而飞，鸳鸯补子也被撕开了一条大缝，他眼巴巴地望着这横地里出来的小伙子，原指望他能说出一番惊天地泣鬼神的话，将两旁人劝住，一听就是这么两句平淡无奇的话语，心下大是失望，心想方才我苦劝了小半个时辰，别说《论语》，就是《大学》《中庸》也都讲遍了，要是管用还用你来吗？

可是出乎黄知县的意料，田四妹听了之后，静静低头想了一会儿，然后一抬头，冲着那小伙子道："也罢，既然古大哥这么说了，那就算了。"又对着身边人说："把那尸首还了他们吧。"其余的田庄人竟然也无异议，再不管那躺在地上的尸首，扶着伤者便要往回走，却把个黄知县看得目瞪口呆，目不转睛地盯着那小伙子，不知他口中的"古大哥"是个什么来路？

田庄人要撤，罗家洼子却不干了，领头一人高声喝道："想走可没那么容易，甭管什么古大哥、古二毯，罗老爷死在你们地界，你们田庄能脱得了干系？必定是你们把人害死了。"

"放屁！有胆子就放马过来。"

眼看缓和下来的局势又变得一触即发，黄知县刚刚放下的心瞬时重新提到了嗓子眼。

"大家且慢！"这时候从罗家洼子的人群中走出来一个妇人，她面带戚容，手里还拉着个满脸稚气的孩子。

黄知县认得她，正是罗思举的妻子。他到罗府做过客，于是走过来叫了声："嫂夫人！"

罗夫人是大户出身，颇懂礼数，尽管眼中流出两行清泪，却没有呼天抢地地趴在丈夫尸身上哭嚎，待拭去泪水，先是对着衣冠不整的知县大人福了一福，随后从袖中摸出一封书信。

就见她背对着丈夫的尸首，将手中信扬了一扬，第一句话就把在场众人都震住了。

"此事与田庄并无干系，拙夫确是自尽身亡，这是他的遗书。"

罗家洼子领头那人愣了愣，问道："大嫂，你、你早就知道了。"

"这遗书在我手上已有两日，只是人未找到，始终还存着侥幸，现在实在不必再瞒了。"

"罗老爷遗书上写的什么？是不是要我们给他报仇雪恨？"罗家洼子颇有年

少气盛的汉子不甘心，打算生些事出来，指着罗夫人手上的遗书问道。

罗夫人沉默片刻，黄知县只觉得一颗心砰砰乱跳，手不知不觉紧按住了胸口。

罗夫人望了望丈夫的尸身，又抬眼看了看众人，忽然走到那前来传话的小伙子身前，深施了一礼，慌得那小伙子连忙回礼不迭。

罗夫人眼中含泪，指着自己手中牵着的孩子说道："烦请尊驾告知古少爷，拙夫弃世前，将这孩子托付给他，并有一言，说是跟着古少爷，这孩子必定不会重蹈覆辙，如此拙夫在泉下亦能含笑。等孩子再大些，我便让他去寻古少爷，学习从商之道。"

一言既出，满场皆惊。无论是田庄还是罗家洼子，又或者黄知县和那小伙子都是面面相觑。好半响，罗家洼子才有人出来道："她大嫂，你这莫不是失心疯了吗，怎么说出这等话来？那姓古的可是你杀夫仇人啊。"

"这话不是我说的，确确实实是拙夫的遗言，诸位如果不信，书信在此不妨一验。"

罗家洼子众人张口结舌，呆呆望着罗夫人手中的那束书简。这不是一般的举动，这是托孤！非至亲挚友断不会作此要求，罗思举敢情是对这姓古的心服口服了。

尽管所谓人命关天，苦主若是肯息讼，十停中便已了了七八停，更何况这是死者本人不念旧恶，做出这样的举动，那便纵然是族人也无话可说了。于是众人默默无语纷纷散去，罗思举的尸首也被他的夫人领了回去。

黄知县至此心头一块大石方才落地，双腿一软坐在地上，口中连念"阿弥陀佛"。

商队中那黑汉子被隔得久了，心中气闷，见路已畅通无阻，于是吆喝着脚夫们赶车上路，一转眼见掌柜的正在出神，于是开口问道："爹，你怎么了？"

掌柜的被他一语惊醒，"哦，没什么，我是想方才的场面真是惊心动魄，一场杀劫就这么化解了，难能可贵啊。"

黑汉子点了点头，就听掌柜的接着说道："一个连面儿都没露的年轻人，居然能把县大老爷都摆不平的事情顺顺当当地解了，水火不容的两边居然都能听他服他，不知这人是何方神圣？"

一语既罢，他又随即自嘲地一笑，"自家的麻烦还没解决，我这可又是想得远了。"说罢一丝愁容又挂在了脸上。

这掌柜的姓常，家住太谷县，为人最是老实，在家里排行老四，年过半百，乡里乡亲都称他"常四老爹"。山西号称全省皆商，像常四老爹这样老实巴交的人也做了点小买卖，亏了他没有半点恶习，省吃俭用积攒了二十多年，竟落下一千多两银子，又想方设法借了一千两，一共凑了两千多两，兑了个盐池，打算下半辈子靠着卖盐过日子。

没想到运气太坏了，就在当年，久旱无雨的山西，竟从惊蛰开始下起了瓢泼大雨，三天一小雨，五天一大雨，直到秋分还是阴雨绵绵。养盐池的人不怕天旱只怕地涝，像这样的雨，通省的盐户没一个不叫苦连天，盐粒的收成还不到以往的十分之一。

别人还好说，虽是不赚钱，靠着往年的积蓄还能勉强维持生计。常四老爹则不同了，他的盐池有一半是向人借欠而来，债主都等着秋后算账，有的要抽本银，有的要拿利息，家里面整日闹得是沸反盈天。

最要命的还不是欠了人家的银子，而是欠了国家的盐。按照清制，盐池的产出里有六成是"官盐"，到期按足量交兑官府，其余四成的"散盐"才能卖给持有盐引的盐商。

如果遇到个廉洁爱民的官儿，碰到这种天时，不但要上报灾情，而且会主动酌免各种税赋，奈何这一任的太谷县令是个只知抽鸦片的"万事不管"，县衙的一应事务全都交由他的大管家与刑名、钱谷两位师爷打理。这几个人心黑手狠，根本不看天时，一纸公文下到各乡的盐场，咬定了必须照去年的收成上缴"官盐"，少一两也不成，到期不交就要没收田籍，并抄没家产充公。

常四老爹见到传抄的公文，火撞心头，一口血吐出来，人晕了过去。被人抬到家中，请了郎中来看，说是急火攻心，还不要紧。

身子虽是不要紧，摆在眼前的银债和盐债却是躲不开的一个坎。常四老爹只得请了几个本家亲戚来商量如何渡过难关。大家众说不一，其中一人出的主意还算靠谱，常四老爹也是按照他的指点去做的。

主意其实也不算高明，常四老爹先是摆了一桌酒，将所有债主都请到，请求将债务延期三个月，到时不还，情愿将盐池变卖还债。然后又用自己的房产做抵押，借了一笔二百两银子的高利贷，用这笔钱做本钱，带着几个人出关直奔关外的营口盐场，计划贩运海边盐场的海盐来抵官盐，顺便赚上一笔偿付银子的利息。虽然这样还是要亏不少，但总比破家毁业要强。

这算盘打得不错，从山西到奉天也还算顺利，一行人在营口盐场找到了接洽的卖家，以三成公盐七成私盐的价格买了一批上好的海盐，雇了三辆大车，打算一路上行些贿赂夹带出关。

常四老爹一出营口就碰上罗、田两族械斗，所幸有惊无险，一路顺着大凌河牧场过了锦州府，不多日来到山海关，没想到在山海关前，才真是遇到了大麻烦。

山海关是扼守关内外的重镇，一向驻扎三品的总兵，总兵之下尚有四位守备。把守关门、盘查商旅、收缴行税的细务就由这四位守备负责，每人负责春、夏、秋、冬中的一季。

分到秋季守关的那位守备，必定是总兵面前一等一的红人，这是因为秋季来往于山海关的商家几乎是其他三季的总和，油水自然丰足。然而这次的这位曹守备却与前几位不同，不但不要贿赂，而且查验极严，稍有夹带被查出来，轻则罚个倾家荡产，重则在关门处枷号十日。百十来斤的大枷戴在身上，十天里只能在囚笼里站着，每天只有一勺稀粥，说穿了就是将人慢慢地磨死。

连着枷死了三个人，就没人敢再轻易冒险了。凡是带了私货的大车队都在关外不远处的凌海镇打尖歇脚，一面观望形势，一面商量怎么办。

但是常四老爹等不起，他与债主约好了延期三个月，而且借的高利贷也是三个月到期。就算现在即刻启程，也要快马加鞭才能赶回去。这一耽误，哪怕是晚到一天都算前功尽弃，运回了盐，也挽不回破家毁业的厄运。所以他忧心如焚，天天跑到关口前打听消息。

十月底的山海关已经起了朔风，眼看随着风来就是一场大雨。凌海镇紧挨着海边，风起得特别大，一溜街上的幌儿都被吹得七零八落。两旁开大车店的老板伙计们忙不迭地沿街捡幌子，引来路沿上闲坐的一帮子穷汉大声哄笑。

大车店里也有不少看热闹的人，他们要比那些在北风中等着雇脚的家伙舒服许多，大车店尽管赶不上客栈，但待在里面至少不受风吹雨打。店门里的几张砖头凳上坐满了车队的骡伙计，他们一边不紧不慢地喝着大碗茶，一边操着天南海北的方言扯皮聊天。

"我说，这嘛时候能放行啊，家里老婆孩子还等着我回去过水官节。"

"嘿，别是你自己想老婆的热被窝了吧？"

"傻贝儿，一出来三月，你不想老婆？"

一言既出，大家一阵哄笑，一个年岁稍大的中年伙计叹口气："水官节……嘿，都说水官解厄，啥时候帮俺们解解眼下这场围。"

一句话说得四周静下来，人人都怔着出神。只是这沉默很快就被店外的哄闹声打破了。

"快去看啊，又枷人了。"

"去看看，去看看。"

好几拨人分别从道两边的大车店里拥出来，奔着北面的街市口而去。

这边几个骡伙计也要往外走去看热闹，冷不防被一个黑铁塔般的身影挡住了去路，打头的伙计连忙赔笑："刘把头，您这是……"

那黑汉子把牛眼一瞪，瓮声瓮气地道："你们要去哪儿？"

伙计把身子一矮："去……去……瞧瞧热闹。"

"放屁！老爹急得要上吊了，你们还有心去看热闹？都给我滚回屋去。"

"是，是。"几个伙计连个屁都不敢放，一迭声地答应着，磨过身就往后院走。

"等着！"黑大汉又是一声喝，"看见老爹了吗？"

伙计们面面相觑，摇了摇头。

"去哪儿了呢？"黑大汉自言自语，瞥了一眼窗外阴沉下来的天色，粗豪的面容上竟也现出一丝忧色。

凌海镇南边不远有一处十里长的乱石滩，滩上都是粗砺的尖石，一向少有人来。像这样风雨欲来的天气，这里更是应该一眼望不到人影。但偏偏就在这个时候，竟有一个人步履蹒跚地走在海岸边，不时停下来，望着大海叹上口气。

"棋差一着满盘输，输了，完了。"他长吐着气，仿佛要把一腔的郁闷都吐出去。

"唉！"走到一块高出海面数米的巨石旁，那人呆立了良久，终于一跺脚，向上爬了几步，来到岩石顶上，双手拢在一起，对着海面高声呼喊，"玉儿，爹对不住你，爹没用！"喊过几声之后，作势就要往海中跳。

"慢着！"身后忽然传来一声喊，倒把这要跳海的人吓了一跳。他身子一僵，缓缓转过身来，这才看清叫住他的是个年轻后生。

那后生也看清了眼前要跳海的这个人：五十多岁年纪，胡子头发白了一多半，再配上一身的短衣襟和一双长满粗茧的大手，肯定是常年在外跑买卖的生意人。

后生一抱拳："这位大叔，我要是没看错的话，您怕是想不开要跳海吧。"

这位"大叔"就是常四老爹，方才他到关门口去打听，正赶上一伙贩盐的人被搜验出在米袋里夹带私盐。这伙人好话说尽，还递上一百两银子的好处，怎奈那曹守备脸黑得像墨汁，一声令下，将所有货物没收。商队的骡伙计每人被重打四十，两个管事的商人各被枷号十天。常四老爹见状，觉得这一次肯定是在劫难逃，不由得心灰意冷，走着走着到了海边，便起了轻生的念头。

没想到这时恰好被一个后生叫住了，常四老爹也抬眼打量来人。见这后生长身鹤立，英气勃勃，虽着粗布短衫，神情中却有一种不怒自威的气势，绝非庸碌之辈。再看他眼里含笑，眸子一闪十分有神，好像四面八方的事情都逃不过他的眼睛。

常四老爹也是阅人无数，一瞥就知道这后生不是歹人，他想了想，"扑通"一声便给这后生跪了下来。

那后生猝不及防倒吓了一跳，连忙闪身避开，伸手来挽："大叔，这可使不得，您有话就说，何必这样。"

常四老爹不肯起来，哽咽道："年轻人，你说得不错，我是要自尽。可我方才糊涂了，没有交代后事就死，倒累了我身边的人。"

说罢他从怀里拿出一只铜哨："我叫常四，是从山西来的商人，车队就歇在前面镇子里的'来福记'。伙计里有个黑大个是我干儿子，绰号叫刘黑塔。小伙子，我拜托你，拿我这只哨去找他，就说我死了，让他不必找尸首，把货就地卖了，不管多少钱，拿回山西去还债。然后把我女儿接着，找个地儿过安生日子……"说着说着，常四老爹眼泪落了下来。

那年轻后生也面容惨然，劝道："常大叔，你不要想不开，谁没有走窄了的时候，关二爷还走过麦城呢。您且放宽心，不管什么事，总有法子不是？"

常四老爹连连摆手："唉，这次我是看清楚了，过不去了，过不去了。"

后生见他这样，怜悯之下倒是起了好奇心，追问道："到底什么事呢？"

常四老爹本没心思讲自己的事情，但转念一想，既然求人家捎话，也不能吞吞吐吐什么都不说，就简要地把事情经过讲了一番，末了加了一句："可怜我这人做了一辈子生意，从不欺心，这世道是真不让人活啊。"

后生心里有数，这个曹守备新官上任，升官的心比火炭都热，是一心要拿走私行商的身家性命来染自己的顶子，想从他这里进关，真是千难万难。不过这后生还有一句话要说："老人家，这么说您只是发愁进不了关。不错，我也知道这个曹守备不好对付，但眼下已是九月底，再过一个多月，另一位肯吃贿赂的刘守备就要来了，现在凌海镇上不走的那些商队，十有八九都在等他，你何不也……"

"唉，我要是也能等不就好了嘛。"常四老爹连拍大腿。

这下后生才恍然大悟，眼前这个人和他的商队竟是一刻也容不得耽误，非要马上进关不可，否则就有家破人亡的危险。

后生的眼里忽然一亮，也不去接常四老爹一直伸手递着的哨子，他背着手走了两步，低眉敛目沉思不语，随后又抬眼仔细地盯了常四老爹两眼。

后生的神情倒把常四老爹闹了个愣怔，心说这是怎么了，瞧这年轻后生倒好像比我的心思还要重。

过不多时，后生点了点头，仿佛下定了决心，再次来到常四老爹的面前，一拱手："对不住，这口讯我不能帮您老带了。"

"这……这是为何？"

后生微微一笑："因为大叔您不必死，我有办法让您把货物带进关。"

常四老爹先是一惊，但马上就想到这是后生的一句托词，想来人家也是好心，打算先稳住自己，再慢慢来劝。他是绝了生念的人，只是淡淡一笑，也不搭话。

那后生倒是有些诧异，但他最是机警不过，脑子一转就已明白了常四老爹心中所想，知道自己出言太急，话也说得太满，难怪难以取信于人。

"常大叔，我的办法也不是万无一失，但是只要您愿意试，总还是一条生路。况且我也不是一无所求。"

常四老爹这才认真地品了品他话里的意思，觉得不像是在开玩笑，迟疑着开口道："你……真的有办法？要多少银子？"

后生道："花不了几个钱。"

"怎会……"

"这先不提，我先说说我的条件，要是能行，咱们再说出关的办法不迟。"

常四老爹点头，倒不知这后生有何条件，如果是银子，百八十两倒是能凑凑，再多了却也头疼。

就见后生微微一笑："方才听大叔说，您的车队要夹带私盐入关，我想请您再多带一样东西。"

"什么东西？"

后生指了指自己的鼻子："我！"

"你？"常四老爹吃惊不小，"你要入关，何须我将你带进去，自己到关口径直进去就是了。"

后生不动声色："这关外几百万人，有的能入关，有的就入不了关。如果真像大叔说的那样，我能如此轻易就入关，还用提这个条件吗？"

常四老爹为人老实，可一点也不傻，听到这里脑子里闪过一个念头，失声道："你……你是流犯？"

后生没言语，只将自己的裤腿向上一揽，露出脚踝，靠外侧打着一个黑色三角的烙印，这正是流犯的标记。

常四老爹看得清清楚楚，倒抽了一口凉气，连连摆手："年轻人，你简直是在开玩笑。我不帮你，死我一个，帮了你要死全家，这如何使得？"

也难怪常四老爹大惊失色，大清朝有极为严苛的《逃人法》，该法在立国之初还仅限用于各王府、旗主的逃奴，后来推而广之，连流犯也包括了进去。这《逃人法》最凶蛮的地方就在于，对窝主和帮助犯人逃亡的人，处罚比"逃人"还要严厉，主犯必定斩首，家属充作官奴，家产一律充公。自此法施行以来，有些奸恶之徒甚至冒充逃人，假意四处借宿，然后同伙再借机敲诈，非将人弄得倾家荡产不可。

远的不提，就说现下，如果有人见到常四老爹与一名流犯在如此偏僻的地方交谈，给二人安上一个"密谋逃亡"的罪名，也是不得了的。

常四老爹正是想到这一层，才惊慌不已，甚至还怕眼前就是个"仙人跳"。自己本来已经山穷水尽，万一再摊上这种官司，连家眷都要受连累，那可真是死不瞑目了。

后生见常四老爹吓得嘴唇都发了白，一时倒也愣住了，想了想才道："常大叔，您别害怕。我也不瞒您，我姓古，叫平原，是安徽歙县人。五年前我在京里摊了场官司，发配到关外。细的也不说了，我在关外一待五年，什么走私的法子都看过了，就说这贩私盐，我想出了一个绝佳的法子，就连如何混在你的车队里入关，我也有万全之策。只要你点头答允，就算把你我二人都救了。要是不答应，我也不勉强。"

常四老爹始终在摇头："不行，不行，我还是那句话，无论如何我不能连累家里人。你既然是流犯，我的事情也不敢拜托了，就此别过吧。"

听了这话，那叫古平原的后生眼光黯淡下来，掉头向镇上走去，走几步再回头，见常四老爹还是站在礁石上，眼睛望着海面，显见得死意未息。

古平原心想，这是能救人而不救，说起来还是造孽。自己在千里之外尚有牵挂之事，何不行此一善，就当积德也好。

一念及此，他又往回走，扬声道："大叔，你先下来，我有话说。"

常四老爹并未转身，只是喑哑着嗓子道："我是将死之人，你就不要连累我了吧。"

"既然大叔怕受到连累，我也不敢再求。只是那私盐入关之法，大叔可要听听？"

常四老爹闻言一震，缓缓转头："我不帮你，你还要将那法子告诉我？"

古平原不在意地一笑："我又不是商人，用不着一物换一物。"

说罢，他干脆也爬上了礁石，伸手指向大海："常大叔您方才要是跳下去，这海就成了催命的阎王，现在它却是您救命的福星。"

"这话怎么说？"

"我这个法子也简单得很：您连夜买上三车最新鲜最便宜的活鱼，总共花费不到二三十两银子，然后将水槽里注满淡水，再将那七成私盐倒入其中冒充海水。外人看您运的是鱼，其实运的却是盐，管教神仙也猜不到。"

常四老爹倒吸一口气，重又上下打量了古平原几眼："这是明修栈道暗度陈仓的法子，真亏你想得出来。好！好！"

古平原一笑："我这个人就是喜欢瞎琢磨。这些日子没事儿就凑在城门口看热闹，想着自己就是个私盐贩子，要如何运盐入关。看他们搜检得久了，也看出些破绽来，便想了这个法子。原以为是穷极无聊打发时间，想不到今日却有了用处。”

常四老爹连连点头："你可真是有心人！"

"不过办法虽好，却有两件事情一定要留意。第一，那鱼只能在到关口前的半个时辰放入水里，否则水太咸，鱼一翻白就露馅了。第二，这水中掺盐的事只能找你从山西带来的伙计去做，万不可交给关外的骡伙计，保不齐里面有一心谋财的家伙拿你告官。"古平原又道。

常四老爹听得频频点头，忽又想起一事，重皱愁眉："那入了关之后又该如何，这三大车的盐水若是晒起来，没个十天半月不成，时间上还是来不及啊。"

古平原点头道："有时间自然可以晒盐，现在没有时间，难道不可以煎吗？"

"不错！"常四老爹一拍大腿。

制盐之法有晒、煮、煎三法，煎盐法的损耗是最重的，但时间却是最快，晒盐法恰好相反，煮盐法则取其中。眼下事急从权，平素不用的煎盐法正好可以派上大用场。

死中得了一线生机，常四老爹自是大喜过望。忽又想起这叫古平原的后生求自己的事情，自己无法办到，不由得大是尴尬。然而要是应承下来，委实关系太大，心中实在难以抉择。

古平原笑了笑："常大叔不必为难，我既然将秘诀和盘托出，自然也就不会以此要挟于您，您只管放心入关吧。"说罢，转身就走。

"等等！"常四老爹为人方正，一辈子不曾欠过人情，眼见这后生一走，自己这人情要亏上一辈子，连忙将他叫住。

"古老弟，我虽然不能帮你逃进关去，但你要是有其他事可以托付给我，我自当尽力去办。"

古平原想了一下："算了，我要做的事，若是能逃入关，自己去做，就算送了命也是该着。但要大叔为我冒险……"他摇了摇头。

古平原的确是个厚道人，办法既然已经和盘托出，常四老爹又不愿带自己入关，再留下去徒然让人家为难，所以他拱了拱手："老人家，您回去准备吧，一切留神在意，我这就告辞了。"说罢回头向镇子上走去。

"哎……"常四老爹的话在喉咙里打了一个转，又咽了回去。他方才一个冲动想把古平原叫住，答应帮他逃亡，但一闪念间又犹豫不决，只得眼睁睁地看着古平原渐渐远去。

"古大哥！可找着你了，你去哪儿了？我半天没见你的人影。"古平原刚走到凌海镇扁担街的街底，就被迎面过来的一个面色腼腆的年轻人叫住了。

"是连材啊，我去那边城门口看枷人了，然后又到海边转了转。"古平原刚刚放过一个逃出关的大好机会，心头难免有些牵碍。

"还那么严？"叫"连材"的年轻人丝毫没有觉出古平原此时的心情。

古平原点了点头："刚才又枷了七八个，看样子这曹守备是铁板一块，难撬得很。"

"那也不关咱的事，奉天大营的军马，他敢拦吗？"

古平原与面前这个叫寇连材的年轻人，是相交莫逆的好友，但二人都是重罪在身的流犯，由关内被流放到奉天尚阳堡，受奉天大营管制。历朝历代，流犯里面都有很多聪明人，甚至是读书人。比起那些大字不识一箩筐的兵大爷，这些读书人在不打仗的时候有很多用处。像古平原就是读过大书的人，能敲算盘，会写文书。到了关外没两年，正赶上笔帖式报丁忧回籍，营官们一商量，干脆不补人了，让古平原顶上这个位置，活儿有人干了，笔帖式的俸禄则被几个营官吃了空饷。

不过古平原也不吃亏，无论如何这比到深山里开矿或是修桥挖路要轻松得多，而且得着机会还能照顾照顾自己亲近的人。像这一次，他跟随许营官来山海关接京商为奉天大营采办的军马，就把自己的好朋友寇连材一起带上了。

听到寇连材说曹守备不敢拦军马，古平原不以为然地摇摇头。

"怎么，我说得不对？"

"兄弟，你想一想，京商的人早就到了山海关那边，可就是过不来。要真是军马，许营官这几天又怎会急得如同火上房？"

寇连材眨巴眨巴眼睛："古大哥，你是说……"

"这几个营官里，许营官最贪，保不齐他跟京商的人串通好了，用没有勘合的劣马来冒充军马，反正那些勘合文书只由许营官来验真伪，他不说，谁知道？"

寇连材用手搓搓前额，张大眼睛道："我的天！怪不得京商不过关，原来是不敢啊。"

"嘿，这个曹守备也不知道吃了什么药，钱不要，人情不讲，连奉天大营的面子都不给，许营官拿他也没辙。眼瞅着到了交接的期限，再这么等下去，难免更多人心里起疑，对他可是不利啊。"古平原说话慢悠悠的，寇连材听得可是心里发急。

"那怎么办呢，总不成就这么耗下去吧？"

古平原满腹心事也被逗得一乐，一拍他的肩膀："兄弟，你急什么？马匹过来了，那是我们的事。过不了关，跟我们一点关系都没有。你只小心提防着许营官找人出气就是。"

寇连材恍然地点了点头。

京商的马队宿在关外十里的一处草场，帐篷搭起笼了一个圈，正好将那些"军马"都围在其中。离众人搭建的帐篷大概几丈远，也就是住地的上风口，有一顶结实敞亮的牛皮大帐，因为离马匹远，没什么难闻的味道。当然，帐里住着的不是寻常伙计，而是京商大掌柜。

这几日，"军马"运不过关，大掌柜张广发又接了京中一封急信，心情愈发烦躁，一干伙计都十分戒惧，不敢擅离营地，更不敢轻易靠近大掌柜的帐篷，免得触霉头。

但此时就偏偏有个小伙计大大方方从营地外走了进来，他看了一眼老老实实做事的众伙计，笑了一下，随后竟一掀帘，径自走进了张广发的大帐。

"我到关上转了一圈，看明白了，这个曹守备是连一两不上税的油都不肯从关口漏出去。"小伙计一进帐篷便说道。

"先不说这个。"站在他对面的是个掌柜打扮的中年人，紧拧着眉，看样子有些气恼，想用手点指这小伙计，却又放下，气道："你……你怎么能一个人跑出关去呢？这要是出了什么事，我……"他转头看看四周，又压低声音，"我怎么和东家交代？"

小伙计满不在乎地笑了笑，他看上去年纪还不到二十岁，白净面皮，柳眉星眼，乍一看是个俊少，但细一瞧这人却眼神无定、嘴唇极薄，仿佛随时都准备了一个轻蔑的笑容。

"我说张大叔，你带的这些都是什么伙计？一个个只知道睡觉，商队出了事儿，连个出主意的人都没有。我要是不去打听打听，你还能指望谁？"

古平原猜得没错，这些"军马"其实就是京商从乡下低价收来的劣马，有些老母马生过五六胎，肚子都拉了下来，松垮垮的。因为有许营官做内应，所以京商这一次有恃无恐，没想到却遇上了个"门神"曹守备。

京城里前日送来了信儿，叫张广发做成了这趟生意就赶紧回京城，有要事相商，故此张广发这几日也是急得不行。

"那也不成，你就老实待着吧，我这边银票已经准备好了。俗话说得好，世上就没有不沾腥的猫。我就不信，这一沓银票递上去，那曹守备的脸还能不开晴！"张广发也是咬着后槽牙说。如此一来，这趟买卖的利润就少了许多，回去仍是不好交代。

小伙计一听这话，双手抱臂，脸可就沉下来了："你和我爹一样，就会给当官的塞钱。我就不明白了，这买卖不这么做就不成吗？"

"当然不成！"张广发也急了，"你懂什么，'靠着官船好过江'，东家这么做生意做了一辈子，无往而不利。"说完他抓起那沓银票往外走，想了想又回头嘱咐道："钦少爷，求求您可千万别乱跑，不然别怪我回去跟东家说。"

等到午夜时分，张广发气急败坏走进帐篷。一进来就是一愣，那"钦少爷"正坐在小几上，用瓦罐在熬着什么汤，味道竟是怪得很。

"这是我从洋行带回来的正宗锡兰茶，里面有香料，要连茶带水一起煮才是味道。英国人都这么喝，要是有奶油放进去一点就更好了，现在这样只能将就。""钦少爷"用汤勺尝了尝，一脸的失望。

"我说你就别摆那洋行的谱了，东家送你去天津，又不是让你学这个。"张广发无奈道。

"钦少爷"一笑："看样子，事情不顺吧？"

张广发张张嘴，想说的话又咽了回去。

"银票被没收了，过关也休想，我说得没错吧？""钦少爷"的嘴角带着嘲笑。

"那个王八犊子，真不知道是从什么畜生的肚子里生出来的。我刚说了几句，连要运什么货都没说出口，递上去的银票就被当贼赃没收了。明天天一亮，我非到山海关总兵那儿去……"

"行了，我的张大叔，你没去之前我就知道是这结果。这当口，银票也不灵光了吧？真要是想过关，还得动生意人的脑筋。""钦少爷"指了指自己的头。

"什么意思，你能有什么主意？"张广发怀疑地问。

"钦少爷"招了招手，示意他附耳过来，等到主意说出来，张广发大是兴奋："嘿，我说少爷，你这主意成啊，可真是不简单，虎父无犬子。"

"钦少爷"本来笑嘻嘻地听着，听到最后一句，脸色顿时一沉。

"我跟我爹不一样！"

第二天时近中午，关门上的士卒正在盘查过往车辆，就见远处甩开来一极长的车队，往关口缓缓而来。待车队到了近前，发现领头的是个小伙子。这小伙子骑着高头大马，人和马都披红挂彩。再往后看，双挂的马车有好几十辆，也都红绫缠颈，彩带高飞，清一色地挂着亮湛湛的铜铃。厢车不多，用来拉货的车倒是不少，车上空无一物，一看就知道这是接亲的车队。

"我说你们这是……"关口上的头目刚开口问了半句，那神采飞扬的新郎官已然跳下马，扬着眉道："几位，辛苦了。我们是从半壁山来的，到南泥洼台接我老婆过门。"

"哦，远道来的，怪不得一口子京味儿。不过，这接亲怎么来了这么多车啊？"话问得是，一般的接亲来个十辆大车就已经很有排场了，这车队倒好，多了好几倍。

新郎官一笑，凑近了低声道："我老丈人手面阔，让我多带车来拉嫁妆。"

"你娶的是？"

"女家姓耿，耿连庄耿大善人您听说过吗？"

"哎哟！"小头目一愣，这耿连庄别说在南泥洼台，就是在关外也有这么一号，年节都要请山海关的总兵到他们家赴宴。小头目连忙堆上巴结的笑脸，"敢情您是耿财主的准姑爷，他老人家嫁闺女，好说好说。"小头目踮着脚看了看，发觉大部分的车都是空的，又走了几步，掀开几辆厢车看看，也都是空的。

"道太远了，就没带女眷来，说好了都是耿家负责。"新郎官看出他心里疑惑，上前补了一句。其实这新郎官就是昨日在张广发面前出主意的"钦少爷"，他出的这个主意妙极了。找几家大车店只雇车不雇马，讲好车子进关放在镇上，大车店自行派人来取。再买几匹红绫扮作接亲的队伍，就这么大大方方地闯到了关前。

张广发扮作寻常伙计藏在车队里没敢露面，因为他昨天和曹守备见过，担心被认出来坏了事。他一直紧张地看着前面，虽然听不到"钦少爷"与守关头目的对话，但看两人那表情，心就放下了大半。

小头目见来人没什么走私的嫌疑，又是不能得罪的人，便挥了挥手想放行，突然就听从上面城门楼子里传来一声重重的咳嗽。望上一看，打箭眼里伸出一只手，向自己招了招。

他苦笑一下，冲新郎官道："你等一下，曹守备叫我，我去去就回。"

过了没一刻钟的工夫，小头目匆匆地跑了下来，脸色却变了，他大声一呼："把这车队围起来，挨辆搜，守备大人说了，哪儿见过这么多接亲的车，没准就藏着私货。"

新郎官听了倒是不在乎，抱着臂站在一旁看士卒们施为，嘴里冷冷道："行，你们搜吧，要是搜出来，我也戴大枷站站笼。不过，要是搜不出来误了吉时，哼，我那老丈人可不是好惹的。"

任他这么说，县官也不如现管，曹守备就在上面看着，士兵们谁敢偷懒。可就是把大车队翻了个底朝天，除了行脚用的帐篷铺盖，连一样私货都没找出来。

"满意了？"新郎官问道。

"这……"小头目直想打自己嘴巴，心说我里外不是人，这差事当得太窝囊。他再往上看看，城门楼子里也没了动静，"走吧，走吧，别忘了缴人头税。"小头目侧着头挥挥手。

车队轰轰隆隆过了关口，走出好远，张广发这才从后面赶过来，他一把将"钦少爷"从马上拦腰抱下，喜道："你这一出《文昭关》唱得真行！回去我非和东家夸你不可。"

要说这次出门，开始的时候没人发现这少年就是"钦少爷"。但世上没有不透风的墙，再加上少年自己也没刻意隐瞒，总跟张广发在一起。慢慢地，就有人猜着了他的身份。一传十，十传百，很快整个车队都知道大老板的独生儿子也跟在车队里。现在，"钦少爷"立了这样一桩大功，谁不要过来逢迎两句？"钦少爷"扯了红绫带，起初还没什么，后来车队里的伙计都上来七嘴八舌这么一夸，他脸上也渐渐露出得色。

"去，找到奉天大营许营官的住所，就说我们已经带着马匹进来了，请他指处马圈，我们把马带进去，尽快验马。"到了这一步，张广发便得心应手了，他派出伙计与许营官联络，同时派人找客栈歇息。

等到晚饭之后，这个消息就在奉天大营来的人中间传开了，这些人大部分都是流犯，来到这儿充作领马的苦力。古平原和寇连材在吃饭的时候也听到了这个消息，寇连材抓抓腮："古大哥，这一招还真不错，以后别人要偷运马匹也可以如此办理。"

"马匹的运量很少，尤其是入关出关。除了大营用军马，其余都是各地就近配种贩卖，哪里用得着经山海关来走私，这一招对普通商人没什么用。不过能想出这种办法的人也不简单就是了。"古平原说着说着，呆呆地出了神。

他这副样子寇连材也是看熟了的，他知道古大哥心里的主意多，不晓得又在想着什么，也不去打扰，吃过饭自己跑去火房子外面的路边茶馆听书。今儿茶馆里讲的是袍带书，《隋唐演义》第十八回"程咬金劫皇杠"。这一段煞是精彩，讲的人手舞折扇充作宣花斧，绘声绘色，听的人更是两耳竖起，生怕漏了情节。

就在这当口，忽听茶馆外面传来喧哗之声，好像是有人吵了起来。刚开始寇连材也没在意，仔细一听不对，里面有个声音好熟，再一辨，可不就是古平原嘛。

他这才一惊站起身，往外就跑，来到大街上，借着昏黄的天色一看，古平原紧紧抓住一人的衣领，眼睛瞪得几乎绽出来，不住地大声叫道："怎么不是你？你不开口还好，开了口我更认准是你。你这……你这恶徒，为什么陷害我，为什么！"

古平原连声质问，声音凌厉、又高又快，已经惊动了不少人。这镇上本就困住了许多商队，人人闷得发慌，连猫狗打架都要围上一帮，巴不得有人生事好看热闹，很快就聚了一大群人围成一个圈。

寇连材在一旁早就看呆了，在他的印象里古大哥温文尔雅，向来是动脑不动手，今儿个这是怎么了，谁惹着他了？愣了半晌，他才反过味来，慌忙分开众人，挤进圈内。

就见被古平原抓着的那个人，四十开外的年纪，国字脸，留着一字胡，看穿着打扮都是掌柜的样子，唯一不同的是袖口绣着三道金丝，这是京商的标志，那么此人就是京商的掌柜了。这人眼神中带着一丝惊慌，神色却是不变，只不过避着古平原的视线，一个劲儿地说："你放手，我不认识你，你认错人了！"

"放屁！"古平原破天荒地动了粗口，"认错人？你这张脸，我无时无刻不在记着，一辈子也忘不了！"他咬牙切齿道。

那京商掌柜的身边也跟着两伙计，伙计看掌柜的被人揪住了，扑上来就要打古平原。

"这是怎么了？这……这……别动手，有话好说！"寇连材过来相劝，只是不知前因也不知后果，硬是无从劝起。

"姓古的，你一个流犯嚣张什么，小心吃军法！"那京商掌柜见古平原被人抱住，手却始终不撒开，不由得恶狠狠说道。

古平原一听这个话，陡然之间静了下来，一双眼睛却还是不错目地盯着面前这个人，目光森然，眸子里有一股不怒而威的气势，古平原虽然不说话，却比说话时还要慑人。京商掌柜被他看得心里发虚，讷讷道："怎么，你还不服气，要不要我去找你们营官？"

"不必了，我在这儿！"说话间，从人群外走进来一个矮墩墩的军官，吊梢眉，狮鼻阔口，一脸凶相，身边也带着两个军卒。此人一进来就沉着个脸，向左右看了看，随即呵斥古平原道："你灌了黄汤失心疯了不成，这是京商的张掌柜，给我们送军马的，你揪他做什么？"

寇连材知道大营六个营官里就数这个许营官又贪又凶，一听他说的话，吓得腿肚子都转筋了，赶紧过来掰古平原的手，小声说："大哥，你真疯啦，快撒手，快撒手！"

古平原慢慢把手松开，退开一步，也没看许营官，只盯着张广发，一字一句地问道："我只问你，你说不认得我，怎么知道我姓古？又怎么知道我是流犯？"

一句话把张广发问愣了，寇连材也疑惑地看了看他，周围的人都觉得古平原问得有理，等着看张广发如何回答。

不料张广发脸色变了变，转而对许营官拱了拱手："营官大人，我张某人虽是初来关外，可是京商与奉天大营不是一回两回的买卖了，关外的规矩我还真就闹不懂，这流犯怎么审起良民来了？"

许营官被他这么一问，脸上着实挂不住，一瞪眼恶狠狠地望向古平原。

"流犯古平原！给张掌柜磕头赔罪！"

古平原就像没听到一样，不遵令也不回答，依旧是双眼直勾勾地看着张广发。这下子许营官可被激怒了，从腰里搜出马鞭，一步迈过来，劈头盖脸地朝古平原打下来。他下手可真狠，鞭子打到脸上顷刻就是一条条血痕，古平原的衣服也被打开了花。人群中的一堆闲汉开始时还挂着笑看着，间或吹两声口哨，后来见古平原咬着牙硬挺，渐渐都不出声了。

"营官，您手下留情，手下留情！"寇连材吓坏了，看古平原不躲不闪不求饶，石雕一样站在这里，知道今儿这事儿要坏，赶紧跪在地上给张广发磕头："大掌柜，您帮着说句话吧，我大哥他今儿是痰迷了心窍，您老大人不记小人过，您老是活菩萨……"

张广发也觉得这样子不是了局，趁机下了台阶，咳嗽一声开了口："许大人，咱们不是还有买卖要做嘛，别为了个流犯生气，倒把正事给耽误了。回头镇上最好的酒楼我请客，这事儿就算了吧。"

"算不了！"许营官把鞭子一甩，指着古平原叫道："我先去接军马，等回来再收拾你，非把你捆在拴马桩上抽死不可！"

"哎，算了算了。"张广发好说歹说把许营官劝着一起走了，临走时回过头瞅了一眼，发觉古平原看向自己的目光中怒火不减，心不由得又是一缩。

他们走了，人群也渐渐散了，寇连材从地上爬起来，见古平原还是一动不动地盯着张广发离开的方向，脸上颈上血痕纵横，忍不住抱住他的腿哽咽道："古大哥，你这是干吗呀，你要吓死兄弟我吗？我可是头回看见你这样，你……你这到底是怎么了？"

古平原沉默片刻，抬手擦了擦脸上的血迹，声音低沉道："你还记得我被人陷害那件事吗？"

"记得呀。"

"就是这个人！"

"他？！你别是认错了吧？"寇连材猛回头看去，张广发早就走没影了。

"错不了！"古平原的声音斩钉截铁，"当时他虽然只露了半张脸，但我印象太深了，他说话的声音也是一模一样，我就认准了是他。再说我方才问他的那句话怎么解释？你没看到他有多慌张吗？"

"说得也是。"寇连材不由自主地点点头，"看他那样子的确是做贼心虚。不过，人家是京商大掌柜，无冤无仇，怎么会没事跑去陷害你呢？"

"谁知道他五年前是做什么的？无论如何这一次是老天爷给的机会，我非弄个水落石出不可。"

寇连材有些害怕："许营官盯上你了，大营里就数他和你没什么交情，真要惹火了他，营官对付流犯，还不像鹰逮兔子那么简单？古大哥，要我说算了吧，你的刑期都过去一半了，剩下的忍一忍就……"

"这不是还剩几年的事儿！"古平原说完发觉自己的口气有些硬，歉意地降低语调，"兄弟，我和你不一样，你的事儿虽然冤，你心里也怨，毕竟知道个因果。我呢？糊里糊涂就被埋在这关外的活棺材里了。十年哪……"他眼圈一红，差点掉了泪。

听他这么一说，寇连材也不言声了，知道这位大哥想到家里的老母弟妹触动了情肠。寇连材与古平原交情莫逆，古平原平素拿他当弟弟看，事事护着他。寇连材本是书香世家，家道殷实，谁料他的父亲与人合作了一本诗集，被官府挑出错来，说是反诗。结果全家充军，父母都死在了道上。他身子骨本弱，流犯里颇多凶恶之徒，这几年要不是得古平原照应，他早已被人欺侮得客死异乡。因此他对古平原感激得是无可无不可，一切事情听凭这位大哥做主。在他眼里，古大哥就是《水浒》里及时雨宋江一样的人物，还带上点智多星吴用的计谋，时至今日他才算看到了古平原内心深处的隐痛。

"先回火房子吧，等晚饭过后点了名，我溜出来转转，散散心。"古平原一拍寇连材的肩。

"我陪你一道。"

"兄弟，不用你跟着。你放心，许营官说要抽死我，我不至于这当口找不痛快。就是出来散散心顺便想想主意，不会去找那姓张的麻烦。"古平原勉强一笑。

寇连材这才点了点头。

"张大叔，怎么着，听伙计说你方才在街上被个流犯给生擒活捉了？"张广发交接了军马，请许营官等吃喝完，刚回到客栈就被"钦少爷"堵住了。

"没有的事，误会一场。"张广发不愿在这个题目上多说，"钦少爷"却不容他打马虎眼。

"我可听伙计说得活灵活现，好像还是你的老相识，你做了对不起人家的事儿。张大叔，打小就是你照顾我，看不出来你还挺坏的，回去我跟爹说说。""钦少爷"嬉皮笑脸道。

"你可不能跟老爷说！"张广发一下子紧张起来，"这是我的私事，你少管。哎，你这是要干吗去啊？"他看这位少爷不像是在客栈大堂专等自己，"钦少爷"长衫马褂，穿着打扮已不是伙计身份，看样子像是要出去。

"关外我也是头回来，我去镇上到处转转，开开眼。""钦少爷"说着便往外走。

"找个人跟着你。"张广发急叫。

"用不着，镇上又没老虎。""钦少爷"不待张广发喊人来，几步就走远了。

"唉！"张广发叹口气，想起古平原，又是大大一皱眉，自言自语道，"回去了，说还是不说呢？"

"钦少爷"出了客栈，他可不只是随便看看这么简单。在洋行学做生意时，他受洋人那种不重男女大防观念的影响甚深，得空就去妓院行馆转，从打茶围到嫖姑娘，年纪虽小已是花丛老手。此番出得关来，一路上都没有机会寻花问柳，几乎把他憋疯了。好不容易安定下来，一是"寡人之疾"作怪，二是好奇关外的女色与关内有何不同，所以一心想找秦楼楚馆、清吟小班。

他在街上转了两圈，发觉这镇子着实不小，再加上天色已黑，自己初来乍到，正为难之时，忽然觉得旁边有人拍了一下自己的肩膀。

"相好的，找什么呢？"

"钦少爷"一侧头，就见一个歪戴帽子、嘴里叼根牙杖的二流子正斜眉瞪眼地看着自己，于是掸了掸马褂上方才被他碰到的地方，没言语。

"是找烟馆还是耍钱的地儿，我带你去，破费两小钱就行。"二流子凑过来问。

"钦少爷"实在受不得他嘴里的那股子腌臜味，下意识地退了一步，厌恶地摆了摆手。

"哦……呵呵！"那二流子看"钦少爷"的穿着打扮像是个阔家少爷，又不嗜烟不寻赌，已是恍然，"明白了，少爷敢情是想找姑娘吧？我认识呀，咱们这儿有一条街，楚香阁、艳情院，还有那个珍爱馆，好看的婊子多了去了。怎么着，我陪少爷去逛逛？"

"不用你陪着，你说的那条街在哪儿？""钦少爷"大感兴趣。

"这个嘛……"二流子斜眼瞥着"钦少爷"，烟瘾上来打个哈欠，一只手有意无意地伸了出来。

"钦少爷"出手很大方，一块银角子塞了过去，"快说！"

二流子喜笑颜开，很痛快地就给"钦少爷"指点了方向，只不过等人走远了，他才微微露出一个冷笑。

"就你这雏儿还想到那地方去厮混，等下非被人扒个干净不可。"

古平原吃过晚饭点了名，原本还有些担心许营官来找自己的麻烦，后来听说他喝得醉醺醺的回了客栈，知道这一夜是不妨了，便信步走出流犯住的火房子。他满腹心事，一时想到当年被人陷害时那惊心动魄的情景，一时又想到今儿老天爷有眼，让自己在关外遇到了仇家，不能轻易放过。但是自己手里没凭没据，许营官眼看着也不会为自己做主，要如何弄清楚当年的真相，可真是让他犯了难。

他只顾低头琢磨事情，脚下没停步，不紧不慢地走着，忽然一个娇滴滴的声音在耳边响起："哟，大爷，老没见您了，怎么也不常来坐坐啊，奴家可想煞您了。您心可真狠，也不知道心疼挂念人家。"

古平原一惊抬头，这才发觉自己一个不留神，居然走到钵子街来了。钵子街是条弯街，看上去就像是托钵，故得此名。这街是镇上有名的销金窟，有妓院、烟馆，也有赌坊，来这儿的大多是商队的伙计，再有就是手里弄了两个钱的流犯。因为这个镇虽然算不上是通商大邑，但也是出关的必经之路，来来往往的闲杂人等有的好色、有的好赌，至于带两口"嗜好"的也不少，有买的就有卖的，久而久之也就有了钵子街这块地方。

对这地方古平原是久闻其名，但他可一回都没来过。听那浓妆艳抹的"姑娘"说自己"老没来了"，肚子里不禁暗笑。掉头想往回走，没承想这时候旁边妓院的姑娘也来争客，两个人夹着古平原拉扯。古平原心里正烦着，两只手用力一甩，把那两姑娘带了个趔趄。他不想纠缠，心道赶紧脱身，刚转回身快步走，就听到那两个女人的骂声。

被窑姐骂了，古平原暗道一声倒霉。正要加快脚步，忽然旁边一扇角门被人用力推开，一个小伙子赤着上身，被从门里重重推到街上，只见他脚下一绊正巧跌在古平原身前。

门旋即关上，小伙子也随即从地上爬起来，嘴里大叫："王八蛋，有你们这么做买卖的吗？欺负我不懂行是不是？天津卫九街十八坊我都逛过，有名的婊子我都睡过，你们这破烂地儿，丑怪婆儿，也敢坑人？我……"

小伙子气得在地上直打转，一眼看见地上有块残砖，遂捡起来握在手上，然后往前走了十几步，转到这家妓院的前脸，一使劲儿砸了出去，吓得门前拉客的两个姑娘"妈呀"一声蹲在地上。他这一砖砸得也巧，不偏不倚把左边门上挂着的一个大红灯笼给砸了下来。

古平原心里猜到了是怎么回事，这种事在钵子街几乎天天都有，他一走一过，压根没想管闲事。但听到小伙子说话是京城口音，心里一动，又看见他把人家挂的红灯笼给砸下来，顿时又是一惊。

妓院、赌坊这些地儿的灯笼，就像是买卖家的幌子一样，左边那个叫"招财"，右边那个叫"进宝"，打从年头挂到年尾，碰坏了视为大忌。自己人碰的，立逐不赦，要是外人碰的，那就更了不得了。

古平原见那小伙子还光着脊梁，七个不服八个不忿地站着，情知等妓院的打手一拥而出，这小伙子眼前亏是吃定了，不被打死也得打残。想到这儿，他一个箭步冲上去，拉着那小伙子就跑。

小伙子猝不及防，被拉着跑了十几步，等回过味来使劲儿一挣，古平原急道："好汉不吃眼前亏，你不跑，等下被人打死了，丢到镇南的乱葬冈去！"

小伙子一怔，往后看去，果然打手们蜂拥而出叫骂着追了上来，这才知道古平原说的不假，连忙撒腿跟着古平原跑。好在古平原来这个镇不是一回两回了，地形还算熟悉。二人一路逃，七拐八转，竟然绕出了镇，来到镇边的一处小树林，这才歇了口气。

方才这小伙子一股气顶着，天不怕地不怕，此时回想之前的一幕，知道要不是古平原，今天自己惹了地头蛇非吃大亏不可。晚上，关外下起霜，他光着脊梁，冻得直打哆嗦，心里感激，可就是不知道说什么好。

古平原心想好人做到底，把外套脱了给他穿上。看他年纪不大，许是二十还没到，有心数落他两句，一想自己又不是他的父兄，萍水相逢教训人，只怕人家不服气。于是古平原往西边的一条小道一指："顺着这条路往前走，看见第一座桥就可以拐回镇子。"最后，到底还是加了一句，"可别再拐到钵子街去了。"说完，他扭头就要走。

"兄台，请留步。"小伙子脸上一红，有点挂不住，但还是勉强说道，"今日之事多亏兄台，改天有机会我一定重重谢过。请您留个姓名住址，明儿个我好把这衣服还回。"

古平原原本对他心存几分瞧不起，一听这话，觉得此人还算是通情达理，这才回道："我姓古，名叫古平原。衣服也不值几个钱，还不还的也没什么关系。不过我冒昧问一句，听您是京城口音，莫非是京商的人？"

"这个……"这小伙子正是"钦少爷"，他今儿可是触了大霉头。因为从京城出来的时候是扮作伙计，他身上本就没带多少银票，偏偏还要到本地第一家大妓院去摆阔。若是寻常的寻欢作乐也就罢了，人家看出他是条"肥鱼"，弄了七八个姑娘陪他喝酒，他胡天胡地也不知与几个姑娘上了床。等到心满意足一结账可坏了，人家本来就有心坑他，账上带了几笔花头，他身上的银票全都加起来还差了一百两。

龟公鸨母冷言冷语两句，他又犯了少爷脾气，一通大骂，结果被人把衣裳扒了撵出门来，身上的银票当然也都留下做了"缠头之资"。"钦少爷"自己心里明白，这件事京商是绝不会为自己出头的，回去见了张广发更是连提都不能提，不然就是找不自在。

此刻古平原问他是不是京商的人，他知道这一趟给京商丢了脸，一时不敢开口回答。

古平原看他脸色，心里猜到了八九分，自顾自往下问道："这一趟京商运马出关，听说主事的姓张。要是方便，这张掌柜的事儿，我想跟您打听打听。"

"钦少爷"听他问张广发的事儿，心里更是一惊。他以为古平原认识张广发，那岂不是坏了？但人家刚救了自己，只得硬着头皮回答道："你要问什么？"

"这张掌柜五年前是做什么的？"

"五年前？""钦少爷"先是疑惑，随即一挑眉，"哦，我明白了，你莫不就是今天下午在街上揪住张大叔的那个人？"

古平原也是一怔："你叫他大叔？"

"嗨，他原先……他……他……""钦少爷"猛然觉出自己说走了嘴，这一下不但把自己是京商的事儿挑明了，连自家的来历都要说了出来，便忙把嘴闭上。但话都说到这个份儿上，猝然刹住，脸上的尴尬也就可想而知了。

要搁在平日，古平原见他有难言之隐，绝不会硬逼着他往下说。但今天不同，这个事儿对他太重要了，容不得面前这人打马虎眼，于是他一双眼紧紧地盯着这人不放。

"钦少爷"愣了一下，眼珠一转忽然捂住了肚子。

"哎哟，古兄，真对不住，方才没穿衣服想是受了凉。这一会儿内急，你我改日再叙，改日再叙……"他边说边挪脚步，说完了撒腿就跑。

"哎！"古平原在后面叫了一声，又是好气又是好笑，人家说内急，自己明知是借口也拦不得。一低头却看见那人脚下掉了什么东西，捡起来一瞧又是一愣。那是一方上好的汉玉章，上有盘螭钮，细看阴文，是"李钦"两个字。螭钮镂空，想必是拴在腰带汗巾上，又掖在里面，这才没被老鸨子搜了去，没想连跑带颠竟然失落在这里。

这玉晶莹透白，一望可知价值不菲，古平原便清楚此人绝不是京商寻常伙计，喃喃道："李钦……李钦……他和张广发是什么关系？"

古平原出去转了一大圈，救了个人，捡了块玉，回来时比去之前还要郁闷。

他以"军流"的身份随奉天大营的军官来此办差，按例军官办差可住客栈，也可住当地的军营，但十有八九都会住客栈。因为比较自由，虽不敢召妓，但喝酒赌博却是不碍的。

军流则不同，他们的身份介于大牢里的囚犯与被征的差役之间，没有住客栈的资格。只是由于向来军队办差都会带流犯，久而久之自然也有人做他们的生意。就在客栈的后面，靠着白桦林有一排简陋无比的小房子，人称"火房子"。建房用的是黄土坯子，窗户纸破破烂烂压根挡不住风，房子里是一溜的大通铺，铺盖经年不洗，还有人从里面摸出过死耗子。但这里比之"岩风易结杯中雪，炕火难融被上霜"的尚阳堡已是热闹繁华得多了。

古平原是有心事的人，住得好坏本不放在心上，但他自幼整洁惯了，哪怕如此粗鄙的房间，也让他收拾出一角干净所在。此刻他一脚踏进屋，就见屋里其余人都在豆大的灯光下斗牌，压着嗓子吆五喝六。他没这个心思，便打算洗洗睡了，门口有人叫他。

"古大哥。"

来的是寇连材，他一直在担心古平原，见他平安无事回来，这才放了心。三言两语过后，寇连材想起一事。

"有件事大哥听了肯定欢喜。"

古平原摇摇头："你就说吧。实话说，现在就是天上掉下个元宝，我也乐不起来。"

寇连材压低声音："那可不见得，古大哥你现在是不是最怕那姓张的跑了？告诉你，京商被困住了。"

"哦？"古平原向前倾了一下身子，立时机警起来。

"你不是跟我说过，许营官这一趟来公私两便？公的是接军马，好处咱就不说了。私的，他暗地弄了一批私盐来，讲好了卖给山东的一个盐脚子。"

"这事儿知道的人有几个，他做得也不是特别机密。那盐脚子看关上盘查得严，不敢运这批盐，这几日一直央告许营官，想吃些亏把货退了，听说昨儿都跪了，可许营官连正眼都不看他。"古平原接道。

"已经退了。"寇连材插言道。

古平原难以置信："退了？不能吧，盐退回来就要砸在许营官自己的手里，他能干这善心事儿？"

"屁善心！他要有善心，山上的老虎都不吃人了。我跟你说吧，他找着下家了。"

古平原刚想问是谁，想起方才寇连材说京商也被困住了，恍然道："难道说这批盐让京商买下了？"

"不是买下。"寇连材晃晃手，向左右看了看，悄声道，"方才许营官把那个张广发叫到客栈，用这批盐抵的军马钱。我想去看看他是不是还要找你的麻烦，正巧被我知道了。"

古平原的脑筋动得极快，心里盘算着，缓缓点头："这一下子，连那盐脚子吃的亏算在内，他至少又赚了几百两。这王八蛋赚昧心钱倒是好手，不过我就不明白了，京商出了名的精明，那个张广发刚打关内冒险过来，盐能不能运出去他心里有数啊，怎么敢做这笔交易？"

"许营官逼他们收的，我不知道为什么京商就同意了。"

"我知道！徽商信奉'法乃经营之利器，非割喉之利刃'，看来京商恰好相反。"古平原想了想，叹了口气，"他们的军马是劣马，这不是正经买卖，所以许营官要黑他们，他们也不敢吭声。反正没处报官去，这就是不按规矩做生意的结果。其实论起来，这批盐运进关的收益倒是在卖马钱之上，只不过运不出去也是白搭。"

"那咱就不管了。我碰巧经过，看见那个张掌柜打客栈里出来，脸上青一阵白一阵，不用问，他也没什么好辙儿。许营官还要在镇上盘个当铺，总要耽搁些时日。这么一来，古大哥你大可从长计议，不必急于一时了。"

古平原点点头，这一夜他没睡实，做了一个噩梦。梦里去找张广发理论，二人一语不合厮打起来，张广发抽出一把攮子，一下子扎在他的腰间。古平原大叫一声，从梦里醒来，这才发现是那块汉玉章揣在怀里顶住了肋条骨。火房子都是大通铺，他这一嗓子惊动了不少人，但也都是骂了两句便纷纷翻身睡去。

长庚隐没，启明微灿，天边已然放了白，街上也有了骡马走动的声音，古平原索性不睡了，一翻身爬起来，轻手轻脚走出客房。

他是心事难平，一脑门的官司，想的全都是如何让张广发如实招供。他慢慢踱着步，不知不觉来到了前门口。

此刻天蒙蒙亮，门前已有大车队奔往关前，准备赶早出关。古平原见那车队上插着盐旗，便想起昨日在海边救的那个山西商人，不知是否已然准备妥当安全出了关。人家这一走，海阔凭鱼跃，天高任鸟飞，自己呢？依旧流放关外不说，好不容易遇到了仇家，却仍是无可奈何。

想着想着，他心中忽然一动，想起小时候在徽州家乡听过的一句话——"钱是救命药，亦是杀人刀。"

"一事两面，既然我能用这个法子来帮人，那我何不……"古平原喃喃自语，眼神中忽地放出光来。

"连福"客栈是本地数一数二的大客栈，京商的商队出门一向讲究排场，大掌柜的不用说，就连账房、大伙计、车把头这几个商队中的核心人物，也必定是包住本地最好客栈的一间独院。这样做，一是能在众多商家中显出卓尔不群，看似多花了钱，反倒能引来大主顾；二是保密性佳，有什么话不怕落在外人耳中。

京商投宿于"连福"客栈，本地京里人混得穷困潦倒，来告帮的也有几个，围在门外进不去，等着大掌柜出来诉诉苦情，搞得客栈门前很是热闹。古平原急匆匆赶过来，见客栈的伙计正在门口轰人。

"去去去！又不住店，大清早的一群穷鬼挡在门口，真是晦气！"

求告之人有的是真，有的是假，但都是一副可怜兮兮的样子，抖着双手向前伸着，有些还半跪半爬，声音更是哀不忍闻。而即便如此，叫了半晌，京商的人一个都没出来。

古平原在旁看了一会儿，不由得摇了摇头。他想到当年在京赶考时，徽商会馆对待京中徽人关怀备至，有了难处只要说一声，必定是全力相帮，与眼前这一幕比起来，真是云泥立判。

古平原不想再看，挤上前去对着伙计开口道："小兄弟，麻烦你，我想进去找京商的张掌柜。"

他这一说不打紧，身后几个人把他往外面一搡，口中喝骂："哪儿来的不长眼睛的家伙！爷们在这儿等了一夜了，你刚来就想横插一杠子，没那么便宜的事儿，边上候着去！"

古平原气不打一处来："我不是来告帮的，我找张广发有事儿！"

他口气不善地提名带姓，眼瞅着就不是那低声下气之人。客栈的伙计也是一愣，刚要问，打里面出来一个京商的人，店伙计连忙一弯腰。

"爷，您睡好了。您看看，这儿有几个人来找张掌柜，还有一个说不是来告帮的。"

出来的是商队的大伙计，其实就是张广发的副手。虽说是副手，能在京商做到这个位置，气派也已不是寻常商队的大掌柜能比得了的。昨晚许营官用私盐付了马钱，张广发一回到客栈就召集手下人开会，商量怎么把盐运出去，但任谁也没想出个好主意来。大伙计正为这事儿头疼，抬起眼爱答不理地扫了店伙计一眼，口中说："掌柜的正在想买卖上的事儿，没工夫见他们！咦？"

他"咦"是因为看到了古平原。昨天古平原当街揪住张广发，大伙计也在场，不由得把眼一瞪："我说那个流犯，你还嫌昨天的鞭子挨得不够多是不是？居然还敢找上门来，快滚！"

"你们正在为难的事儿，我可以帮忙。"古平原不想和他一般见识，忍下一口气说。

"就凭你一个臭流犯，谁要你帮，你能帮什么？！"大伙计冷笑一声，对客栈里的伙计道，"别人还好说，就这小子，看住了。要是敢往里闯，你们就捆翻了送到奉天大营军爷的住处，自然有人收拾他！"说完，他转身进去了。

古平原见那几个店伙计也是一副仗势欺人的样子，知道自己要是硬闯非吃亏不可，只得暂时退到一旁，打算等在门外伺机而动。

等了没多一会儿，从门里又出来一位穿绸裹缎之人，此人走出门左顾右盼，显见得是没想好往哪儿去呢。古平原一见这人眼睛顿时就亮了，高喊一声："李钦！"

出来的正是那位"钦少爷"，他是出来遛早的，一出门就被人叫住，他还纳闷呢，关外我没熟人哪？他冲着来声的方向看去，脸色顿时就变了，想退回去已经来不及了。

古平原含笑迎上来，店伙计喝斥着要拦，古平原一指李钦："我跟这位爷说两句话，你们问他想不想听？"

店伙计都是人精子，早就从商队众人的口中得知，这一趟来的京商中，最有来头的就是这位"钦少爷"，谁敢得罪？都拿眼睛看李钦。

李钦没办法，走前几步，一扯古平原，低声道："咱们一边说去。"

等走到僻静处，李钦瞪了古平原一眼："你怎么知道我叫什么名字？"

古平原打从口袋里摸出那枚印章，冲着李钦晃了晃。

"是你丢的不是？"

李钦下意识地一摸腰间，这才发现自己的印章不见了，点了点头，仿佛明白了。

"说吧，你想要多少钱？"

古平原一愣，知道他误会自己是来诈他的，便干脆将他的手拽过来，把印章拍在他的手里，合上掌又推了回去。这下子李钦彻底糊涂了。

"你……你到底要干什么？"他疑惑地皱了皱眉，这人是个流犯，又不要钱，这可不是奇了吗？

"看样子你在京商里有一号，能帮我安排见张掌柜一面吗？"

李钦听了没言语，重又打量古平原。他看古平原的时候，古平原也在看他，昨儿夜里黑，彼此的长相只是看了个大概。现在再看李钦，就见他眉眼长得很俊俏，手指细长，想来必是在养尊处优的环境里长大。但大概是夜夜笙歌的缘故，他的肤色有些苍白，眼圈略发黑，看上去有华贵之姿却非沉静之人，特别是眼神中带的那丝轻狂傲慢，与商人的待人接物格格不入。

二人相互端详了几眼，李钦开口道："这位姓古的朋友，你昨儿救了我，要说帮你个忙也没什么。不过你和张大叔之间一定有事，不说明白了，我是不会帮你的。你也别打算蒙我，实话告诉你，运马进关的法子就是我想出来的，要论动心眼，十个你也不是我的对手。"

古平原听了尽管心里不舒服，还是拱了拱手："你说得不错，我与张掌柜之间确实有笔账要算。老实说，我之所以到了今天这个地步，成了关外的流犯，全拜这位张广发张大掌柜所赐。但我一没得罪过他，二并不认识他，他为什么要害我，我打算找他当面问个明白。"

李钦到底是年少好事，一听是这个茬儿，眼里露出一丝兴奋之色。

"行，要是这么说，那我带你进去弄个清楚。你可别打错了主意，里面都是我们的人，要是闹起来，可没你什么好果子吃。"

李钦带着古平原往里走，伙计们自然谁也不敢拦。二人穿堂入室，一直走到客栈的东跨院，也就是京商包下来的那个独院。

大伙计也在院子里面站着，一看李钦把古平原带进来了，吓了一跳。心里暗自埋怨这位"钦少爷"不懂事，迎上来道："少爷，您怎么把他带进来了，他是个流犯！"

"我知道。"李钦把眼一瞪，"张大叔在吗？"

"大掌柜在屋里和账房李先生议事呢。"

说话间，正房的门已开了，一个干瘪老头拧着眉毛摇头晃脑地走出来，一指大伙计："我没什么好主意，你有主意你进去说吧。"

大伙计也是一摇头。古平原精明，一猜他们就是为了那批私盐运不进关而苦恼，当下不管三七二十一，扬声喊道："我有办法！"

在场的几个人都吓了一跳，同时看向他。房间里传来脚步声，张广发出现在门口，他一见古平原，脸上顿时惊诧至极。

"是你！"

"不错，是我！"古平原一改昨日态度，平静地说。他见张广发要喊人，向前一步道："张掌柜，想不想把盐运进关去？要是不想，尽管叫人来把我撵走。要是想嘛，出主意的人已经到了门口，难道不请进去让一杯茶吗？"

张广发轻轻抽了一口气，再三端详古平原，见他没什么恶意，也不像带着凶器的样子，考虑半晌才一侧身。

"请！"

古平原进了屋，李钦也跟着走了进去。张广发看了看李钦的表情，知道他不会出去，无奈下只好亲手把门关好，然后坐下一言不发地盯着古平原。

古平原昨日已然看出，张广发是个外表憨厚，实则精明内敛的人，在这样的人面前说话用不着拐弯抹角，于是沉默片刻便直奔主题。

"张掌柜，五年前你我素不相识，你为什么要骗我，害得我被充军流放整整十年？"

张广发微微一笑："你进来就是要说这个？我昨儿已经说了，你认错人了！"他虽笑着，声音却冷得像冰。

"我无凭无据，你自然是不肯认的。"古平原早料到他有这样的反应，一旁的李钦好奇地看着两人，目光不停地扫来扫去。

"我能帮你把私盐运出去！只要你告诉我为什么。"古平原声音有些大了。

张广发不置可否，端起茶来喝了一口，用盖儿拨着碗中的茶叶，眼皮子垂下来压根不看古平原。

"怎么？你不信？"古平原急道。

"年轻人，你到底还是嫩了些。"张广发突然笑了。

古平原疑惑地看着他。

"我来问你，若你是我，敢答应这样的条件吗？私盐私盐，走私嘛，各有各的道，但都要经过那道关门。先不说你的法子能不能用，就算是真能用，我的车队过关的时候，你抽冷子蹦出来，把我们爷们卖了，我哭都找不着坟头。你说是不是？"

这说得也有理，古平原一时也愣住了。

"我有办法！"李钦眼珠转了转，眉毛一挑，学着方才古平原在院子里的口气来了一句。

古、张二人都没说话，只拿眼看他。

"你写一张字据。"李钦冲着古平原道，"就把你这个法子明明白白地写在上面，落上你的姓名，交给张大叔。过关的时候你要是告密，就等于是把自己也告了，流犯犯法罪加一等，你自然没那么傻，这不就结了嘛。"

果然好主意！张广发听着脸上已经有了笑容。其实他表面上不动声色，心里却是急得很，东家让他办结了这一趟的差事后抓紧回京，偏偏又遇上以盐抵账的事情。若是贱价将盐就地卖了，这里是海盐的产地，必然卖不上好价钱，自己在京商里名声就算砸了。若说用走私之法混出关去，从昨晚到今天，车队中的几个头领人物想破头也没想出万无一失的办法，偏偏古平原就在这时候闯了进来。

"这样说来，你就先把运私盐的法子说出来，让我听一听。"他对古平原道。

"笑话，我说了，你叫人来把我撵出去，我怎么办？你先说！"古平原一哂。

"我说了，你不肯说那法子又怎么办？"

李钦听笑了："得嘞，你们二位又是'麻秆打狼，两头害怕'。这样吧，我还没做过中保呢，今儿我来做个保人。古兄你先说，只要这个法子有用，我保证让张大叔说出你要的答案。实话告诉你，我是他的少东家，他不敢不听我的。你昨晚上救了我，我不会恩将仇报，你就放心吧。"

"他昨晚救了你？"张广发听得一愣。

"哦，遇上几个地痞，小事，小事。怎么样，你信不信得过我？"李钦怕去妓院的事儿露了馅，连忙乱以他语，然后问向古平原。

"行，就这么办！"古平原想一想，不这么办，这事儿就是僵局。看看李钦说的像是实话，于是拿过笔来"刷刷刷"写了个办法出来，落上自己的名字交给张广发。

张广发拢目细看，李钦这边也凑上来，等到看完了，二人一对视，目光同时一闪，都缓缓点头。

"这法子使得，难为你想出来这么绝的办法。"李钦看向古平原。

古平原淡淡一笑，并不言声。徽州商人经商的方式共有五种，"走贩"排在了第一位，接下来方是囤积、开张、质剂、回易。徽商最善于"走贩"，夹带私货的方法不胜枚举。古平原家中几代都是买卖人，从小到大身边邻里更是商贩无数。适逢乱世，苛捐杂税繁多，不夹带私货则走贩必定血本无归，所以古平原每日听的都是回乡的行商讲述与各地税关斗智斗勇的故事。加之天分极高，所以别人一筹莫展，他却能在极短的时间内就想出了万无一失的法子。

李钦见他不搭话，干笑了几声，转回头对张广发道："张大叔，人家可是对咱们和盘托出了。你别让我这个保人为难，该说的你也说吧。"

张广发一看李钦那副认真的样子，暗地一皱眉头，站起身来，冲着古平原拱了拱手。

"对不住，我先出去一趟！"

古平原"噌"的一下站了起来。

"去哪儿？"

张广发没有理会他的剑拔弩张，很轻松地笑了笑，解释道："当年的事儿不是三言两语就能解释清楚的，你要是想听我细细说来，那就容我把手头的事情安排一下。你方才说的那一计，我现在就要让伙计们准备起来，今晚就要入关。这样办两不耽误，你看如何？"

话说得在理，古平原也是个讲理的人。虽然心里急，但是还是点了点头放他去了。

张广发出了院子，点手把大伙计唤来，就照着古平原传授的如此这般这般如此地安排了下去。大伙计一听是这么个好办法，大是兴奋。张广发则不同，他把事情交代完毕，脸色一沉。

"还有件事，你现在就去做，越快越好！"

等他说完，大伙计有点蒙了。

"掌柜的，这人生地不熟，去哪儿找这种药啊？"

张广发压低声音："你就寻那偏僻的小巷子，凡是卖春药的药铺必定都有这种药。"

"那给钦少爷也下上药，这……"大伙计为难道。

"我也不想这么办，不过他那脾气我了解。要是硬为那姓古的出头，也是一桩大麻烦，索性就这么办了。有我担着呢，你怕什么！"

这样一说，大伙计衔命而去。张广发先不急着回屋，在前后院子里转了几圈，等到大伙计回报把一切都准备好了，他才施施然返回屋中。

李钦早就等得不耐烦了，他原本想和古平原套套话，问问这里面的究竟，可是古平原性子沉稳，一个字也不肯多说，所以李钦巴不得张广发赶紧回来破解谜团。

"张大叔，你怎么去了这么长时间？"

"嗯，事情不少，都要一一吩咐准备。这可不是小事，万一被逮到了，那站笼岂是好去处？再说，眼看时已近午，我准备了一点酒饭，大家边吃边谈吧。"张广发一摆头，几个客栈的伙计已经把几盘精美的菜肴连同一个酒壶、三个酒盅送了进来，随后关上门退了出去。

古平原心想你是我的仇人，我一心想知道这里面的隐情所以才忍气吞声，怎么还能和你在一桌上吃酒聊天呢？

但他刚要开口拒绝，张广发抢先一步端起离自己最近的酒杯，斟满一杯一饮而尽，亮着杯底道："我先干为敬。"

"好！"李钦是大家公子哥，酒楼歌坊常进常出，这些场面更是不在话下，端起酒壶把古平原那杯斟满了，又把自己那杯也满上。

"来，我也敬一杯！"

古平原沉吟着，迟迟不举杯，张广发一笑："莫不是怕我在酒里下了毒？"

"笑话！"侧座作陪的李钦一扬眉，"这是一个壶里倒出的酒，张大叔要下毒，岂不是连自己也毒死了。既然你这么信不过我们京商，来，我俩换换酒杯。"说着，他拿过古平原面前的酒杯一口喝干，然后把自己那杯推给古平原。

话说到这份儿上，古平原也只得拿起杯子喝了。他确实有点怀疑张广发在酒里动手脚。但看李钦的神色无异，杯子又换过了，他这才放下心来。

三个人坐下，古平原机警得很，轻易不动筷子。看张广发让得殷勤，偶尔夹一筷子菜也必是张广发动过的那一盘。张广发都看在眼里，却不露声色。酒过三巡，按理说就应该入正题了，没想到张广发还是只字不提当年之事，古平原一问，他就顾左右而言他，说起了皇城根儿的老故事，把古平原气得直想拍桌子。

这一次连李钦都看不过去了，把酒杯一放，直截了当地说："张大叔，咱做人可不带这样的，你是不是想耍赖？"

张广发一愕，随即仰头大笑了两声，然后眯眼笑着说："钦少爷说得不差。姓古的，我实话告诉你，你想知道的事情，从我嘴里一个字都掏不出来。不过我还真得谢谢你，你那条计真好，我张某人这一趟买卖，出关靠钦少爷一条计，入关靠你的一条计，来，我再敬你们二位一杯。"

古平原和李钦的脸色同时都变了，古平原的脸煞白，李钦却是涨得通红。古平原先是没言语看了看李钦，李钦像不认识似的看着张广发，随即怒道："张大叔，你别忘了，我是保人，我是李家少爷，这是我家的商队，我……我要你说，你就得说！"

张广发神色不变，微微低了一下头，算是表示歉意："对不住了，少爷，今儿这个事儿，还真就不能听你的。再说这一趟出来，东家要我拿你当寻常伙计待，这伙计也不能命令掌柜啊。"

"你……你……"李钦气急了，手指张广发，"言而无信，你这不是败坏我京商的名声吗？"

"信？"张广发一乐，"东家说得好，买卖做成了才有诚，钱赚到手了才叫信。你若是个叫花子，就是一身文遍了'仁义礼智信'，也没人搭理你。"

"啪"的一声，古平原一拍桌子站起身来。他再也听不下去了，知道今天自己被人从头耍到尾，于是冷冷地对张广发道："这些年来，有时午夜静思，我还总对自己说或许当年之事有什么误会，现在看来，你果然是个卑鄙无耻之徒。我那张字条想必你也不会还给我了，要用它来要挟我不去报官，那你就打错主意了！古某堂堂七尺男儿，岂能受你如此之欺，就是拼了同归于尽，你也休想把那私盐运出关！"

说完，他转身就走，没想到来到门口一拉房门，阳光兜头这么一照，顿时头晕眼花，勉强再往前迈了一步，就如同踩在棉花堆里一般，人不知不觉"咕咚"一声栽倒在地。

李钦一见大惊失色，再回头一看，张广发的嘴角露出诡秘的笑容。便也腾地站起身，他刚要说话，没料想头一晕，竟然站不住。双手扶桌勉强一抬头，冲着张广发："你……你居然连我也……"

张广发这才过来扶住李钦，慢慢地让他躺下。看着李钦眼睛渐渐闭上，他叹了口气："钦少爷，谁让你非管这档子闲事呢，算大叔对不住你了！"

第一笔生意，多少要靠点运气

"东西准备好了，其余的就看运气吧。"此时古平原心里倒是平静下来，接下要做的就是往水里一躺，等到再起身的时候，不是钢刀架颈，就是已经入关重获自由。一死一生，全看今天了。

古平原一睁眼，发觉身边一片漆黑。他用力甩了甩头，想起了方才发生的事情，一翻身爬了起来，只觉得头疼欲裂，不由自主地扶住了床栏。他抬眼向四周辨了辨，发现自己在一个房间里，但不知是在何处。还好门脚窗缝都有微光透出，古平原借着这点光推开门，才知道天已经全黑了。他踉踉跄跄走到院中，嘶哑着声音大声喊道："来人，来人哪！"

"哟，爷您醒了？您等着，小的给您沏壶茶，透个手巾板。"随声跑进来的是个店伙计。

"这是哪儿？"古平原喘着粗气急问道。

伙计笑了："瞧您问的，还能是哪儿？连福客栈哪。"

"我还在京商的客栈里……"古平原自言自语，随即一抬头，"去把那个张广发给我喊来，快去！"

"嗬，这个小的可办不到，张掌柜带着商队早就出关了。临走多结了一天的房钱，说您吃醉了酒，嘱咐小的让您睡好，谁也别来打扰。"

古平原还没听完，就已经冲了出去，留下伙计在那儿丈二和尚摸不着头脑。

"怪了，都说了房钱已经结了，跑什么呀？"

古平原冲出客栈，沿着道路向着山海关大门撒腿如飞。边跑边听见打三更，心里一凉，眼瞅着天都要亮了，距离城门关了已经有三个时辰了，京商的车队只怕是早就走远了。

他抱着万分之一的希望来到关门前，向守夜的士兵一打听，果不其然，京商的车队早就扬长而去。

"张广发！！！"古平原终于爆发了，他冲到关门口用力擂着大门，"开门！我要去找人！"他一声接一声地喊着，把士卒都吓了一跳。

士卒们哪能由着他这么闹，一回过神来就捂嘴的捂嘴，捆人的捆人，把古平原捆翻在地。守夜的小头目从关墙上下来，寻问是怎么回事，手下如实禀报，问他如何处置。

这个小头目人还算不坏，想一想叹了口气："放了吧，要不然明早一起来，曹守备知道了又是一条命。这些日子死的人够多了，就算做做好事吧。"

说完，他蹲下身，对着嘴被堵住的古平原道："小子，你要不是疯子就眨眨眼。"

古平原依言眨了眨眼，小头目接着说："今儿算你运气好，这就把你放了。可有一宗，你要是再闹，皇天老爷也救不了你。乖乖回家睡大觉去，甭管什么急事，天明之后开关再来。为这点事把条小命搭上不值当。"

说完了，他吩咐士卒们放开古平原。

古平原一时情急，事到如今也慢慢平静下来，知道这件事也怨自己太大意。听那小头目说让开关之后再来，心里更是又苦又酸，自己是个流犯，牛马都能从山海关过去，只有自己不能。若说要等到五年之后刑满释放再去京城找张广发，一是实在等不了这么久，五年，只怕人都要等疯了。二来那张广发到时候还会不会在京商里做事，也是两说。还有那个李钦，装得可真像，说什么做保人，自己刚刚救了他，他就和张广发联手唱了一出"鸿门宴"，小小年纪，心肠可真毒！

古平原心里的火一股股地往上拱，双拳攥紧，指甲不知不觉嵌进了肉中，竟也不知疼痛。他漫无目的地走回镇上，走到来福记客栈前，与几个车伙计擦肩而过，听到这样一句话。

"你说这常老板也真有意思，前几天急得火上房，昨儿又出昏招，说是要把盐卖了换鱼。这一来二去，不净是赔钱的买卖吗？"

又一个声音道："你管他那么多呢，咱是伙计，听喝的命，让咱干啥咱干啥。再说什么都不用咱们干，白放一天假，你不想想去哪儿喝酒，操那份闲心干吗？"

"啧，是这个理儿，这么着，街底那家广记合子铺，大家凑份子？"

几个伙计哄然而去。古平原听到这儿便知道他们说的是那个山西商人常四，敢情他还没走呢。再顺理一想便恍然，常四的商队是临时雇来的，自然不像京商那般令行禁止，为防伙计出首告密，准备的时间必定要长，反倒是京商雷厉风行，一日之间便可乔装过关。

古平原站在街边想了想，觉得眼下只有一条道可走了。于是转到客栈后身，踮脚扒着矮墙看了看。果不其然，后院里常四老爹放风，旁边一个黑大个赤着上身，热汗直流，正一铲铲地把盐往水车里对。

古平原怕常四老爹看见，赶紧蹲下身，心中举棋不定，想了好久，终于一咬牙，站起来翻身越过了矮墙，"咕咚"跪在了地上。

前日常四老爹与古平原分别之后，回到客栈把这条好计以及与古平原相遇一事说与干儿子刘黑塔。父子二人不敢轻信他人，所有的事情都是两个人亲力亲为。原打算今天一天将盐水准备好，明儿一早出关，不料正在此时居然有个人翻墙闯了进来。常四老爹吓得眼前一黑，差点心疾发作。刘黑塔更是将铁铲一举，瞪大双眼护在老爹身前。

"是你？古老弟。"常四老爹稍微缓过神来，一眼就认出了古平原，赶紧叫刘黑塔把铁铲放下，过来搀扶古平原。

怎奈无论他怎样用力搀扶，古平原就是垂头跪着，不肯起来。

"唉！"常四老爹一看这情形便明白了。其实他这两日何尝睡好，闭上眼睛就想起古平原期盼的目光，只觉得欠了人家一个天大的人情，心里不时发痛。现在古平原找上门来了，常四老爹绝不认为他是有所要挟而来，看那样子必是遇上了什么过不去的坎儿，走投无路才来求自己。

"古老弟，你先起来，先起来！你是我家的恩公，怎么能跪着说话呢，你是不是想让我老头子也给你跪下？"常四老爹颇重感情，说着说着眼圈也红了，叫过刘黑塔，两人一边一个把古平原搀了起来。

古平原心里也不是滋味，本来自己无偿献计，洒然而去，现在却出尔反尔，就是这么一跪，已然让人家万分为难，自己所求之事到了嘴边硬是说不出口。故此他虽然站起身来，仍是怔怔地默不作声。

常四老爹虽然是个实诚人，但一辈子做小买卖，什么人没见过，在心里品了品，就明白了古平原此刻的心情。不仅他明白了，就连刘黑塔这粗人都看出古平原必是遇上了什么难事。他肚子里藏不住话，一开口便道："爹，咱们就把这位古大哥带出去吧，好歹这计也是人家想的。一条计活两家，岂不是好！"

"你先别插话。"常四老爹摆摆手，转而对古平原和颜问道："古老弟，那日你只说了半截话，这流人逃亡一不小心就是死罪，你干吗要冒此大险呢？"

"我……唉！"古平原提到此事，心情复杂，他与张广发之间的事情与常四老爹毫无干系，贸然说了出来，又担心常四老爹胆子小会被吓坏。好在自己还有一个理由，便是当初要逃入关中的初衷，此刻倒不妨说出来。

想到这儿，他一声长叹："我自幼丧父，全靠家慈将我拉扯大。五年前遭此大难，从此与家中音书不闻。前月我听说洪逆的长毛军已经快要打到我家乡了，据说这长毛军十分凶残，交战之地人畜不留。"

常四老爹一抬手："我明白了，你是想回去探望令堂。"

"对，听说当地的青壮年已经扶老携幼纷纷逃散。我母已年迈，家中弟妹尚未成年，不知能否逃脱贼手，我现下心中真是急得像油烹一般。"说着说着，古平原触了情肠，为人所欺的愤懑，加上思念亲人的悲苦，俱化作了眼中的热泪。

常四老爹被他这几句话说得心头一痛，想想自己也是壮年丧妻，因怕再娶不贤，恐叫独生女儿睡了芦花被，因此一直未续弦。吃苦受累将独生女儿拉扯大，那一份辛苦有时半夜想来都心酸不已。将心比心，这姓古的后生为人热诚，又重孝道，实在是个好人。纵然是流犯之身，但这兵荒马乱的年月，谁有罪谁没罪，又怎能分得清楚。

此刻他已是有七八分心活，试探着再问："你说要混在车队中入关，自然已有了万全之策，不知是何好计？"

古平原听他问到此节，已知事情有望，看看左右无人，压低声音如此这般这般如此说了一遍。

常四老爹边听边点头，末了两手一拍："好，好，好。既然如此，我带你入关便是！"

古平原闻言，心头一震，他方才只是抱了个万一的希望，倒也没想到这位老爹竟是如此古道热肠。感动之余，倒头又是一跪："如果能顺利入关，大叔就是我的再生父母，要是不幸被抓，只说是我自己藏身车队，绝不拖累大叔就是。"

"起来吧。"常四老爹将古平原搀扶起来，一时间两个人心中都有感慨。原本是陌路相逢，几日之内竟然休戚与共，等于是把彼此的性命都拴在了一起，人世间的际遇原来竟是如此奇妙。

"大叔。"古平原叫了一声，常四老爹摆手道，"我身边的后生娃，都叫我老爹，你也这么叫吧。"

古平原依言改了称呼："老爹，我这藏身之法更要隐秘，最好不要让其他人知道。"

常四老爹道："这你放心。不密不成事，更何况这是弄不好要掉脑袋的大事，我一定小心就是了。此事只有我们父子两个去办，好在所费工时不多，我恰又懂点木工，应该不会耽误明日出关。"

古平原又是一拜："累老爹为我担这么大的干系，我真是……"

"莫说了，莫说了，别说你也帮了我一个大忙，就凭你如此孝顺，也不该窝在这关外等死。只是你现在便要藏身在这客栈吗？"

古平原摇摇头："此时还不可以，我是随尚阳堡军营的军需官来此办差，虽说此处不似尚阳堡管得那般严，但若是天黑之时还不回营，万一追究起来，便会坏了大事。老爹只管放心去准备你那边的事情，半夜子时我一定前来与你会合。"

"好，一言为定，你自己也要小心。"常四老爹拍了拍古平原的肩膀。

刘黑塔在一旁本来一直没说话，这时候突然一步跨过来，粗声粗气道："这次要不是你，我们这趟买卖算是砸了。等入关之后，我替老爹给你磕头道谢。"

古平原知道他们爷俩要忙的事情还多，也来不及客气，拱了拱手，又从矮墙翻出。走到街上，远远望了望山海关那巍峨雄壮的楼门，深吸了一口气，暗道："死活就是这一遭了。"他这才收拾心神，举步往住处去。

古平原回到"火房子"，一路碰到的流犯同伴都对着自己咧嘴笑，笑容极是古怪。古平原心中疑惑，不知是什么道理。但他眼下没有时间理会，来到自己隔壁的那间房，挑开门帘向内一看，果然，自己要找的人正在其中，便招了招手道："连材！"

寇连材正倚在墙角闭目养神，一听有人叫自己忙睁开双眼，见是古平原登时乐了出来，从炕上蹦下地，趿拉着鞋，三步并作两步跑到门口，开口道："大哥，你去哪儿了，昨晚上险极了……"

古平原"嘘"了一声："你屋里有人，我们外面说话。"

寇连材跟着古平原来到屋后的桦树林。"兄弟，你坐这儿，我和你说点事儿。"古平原指了指一处树墩招呼道。

寇连材半蹲半坐，不等古平原开口便道："古大哥，你昨晚怎么不回来？点名的时候我说你去钵子街了，好不容易才蒙混过去。还好是客栈的朱掌柜代点，要是许营官亲自来点名，那就糟了。"

古平原这才知道为何众人脸上带着那种笑容，自己是出了名的嫖赌不沾，这一次只怕人家都以为是妓院的姑娘给自己这雏儿塞了红包。

"大哥你到底去哪儿了，你要和我说什么事儿？"寇连材发觉眼前的古平原面色凝重，不似平日嘴角总带笑，不自觉地也敛了笑容，心里忐忑起来。

见古平原半晌不语，他终究是忍不住开口道："大哥，到底怎么了？是不是上个月我们私自将罚没人参的参须拔下卖出的事情被人发现了？"

古平原道："怎么会？我用萝卜须子接上，不知有多像，就凭那群傻大兵，能发现就奇了。"

寇连材吁了口气："我想也是，那人参接好之后，我这个亲手拔的人，都看不出动过手脚，别人又怎会看出。不过大哥，我看你愁眉苦脸，倒好像是做贼被人抓住了。"

古平原被他逗得一笑："被抓住了我还能站在这儿？其实，我是来向兄弟你告别的。"

"告别……大哥你不是被判十年军流，今年才第五年，难道是托人在京上诉了？"

古平原不以为然地摇摇头："兄弟，你还是太天真，做大哥的真是不放心把你一人留在这虎狼窝里。你想想看，像这种陈年积案，我们一不认识达官显贵，二没金银财宝，谁肯替我们翻案！"

"那我就不明白了……"

"也不必猜了。"古平原将昨天在京商客栈的遭遇以及方才去求常四老爹相助的经过简略道来，末了说了一句，"我是非逃走不可，不然的话，再等上五年这心火非把我烧焦了。"

"啊！这……这太危险了吧？"寇连材惊怔不已，早晓得这位古大哥与自己不同，虽然也是个读书人，却懂得顺势而为，兼之胆大心细，这几年就是在军营管带面前也说得上话，却不料他的胆子真的大到如此地步。要知道流犯私逃，第一次抓回来打八十军棍，其实这八十军棍就已经很少有人挨得过去，立毙杖下是常有的事。第二次抓回来则在辕门立斩，朝廷专门在各个关口设了卡，关禁森严，加之山多猛兽，能从关外逃走的流犯少之又少。

"就是因为危险，我才不带你走。"话一出口，古平原自己也是一怔，他本在心中琢磨如何对寇连材说自己要独自逃走，没想到竟不知不觉说了出来。入关的道路如何艰险倒在其次，他心中第一放不下的还是这位情同手足的兄弟。

寇连材默默叹口气，倒像是古平原的话早在他意料之中，他不自然地笑笑："我身子羸弱，要像这般冒险入关必定会拖累大哥……"

"不！"古平原急急打断，"兄弟，你若是以为大哥怕受拖累那就错了。只是这一趟我自己也没有十足的把握，怎能要你也冒此奇险？你且放心，只要做哥哥的一朝落稳脚，不管千难万难也要来接你。"

"真的？"寇连材在心中憋了半天，这时候才一把抓住古平原的胳膊，抽一抽鼻子，眼泪流了出来。

"别哭，兄弟。"古平原连忙止住他，"时间紧迫，要是别人回来了，你我就没了密谈的机会。你听我说，奉天大营的刘管带这几年与我交情不错，我走之后，你要是遇上什么事可以去找他，他应该能帮帮你。"

这对寇连材来说是个很好的安慰，他抹抹眼泪抬眼看着古平原。

"还有就是，我住的屋后有一株大杨树，那下面埋了十串铜钱和七八两散碎银子。原本我还想结束流放回乡的时候买点土货带回去，现在都留给你了。马三他们要是再欺负你，你不妨给他们买点酒喝，别和他们硬碰硬。"

寇连材强忍着泪水在听，想到古平原走后自己无依无靠，身子不禁微微发抖。

"兄弟，我也没什么要说的了，总之你自己一切保重，千千万万等到我来接你的那天。"古平原拍拍寇连材的肩头。

"大哥，你放心，我一定等。只要有你这句话，我就有盼头。"

"那好，快点回去吧。我今夜就动身，要是有人看见你我在一起，只怕对你多有不便。"

寇连材答应一声就要走，当他走到门边时，古平原忽然想起一事，又急急把他叫住。

"兄弟，你要是再上山，别忘了给那棵槐树浇点水。"

"是，你放心吧。"古平原这话里藏着一件往事，其中牵扯甚多，让他至今余憾不息。寇连材知道此事的首尾，一听这话，也不由得追忆起过往，想到要和这么一位待己如同亲弟的大哥分开，再见也不知是什么时候，眼泪又流下来了。他不敢久留，一扭头匆匆而去。

寇连材不敢就此回屋，否则有人见了问起来"小寇的眼睛怎么红了"，那就大大不妙，于是一个人走到没人的地方散心。

安排好这件事，古平原放下心中一块大石，但也不能歇着。此时该他准备的只有一样东西，而这样东西能不能拿到，要到药铺去碰运气。

客栈旁边就是药铺，关外的药铺外面都挂着一支角旗，旗上画着个土黄色的虎撑。传说那是药王孙思邈的趁手家伙，药铺拿来摆在外面无非是往自家脸上贴金罢了。

药铺招呼人的规矩与别的买卖的不同，讲究的是"一脚门里一脚门外"，为的是怕喊错了人，若不是主顾，还可以及早撤话，免得犯忌讳。

古平原往这家"通和"药铺一拐身，门口的伙计先拉个长声："您……"看古平原真往里面走，这才接道："请进，贵府哪位有恙？有方子吗？若是没有，我们这儿有坐堂的先生。"

古平原摆摆手，几步来到柜台前面，开口道："我只抓一味药，可有鱼皮胶？"

抓药的伙计笑了："这味药可没了，咱这柜上已经三个月没熬过鱼皮胶了。"

"哦，我到别处去买。"

"慢……慢，别处还要从我们通和进药，这里买不到，还到哪里去买？"伙计倒是好心，不让古平原跑冤枉路。

"这么说就买不到了？"

"鱼皮胶肯定是没货，但我们这有风干的鱼皮，您抓回去自己熬，只是多费工夫。"

这也可以。古平原拿了两大块鱼皮，说是鱼皮，其实特指鲨鱼皮，熬出来的胶冻是治风湿的好药，但此时古平原却是另有用处。他回客栈借了主人家的灶，自己生火架锅，用大火熬煮了半个时辰，熬出一小瓦罐腥臭无比的鱼皮胶。为怕走味，他还用桑皮纸紧紧糊住缝隙。

拿着这罐鱼皮胶，古平原回到自己住的屋子，把瓦罐往没人注意的角落一摆，自己不动声色在墙边一靠，只等点名。太阳一下山，去别处喝酒赌钱的人尽管意犹未尽，也要乖乖回来，否则就是违规，被拿住了要打板子。

点名本来是营官的细务，但营官不愿意到这臭烘烘的大通铺来，所以十有八九是派客栈的老板代劳。一双笑眯眼的朱老板一进屋，花名册还没拿出来，屋里立时就哄闹起来：

"我说朱老板，你拿的那是花名册还是账本，不是把你家的家谱拿来了吧？"

"那朱老板念的可都是他家的祖宗名字喽。"

"天天都是你来点名，爷们看腻了，换你老婆来。"

"换妹子也行啊，哈哈哈。"

朱老板点头哈腰，当兵的他惹不起，这伙流犯也是惹不得的主儿，真要是呛起火来，半夜客栈着把火，哪个知道谁放的。

所以他点名也不细点，一目十行，隔三两个点一个，只求快点完了事。

点到古平原，他不高不低地应了一声，今天晚上他不想惹任何人注目，但事情偏偏就找上门来。他答应一声之后，朱老板抬头一笑，冲着他点头："古老弟，许营官有请！"

古平原心头一怔，营官入夜后叫流犯的情形以前不是没有，但都不是好事。最近一次发生在一个山东的响马"飞天彪"身上。此人一身的好武艺，施展起来十几个人近不了身。他被流配之后，依旧绿林习气不改，好为人出头，得罪了营官。结果一天晚上被叫出去，引到一处事先挖好的石灰坑，人落在坑里，石灰眯了眼，被抓上来打折了六根肋骨。营官故意叫人用水给他洗眼，烧坏了眼睛，大白天只能看到一米之外，人算是残废了。

这件事自然人人知道，但古平原为人与"飞天彪"大不相同，他为人低调，几乎不得罪人，颇得几个营官赏识。此刻听许营官点名叫古平原，屋里的人都回过头来看他，惊奇诧异自不必说了。几个颇与他交好的，不约而同地想到了他前日在街头被营官抽了鞭子，顿时用眼神表示了关切。

古平原心念电转，第一反应是寇连材不小心漏了风声，又或者是常四老爹那儿出了什么事。不管是哪种情况，都糟到了极点。

他强作镇定从铺上爬起来，走到朱老板面前："朱老板，我今儿吃过饭之后有些不舒服，弄了剂诸葛行军散，正躺在床上发汗。您帮我回个话，明儿一早我去见许营官可好？"

朱老板笑得眯缝了眼，话却是四面不落："哎哟，古老弟，这我可不敢，许营官只说叫你去，没说让我代你请假。我要是贸然答应，万一营官怪罪下来，我这买卖家可吃罪不起，您多见谅。"

古平原知道他说的是实话，也知道要叫这个看起来胖得有些蠢，其实圆滑无比的朱老板，代自己担这样的干系是绝做不到的事情。他看看放在墙角的瓦罐，没奈何只得随朱老板出了屋向客栈走去。

一路上，古平原想从朱老板口中问个究竟，怎奈朱老板一问三不知，只管打着灯笼走在前面，还走得是又急又快。古平原固然机智，但此时情况未明，事情又起得突然，一切应变都无从谈起，只得走一步看一步。客栈离大通铺不过一街之隔，绕过低矮的围墙，就是客栈的大门。朱老板把古平原带到二楼，说了声"许营官在天字二号房"，就悄没声地退了下去。

古平原见朱老板退到楼梯口就不再走，只看着自己，知道不进去肯定是不行了。他深深吸一口气，做好了最坏的准备，抬手敲了敲门。

"哪个？"房间里传来的正是许营官的声音。

"小人是古平原。"

"小古啊，门没插，进来吧。"从许营官的声音里倒没听出什么异常，古平原抬手推开门。

许营官住的是两进的套间，外面会客用，里面是卧室，中间有一道屏风。厅堂之上摆着一席酒宴，上面碗筷杯子一共是四副，显见得还有人来。

等到一落坐，古平原才知道，桌上的四副碗筷与己无关，因为许营官开口就问："待会儿我请了人来吃饭，所以长话短说，你下午借了客栈的灶做什么用？"

听得这一句，古平原心放下大半，因为如果营官察觉了自己的逃脱计划，绝不可能从此事问起。这个谎话是早就准备好的，此时可以放心大胆地拿来用，绝无戳穿的可能。

"偏营的老宋风湿犯了，这一次没有来，托小人带点鱼皮胶拿回奉天大营。小人下午就是在熬鱼皮胶。"

"喔，我知道你一向人好，这一次也亏得你熬胶，我正巧看到你，有件事还非要你做不可。"

这一句话听得古平原莫名其妙，还没问，许营官已经说了出来："过不几日，我们这一趟的差使就结了，回营要向总务官报账。你也知道这一次我们是用盐顶的京商的马钱，这笔账前前后后倒了几遍手，账也不在一个册上，显得不够漂亮，回去在总务官面前难免要多费唇舌。要说通文笔懂算盘，哪个也不如你。"说着他把一本厚厚的账册丢了过来。

"你来帮我合合账，所有杂七杂八的账目都合到一本账册上。你既然充作笔帖式，这件事情我就全权委派给你，数目就按照我给你的账册来合。至于交接验收一应的签字都由你来签，统共一夜做完它。回营之后我给你记上一功，保不齐免你两年的刑期。"

古平原越听越是心惊，等听到最后竟然不由自主地激灵灵打了个冷战。这哪是要给自己记功，分明是要栽赃嫁祸，诿过于人，将这一次买到劣马的罪名全都推到自己身上。回营之后这许营官必定翻脸。有道是"官官相卫"，自己到时候说什么都没有用，难免落个人头不保。更何况常四老爹那边不等人，丑末寅初，山海关大门一开，车队就要入关，再要等上这么一个机会不知是何年月了。

想到这儿，他笑道："这件事哪能劳烦大人，小人自当效劳。不过在这里合账怕打扰了大人休息，不如让小人将账册拿到营房下处里……"

"胡说！"不待古平原说完，许营官一拍桌子，"营房里人多手杂，这账册能随便带到那种地方去吗？我这酒要吃上一宿，你就在里屋做事好了。"

古平原心下雪亮，许营官怕别人不信是流犯做的账，叫来吃酒的这些人做见证。看来自己若是今夜入不了关，留在营中也难逃一劫。但眼下没有任何办法，只能见机行事。

卧室的窗前有一个条桌，古平原坐在桌前，打开账册，一条一条细合。他的性格是内方外圆，既然事情已经这样，既来之且安之。他侧耳细听前厅的动静，来的三个人有两个是随行的军官，还有一个是贩马的客商，彼此吃酒闲聊，内容无非是某某大帅克扣了多少军饷，奉天哪个堂子里来了好看的窑姐。后来话题一转，转到了正在安徽、两湖的战事上。

事涉长毛军，正是古平原所关心，因此不能不停下手细听。事实上也真有很多话是在关外听不到的，都是贩马的客商在关内一路听闻得来。

"长毛实在是厉害，尤其是忠王李秀成和英王陈玉成，打仗凶得很。"

"第一句话就说错了。苏老板，这都是大逆不道的逆党，应称李逆和陈逆，至于伪官称更是不能提，否则便是助逆！"许营官口气不善。

"是！是！军爷说得是。"苏老板显然是吓了一跳，筷子也掉到了地上。趁着捡筷子的机会，再张嘴已改了口："这李逆帮着大长毛洪秀全守天京，不，不，我又说错了，是江宁。而陈逆带着一群长毛杀出江北大营，兵分三路侵袭安徽、湖北、湖南，煞是厉害，听说武汉已经失守了，连湖北巡抚郭大涪都殉职了。"

许营官不以为然："巡抚守土有责，丢了省城，就算逃得一命也是斩罪。还莫不如战死，朝廷必有优恤，京里同年、同乡肯帮忙，入祠供养也说不定。"

"话虽如此，毕竟人已经没了，抚恤再厚也不过是镜花水月罢了。倒是长毛如此凶悍，既然占了武汉，与直隶京师便只有河南一省相隔。想来朝廷那边不会坐视。"这是另一位李姓军官。

古平原暗自点头，觉得此人的话还有几分见识。

姓苏的客商接道："那是自然，朝廷急调蒙古的僧格林沁王爷率铁骑一万火速驰援。听说鲍军门的队伍也被调了去。"

"鲍军门……是哪个？"许营官有几分醉了，一句话没有听清。

"便是霆军。"

"嗨，你说的是鲍超那老王八蛋，当年我和他一起守大同，他借了我二两银子去赌，赌输了只说欠着，直到现在银子还不见踪影。"

鲍超已经是二品大员，姓许的不过是个七品管带，但现下这一桌上他的官最大，俗话说"县官不如现管"，他要信口胡吹，其余三人都只能诺诺称是。

古平原一心想听安徽战事，那苏老板却再没插话的机会。小半个时辰过去，还只是听许营官在那里胡吹大气，窗外却已经打了二更。

"不妙，四更天一到城门就开，这样耽搁下去非误大事不可。"古平原想及早脱身，怎奈这四个人走马灯地去外面方便，每起次身都能看见屏风里面的情形，自己要是跳窗而走，不多时就会被发觉，到时响锣一起，只怕无处藏身。

又过了一会儿，眼见无法再拖，古平原一咬牙，决定铤而走险，是福是祸便拼这一遭。

就在此时，窗棂"咯"地一响，开了一条缝。古平原连忙假作研墨，走到窗前一看，窗外之人却正是寇连材。

古平原大惊失色，将声音压得极低道："连材兄弟，你怎么来了？"

"大哥，我都知道了，这样你走不了，我来替你。"寇连材双脚踩在窗外引雨用的木槽上，两只手扒着窗沿，用同样低的声音回答。

"不行，我走之后你要怎么办？我逃了，你就是从犯，要将这罪都担起来，还不要了性命？"

"我应付一阵之后就跳窗逃走，回营房去睡大觉，谁也不会想到是我在冒充你。"

"这……"

"没时间了。"寇连材轻轻一推窗，用极小心的动作迈了进来，古平原怕惊动外厅众人，只得用手一搭，助寇连材进来。

寇连材双足落地，便用手推古平原："快走，快走。"

古平原知道此时迟疑不得，连嘱咐的话都没时间多说。好在两人穿的都是流犯常穿的粗布灰衣，换衣都不必，寇连材只需坐在那里背对着众人就可。

古平原心乱如麻，幸好这客栈他来过不止一次，轻车熟路摸了出去，来到道上，辨一辨方向，撒腿如飞向来福记客栈跑去。

这边的常四老爹已经等得心急如焚，买鱼、化盐水的事情进行得都很顺利，车内供古平原藏身的机关也已设好，没奈何那个约好的小伙子迟迟不到。常四老爹甚至在心里做最坏的打算，万一这是官府布的一个局，有意引自己上套……他晃头不敢再想下去。

刘黑塔的想法却与他不同："爹，你放心，咱这就叫'贵人相助'，那位古大哥说的话不像是编出来的，天底下哪有那等丧尽天良的人会拿自己的母亲开玩笑。"

"唉。"常四老爹未语先叹气，"你是自幼丧母，天性纯孝，不晓得人心的险恶。这等性命交关的事谁敢轻忽，那姓古的年轻人迟了时辰，必定是出了什么想不到的事，我们的计划看来要改一改了。"

"这……"刘黑塔也不住地犯难，没什么好主意，只得踮起脚尖四面望着，盼着出现条人影。

居然被他盼到了，一条黑影从大道那边贴着墙根跑来，刘黑塔忙叫道："爹，你看，这是不是……"

常四老爹精神一振，连忙迎了上去，一看果然是古平原，喜不自胜。见他跑得脱了力，忙与干儿子一边一个架住，扶到车边。

大车店这里常四老爹事先使了银子，将整个后院都包下来，要连夜整备马匹，对车队的伙计则说要好好休息，一早赶路。两头一瞒，这一天一夜，后院除了常四老爹和刘黑塔并无外人在场。

古平原要了一瓢水喝下去，常四老爹见他喘匀了气，这才开口问道："古老弟，你怎么这早晚才来，可急死我了。"

古平原抱歉地笑笑："教老爹受惊了，出了点岔子，好在耽迟不耽错，总算没误事。东西都准备好了？"

刘黑塔向院内一指："三辆大水车不够，临时又加了一辆，装七百斤的鱼，其实是四大车的盐水。古大哥，你这计可真够绝的。"

常四老爹接道："你要的那辆特别准备的车也弄好了。"

"好，我看看。"古平原站起身，刘黑塔给他指引着，来到一辆大车边上。

"你要弄的这机关也不难，就是在水车底下装上一块板子，里面能躺一个人。"

"关键是这暗槽一定要装在水车里面，只有这样搜验的士兵才不会怀疑。"古平原一边检查一边道。

"也难为你了，要在水里躺上至少两个时辰，全靠一根苇秆换气。"常四老爹说道。

"东西准备好了，其余的就看运气吧。"此时古平原心里倒是平静下来，接下要做的就是往水里一躺，等到再起身的时候，不是钢刀架颈，就是已经入关重获自由。一死一生，全看今天了。

眼看就要三更天，天边开始有些蒙蒙放亮。古平原不再多想，脱下衣服交与刘黑塔，自己爬到做好了机关的大水车里。刘黑塔递给他一根苇秆，看着他潜入水底躺好，将一块盖板盖在上面。

"去叫伙计们起来，吃过饭立刻出发，我们第一批入关。"常四老爹也明白开弓没有回头箭，拼就拼这一把了。

常四老爹的车队果然是第一个赶到山海关前，这些天因为关禁森严，原本最热闹的秋集也萧条了许多。车队赶到关口前，大家的目光不由自主地落在了关口前的那几排站笼上。站笼里的人不少，喘气的却不多，按曹守备的吩咐，死了也要再枷上三天。这种骇人阵势摆出来，真的是秋风肃杀，让人不寒而栗。有那眼尖的伙计一眼认出，囚在最前面的两个正是昨日闯关被枷的山东商人，他们身上戴着百十来斤的刑具，头颈半吊着站在站笼里，一昼夜水米未打牙，又吹了一晚上的海风，才一天人就已经半死不活了，眼见得活过今日都难。至于后面那几个站笼里的人早就没了气息。

"我呸，官府砍脑袋还要过上几堂，皇帝老子不批，就是知县大老爷也不敢随便杀人。这可倒好，说枷死就枷死，也忒不拿人当人了。"刘黑塔第一个忍不住，狠狠地往地上唾了一口。

"噤声！"常四老爹连忙压制义子，"这可不比镇上，等入了关随你说，现在不要意气用事。"

车队到了关前，守关的士兵尚自哈欠连天，嘴里骂骂咧咧："他娘的，这么早就要入关，赶着奔丧哪。"

刘黑塔听他嘴里不干净，把眼睛一瞪从车上蹦下来，常四老爹赶紧拦在他的身前，满面赔笑道："军爷，大清早的辛苦你了，这点小意思，您老留着和弟兄们买包茶叶。"

十两银子的一个红包递上去，守关的态度自然大不相同，那小头目眉开眼笑："算你识相，不过，"他话风一转，"想来你也听说了，我们这儿的曹守备办事最严，要是咱们没查出来被他查出来，大家都要挨棍子。所以你的车队我们还是要查，只要没问题，就尽快放你们出关。"

"那是，那是。"常四老爹哈着腰，脸上挂着笑。

"车上都是什么啊？"

"鱼，都是鱼。趁新鲜赶着入关卖个好价钱。"

"嗯。"小头目不置可否地围着大车转了一圈，指挥着手下的士卒，"你们上去检查检查。"

几个士兵跳上车去，掀开车盖子，用长枪在水里搅了搅。那鱼本就被浓盐水"杀"得难受，盖子一开，又被一搅和，噼里啪啦直往外蹦。

"头儿，是鱼，几辆车都是鱼。"

小头目也不答言，解下佩刀，用刀鞘在车身上敲打了几下，又俯下身仔仔细细地看了个遍，几辆车都是如此。

常四老爹暗中一伸大拇指，对古平原很是佩服。如果他藏身的暗槽设在车底，凸了出来又或者里面没有水，像这么一敲一看，肯定要漏馅。因为装满水的地方与空的地方敲打起来声音不同，极容易分辨。古平原看了几日关前查验的手段，对此了如指掌，故此事先想到有这么一招，才叫常四老爹把暗槽布置在水中。

敲了几下没发觉有什么异常，小头目一挥手："行了，就这么着吧。放他们入关。"

常四老爹大喜过望，想不到这"鬼门关"竟如此轻易地就闯了过来，生怕夜长梦多，连忙道谢。指挥伙计拽马赶车，就要入关。

想不到怕什么来什么，第一辆车的马头刚探过关禁，就听从通往关上的楼梯处传来一声尖刻的叫声："等一下！"

常四老爹心里一哆嗦，面上却笑容不改，向上望去。

就见来的这个人，穿着五品的守备武官服，只是前后的补子上都遮了素布，顶子也是白缨子。咸丰爷龙驭上宾还不到两个月，整个大清国无论官民都在服"百日大丧"，因此做此打扮。这武官白净面皮水蛇腰，一双眼珠滴溜乱转，嘴角微微向下，显见得是个极难应付的主儿。

"这就是关上的曹守备，你自己小心着点。"那小头目低声说了一句，双手一垂，两眼望向地面，等着守备大人问话。

"这车里装的是什么？"

58

"回大人话，小的已经验过了，这四辆车里装的都是鱼。"

"把路凭拿来给我看。"曹守备一伸手。

"是。"小头目要来常四老爹等人的"路凭"，双手递给曹守备。这"路凭"是行商必备的一种通关凭证，上面记载着商人的省籍、姓名。曹守备一边翻看，一边上下打量着常四老爹。

古平原说得没错，这个曹守备的确是存心要用行商的性命作为向上爬的敲门砖。不过除此之外他还有一个不能说的原因，那就是要借人头来立威。

原来曹守备此前是镇守山海关总兵的亲兵，这位总兵大人有龙阳之癖，酷好男色，曹守备就是他的面首之一，而且还是极喜欢的一个。曹守备当亲兵当得久了，便央求他干佬放自己出去当一任门官。枕头风一吹，奇速无比。之前这位干佬就替他保过五品的军功，这次一补实缺，立时威风八面。但还有美中不足之处，那就是全军上下没一人不知他是位"兔儿爷"守备，同僚总有些瞧不起的神色，他自己也能觉察出来。

终于逼得曹守备发了狠，他也是当兵的，知道军伍里大家只服心黑手狠的人。像康熙年间，三藩之一镇南王尚可喜之子尚之信，为了带兵，敢生嚼人心。现在他决定也要学上一学，借几个人头要要威风，最好是能换来一声"姓曹的敢杀人，是个当武官的料"这样的赞语。

他倒是个聪明人，在查验私货上也很有一套，这一季下来，关门外几乎天天枷人，就是死了也要枷满十天。逐渐地曹守备发现兵卒们瞅自己的眼神里有了畏惧，这让他感到很是得意，他决定要趁势再好好抓一批，镇镇这帮丘八。

翻看过"路凭"，他先不忙验车，围着常四老爹打了三个转，"咯咯"一声笑，问道："山西来的？"

"回大人话，是。"

"来时候运的是什么货啊？"

"草民来时匆忙赶路，拉的是空车。"

"为什么匆忙赶路？"

"这……"常四老爹突然想起这句实话不能说，可临时改口又没有那份急智，只憋得是头涨脸红。

"哼！"曹守备冷哼一声，把"路凭"往地下一摔，回过头去呵斥把关的士兵，"你们这群混账东西，也不想一想，这车队大老远从山西来，难道就是为运几车臭鱼回去吗？这里面要是没有夹带，我自己挖了这双眼睛去。"

讲完，他把脸转向常四老爹，又是"咯咯"一笑："怎么着？是要我验，还是你自己认了？"

常四老爹心想，何止有夹带，还夹了一个大活人呢，而且还是个流犯。但此时伸头一刀，缩头也是一刀，说什么也没有自己主动认账的道理。于是牵了牵嘴角，勉强挤出一个笑："守备大人开玩笑了，草民们都是守法的商户，再说大人虎威草民都早已听闻，哪个敢轻捻虎须。"

"漂亮话说得倒是好听！"

曹守备阴笑着从士兵手里拽过一杆长枪，掖了掖袍带就要上车，那小头目赶忙拦住："守备大人，这……这不劳您亲自动手。"

"啪。"曹守备一掌打在小头目的脸上，"滚开，让你们瞧瞧我的手段。"

小头目这才知道拍马屁拍到了马蹄上，赶忙向旁一闪身。

曹守备拿长枪向车里一立，将枪拔出来，看看水渍浸到的地方，又将枪在车外比了比，确定车内的水深与车体大致高低相同，这才不言声走向第二辆车。

这一招正打在致命的地方！常四老爹与刘黑塔对望一眼，都知道要坏事。别的车都无所谓，但装有古平原的那辆车吃水明显要比别的车浅，像这般验法没个不出事的。常四老爹的心提到了嗓子眼，只觉得平地站着地都是软的。刘黑塔抿了抿嘴唇，用手摸摸腰里系着的九节链子鞭，悄悄将就近一辆车的拴马扣松了松。他打算一旦事情败露，立刻上马挥鞭，抢上老爹逃出关口。

第二辆车，第三辆车，连续三辆车验下来都无异状，曹守备自己也有点意外，他停下来，重新打量了一下这车队里的人。伙计们倒是个个若无其事，甚至有的还在哼着小曲，不像是装出来的。

曹守备疑惑地皱了一下眉头，又将目光投向领头的二人，这一看却吓了一跳，只见那黑大个眼中出火，正恶狠狠地瞪着自己。曹守备一怔，再看那老汉，脸上虽然还是带笑，却明显面容僵硬。

人的脸就是一面镜子，不说话比说话还要清楚。曹守备验了那么多车队，什么人没见过。此时已经可以确定，这最后一辆车肯定有毛病。

他带着一种猫抓耗子般的笑容，先不忙验车，而是走到那两个昨天枷号的商队头领面前，用枪杆在他们后背狠狠敲了两下："站好喽，不然再多枷你们十天。"

其实这二人早已经昏迷了，只是用大枷固定在囚笼里，支撑着倒不下去而已。曹守备的话也并不是对他们说的，完全是在杀鸡给猴看，而且很满意地看到

"猴子"面白如纸。

曹守备心想："老王八蛋，还敢跟我嘴硬，一会儿大枷套在头上，看你服不服软。"想罢，抄起长枪，带着一种极愉快的心情向最后一辆大车走去。

就在这千钧一发之际，从关门的另一侧，传来马挂銮铃的声音，声音急促，显见得马上的人在打马飞奔。

在场的人都是一怔，就见一匹快马直奔关口而来，看那样子是要冲关。

守门的士卒见状慌了手脚，他们守关有责，一旦被人冲出关去，就要吃军法。此时南方虽然有战事，山海关却是太平之地，现在平白无故一清早就有人闯关，他们可连拦马用的"拒陆马"都还没摆出来。小头目抽出腰刀，第一个冲上前去，虚劈一刀，喝道："什么人，还不下马！"

没想到居然一喝就止，马上人拽住缰绳，甩蹬离鞍下了坐骑，带起一阵的尘土，原来这个人也不知跑了多少路，身上都是土，灰扑扑的，连衣服的本色都看不清了。

"城门官在什么地方，叫他来见我。"这人一张口，气喘如牛，声音嘶哑。

小头目趋前喝问："你是什么东西，敢叫我们大人……哎哟、哎哟！"原来他一句话没说完，已经被一马鞭抽在了脸上。

"反了，兄弟们给我上！"小头目一蹦三尺高，腰刀一举就要下手。

"慢着！"曹守备看了多时，他眼尖，发现从马上下来这人，尽管衣服上都是灰土，但分明是一身武官的装束，只是没戴顶子，想来是飞马疾驰嫌碍事，收在行囊里了。

曹守备向前一拱手："兄弟是守这城门的守备，未请教阁下……"

"少废话！"来人横得很，一伸手将自己身后背的一个长条布包解了下来，抖一抖，拿出一卷公文，"兵部八百里加急，带我去见总兵大人。"

"八百里加急！"

曹守备脑子里轰的一声。

历来朝廷与地方上的公文往来，在传驿递报上都有严格的规定，半点也错不得。普通公文用不上"加紧"二字，走邸报便可。若是急报，依情节轻重有"二百里加急""四百里加急"与"六百里加急"三种，"六百里加急"只限极少几种情况使用，大多与兵事有关，如总督、将军、巡抚、学政因故出缺，又或者重要城池失守或克复，地方上才能采用这种最为紧急的汇报方式。而朝廷对地方几乎从不使用"六百里加急"，为大家熟知的一次，还是康熙年间，皇帝擒鳌拜，老谋深算的孝庄太皇太后为了做到万无一失，密令驻守热河的满蒙八旗星夜进京勤王，当时用的就是"六百里加急"。

而这一次从京里传来的居然是号称特例的"八百里加急"。曹守备听人说过，"八百里加急"除非是京师被困，要调兵救援才用得上，这说明京里肯定是出大事了。

"难道是长毛围了京城？"曹守备脑子一闪念，旋即自己就摇摇头。几天前才接的军报，长毛刚刚攻下武昌，打到京师还要好几千里的路，何况僧王的蒙古铁骑已前去迎战。长毛就是神仙，也不可能在这么短的时间里攻到京师腹地。

没有工夫容他细想，驿差已经大不耐烦，从身上取出兵部的"勘合"，一把摔了过来。

曹守备连忙接住，展开一看，"着游击展天成递八百里加急至山海关总兵处，限时赶到，不得有误。"上盖着兵部的紫泥大印。

这再无可疑，也绝不能再耽误。别说来的是名游击，就是一个小小戈什哈，冲着这份骇人听闻的"八百里加急"也绝不能怠慢了。否则一不留神，不是摘顶子就是掉脑袋，哪是玩儿的？

游击是从三品，官职远在他之上，曹守备先打了个千，然后赔笑道："展游击，总兵大人现在府内，我领路，您跟着我来就是。"

一转眼，他领着京里来的驿差走得不见踪影。现场众人丈二和尚摸不着头脑，那个小头目是个老兵痞，听得多见得多，知道既然是重要公文到了，关上定然有大动作，只待上面交代下来就是。

常四老爹这时候缓过一口气来，晓得这是个千载难逢的好机会，此时不走更待何时，便从身上又摸出一个十两重的银锭塞在小头目的手里。

这是彼此都心照不宣的事。小头目掂掂银子，又摸摸方才被打得火辣辣的脸，明白这个人情做得。不要说曹守备九成九没心思再来料理这件事，就算回来问起，只消说一声车队拦住了关口，挡了来往军民的路，放行也是应该的。他于是默不作声地一挥手。

常四老爹如蒙大赦一般，喊一声"走"，刘黑塔一马当先，赶着大车飞也似的离了山海关。

这下子等于是在鬼门关里打了个转再出来，常四老爹回头望望，只见关隘越来越远，真不敢相信这一趟竟然就这么闯了出来。一则是惊弓之鸟，二则不欲冒险，车队又往前走了十里，赶到一处僻静的树林，常四老爹支开伙计，要刘黑塔打开水车里的暗槽放古平原出来。

古平原在里面耳目闭塞，但神志始终清醒，在关口那段，车队停的时间太长，他就预感到要出事。谁知后来车队又再次前行，对此他也是糊里糊涂不明所以。等到一出来，心下大喜，因为不用说就能看出来，车队已经顺利通过查验入了关。他先抹干净身子，换上衣服，然后张口问经过。

他急着想知道，常四老爹却不愿在此细说，怕的是伙计听了去多有不便，于是召集众人。伙计们围拢过来，见多了个年轻小伙子，都大为奇怪。常四老爹拿出早就准备好的一番话应付了过去，只说古平原是当地的一个买卖人，想去关内做点小生意，要与车队同行，提前一天就在此等候了。

古平原在浓盐水里泡了大半天，身上杀得又痒又痛，但此时真正应了那句成语"无关痛痒"。重获自由的狂喜早就冲淡了一切，依着他，此刻就想道别常四老爹，直奔京城而去。但常四老爹却不同意，因为晚上还要有一番表示。

好在前进的方向大体上是一样的，如此走了半天时间，常四老爹挑了个不会引人注目的镇子歇下脚来。这一停是为了将盐水煎成盐粒，至少要两天的工夫。既然离山海关已远，这瞒天过海的事就不怕再与伙计们明说，事实上因为瞒了此事，常四老爹始终心存歉意，说了始末之后，他主动将所有伙计的脚钱涨了一成。

事先不知道，知道时事情已经成功，虽然冒了险，但多拿了钱，伙计们无不高兴。

当下刘黑塔指挥着一应伙计开始在大车店做煎盐的准备。吃过晚饭，常四老爹巡看了一圈，要伙计们三班倒，歇人不歇火，尽快将盐全部煎好。见有刘黑塔在，不用自己多操心，常四老爹这才将古平原请到自己住的房间，关上房门，备了一壶酒，一热一凉两碟下酒的小菜，准备对古平原讲一番话。

因为事涉机密，所以常四老爹特意挑了整个大车店最偏的一间房。以古平原现在的心思，精神上是兴奋非常，身体却十分的劳累，从昨晚到现在，始终没有合过眼。尽管想早点歇息，但常四老爹有请，古平原不能不来。

关上门之后，常四老爹的第一个举动就让古平原睡意全无，一下子从座上跳了起来。

"常老爹，这可使不得，您老快起来，快起来。"

古平原出此言，自然是常四老爹向他跪下了的缘故。不仅跪下，而且要叩头，古平原急出了一头汗，又不敢大声阻止，恐店里的伙计听见起疑，只得半跪半攮硬是将常四老爹拽了起来。

"古老弟，我干儿子刘黑塔说要替我向你磕头谢恩，我想了想，这个头还是我自己来磕。不为别的，你一条好计，救了我的命也救了我全家，我老头子哪能吝惜这一个头。"常四老爹脸色郑重无比，看样子自从离了山海关之后他就在打腹稿了。

古平原自然感动，却颇不以常四老爹的话为然，因为要说到救命，人家也救了自己一命，而且冒的风险更大。

待把这一层意思说出来，常四老爹连连摇头："那是你老弟命好。今天眼看就要被那短命的守备戳穿了，却平白无故地来了封什么八百里加急的公文，将他调了开，真是戏文里也没见过这么险的事情。居然能够化险为夷，全靠了你老弟的福气大，看来我们整个车队都跟你沾了光。"

古平原正想听听白天的经过，而且还要借着这个话头将刚才的事情岔过去，免得常四老爹又提磕头，便接口问道："常老爹，我是什么都不知道，您给我讲讲入关的经过吧。"

此刻日头刚落，身边无人，正好长谈一番。常四老爹给古平原倒了一杯酒，自己也斟了一杯，慢慢将白天的事情一五一十说给古平原听。

他的口才算不上好，但事情的惊险在那里摆着，古平原又是亲历，边听边是心惊。听到后来，停杯不饮，刚刚下肚的几杯酒，都化作冷汗冒了出来。

常四老爹夹一口菜，拿起酒盅又倒了一杯入口，不住地晃着脑袋："嘿嘿，你听了也后怕吧？黑塔说我当时脸白得都没了血色。你想想，要是那封公文晚来一步，现在你已经被擒回军营，我大概也已经人头落地了。"

话是一点不错，正因如此，古平原内心歉意更甚，重又举杯敬常四老爹："为了我的事，让您老冒这么大的险……"

"莫说，莫说。"常四老爹一摆手止住了他，"我还是那句话，你运气好，我们都是跟你沾光。不过古老弟，我看你一表人才，怎么会从徽州流放到关外呢？"

一句话问出来，古平原一阵沉默，常四老爹自己就先老大不好意思，又是连连摆手："我老头子一喝多了就喜欢问这问那，这毛病从前被家里老伴骂过不知几次了，还是改不掉。古老弟，你就当我没问过，喝酒，喝酒。"

古平原赶忙说："老爹，凭你我现在的交情，有什么不能说的，更何况也不是保密的事情。只是您这一问，我就想到了五年前，一时出了神，您老别见怪。

方才您问我怎会从徽州发配至关外，其实我是从京城发配到此的。"

"哦？"

"唉，这可真是'六月里冻杀一只老绵羊'，说来话长了。"

第三章

商机的来临总是静悄悄的

"不见得。"古平原想了一阵子，心中已有腹案，"眼下就有个机会，若是看得准，把握得住，用老爹手中剩下的银子就能赚上一大笔。"

"古老弟，你不是开玩笑吧？你入关才一天，而且这一天我都与你在一起，哪会有机会你能看见，我却看不见？"

古平原笑了："其实看见这个机会的人是老爹，只是你没想到罢了。"

古平原的家在徽州歙县古家村，古姓是村中大姓，占了全村人口的八成。徽人有"徽骆驼"之称，最是坚忍耐劳。加之徽州的地形不利于种粮，很多人从商，当地有民谚："前世不修，生在徽州，十三四岁，往外一丢。"就是说徽州的男孩子往往十岁出头就必须跟着家中大人去跑码头、学本事。

　　古家村也不例外，家家户户都是买卖家。古平原的祖父原是个粮商，随着京杭大运河的漕船做生意，古家家道还算是殷实。但就在古平原出生那一年，余杭至扬州一带"闹漕"，百姓揭竿而起，抵制官府征收漕粮。官府后来虽然派兵弹压，但古平原的祖父却赔了老本，一急之下，把命送在了扬州。古平原的父亲为了还欠下的债务，也跑起了买卖，他经商的手腕很是高明。起先几年还算是顺利，债务还清不说还赚了一些银子，家里比小康差些，但温饱却是不成问题。谁想日子刚刚好上一点，古平原的父亲想做一笔大生意，凑了些钱前往北方，竟一去不返，一晃就是十年音讯全无。若是活着，无论如何会有音信递回来，所以大家都说他必定是在荒山野岭出了意外，想来是没指望了。古平原的母亲胡氏拉扯三个孩子，靠给人缝补为生，日子过得极苦。有几个荒年，若不是族里接济，古家的这一脉就要断绝了。

　　古平原从小就聪明伶俐，稍大一些之后，族中不少人要带他到外面学生意。但胡氏坚决不允，这是因为古平原的祖父、父亲经商都没落什么好下场，胡氏决意不让古平原再去从商。

　　不从商可以，但孩子必须有个谋生之路。胡氏尽管家境不好，却有孟母遗风，一心要孩子读书上进，将家中三进的宅子卖了两进，拿出银子送古平原去"附馆"。古平原的聪明用到任何事情上都不差，读书也是一点就通，别人尚在蒙对，他就已经可以开笔了。这一馆是族学，请的是从县丞任上致休的一位宿儒，此人每对人言生平未见过聪颖如古平原者，颇有扶之成才的愿望，也算是得慰老趣。

　　古平原一点也没有辜负母亲和老师的期望，十四岁进学成了秀才，又过三年到合肥参加乡试，竟然一次就中了举。红差来报，胡氏自然喜不自胜，在村里祠堂摆了酒宴。

席间，古平原的老师就说，来年三月正好是皇家选才的秋闱之年，古平原才气纵横，若会试一鼓作气中了进士，甚至点了翰林，那才是光大门楣。

酒席散了，胡氏却犯了难。读书人赴京文试那是多少人一辈子梦寐以求的事情，自己家的孩子有这个本事，可是进京的盘缠却没有。算来算去，到北京路途遥远，再加上进京后的用度，花费不菲，一来一回没有二十两银子是绝下不来的。

这个难题早有人为她想到了。第二天一大早，古平原的老师就捧了白花花的三十两台州足锭上门来。老先生清廉自守，一任县丞做下来，宦囊所积不过百两银子，都是从俸禄里省吃俭用存下来的，今天却慷慨相赠，讲明栽梧之意无须归还。

这样的神童，这样的义举，一下子成了十里八村的美谈。临行之际，全村人来送行，古平原当着众人，先是给母亲磕头，然后又给老师重重磕了三个头，之后洒泪相别。

古平原是第一次出远门，但他在家里是老大，素来做事谨慎，也知道盘缠来得不易。因此省吃俭用，路稍好一点就不雇车，所以走得不快，到京城时已近十月，离入闱只有不到一个月的时间。

会试的规矩与乡试大为不同，讲究的是"人未入场，名动天下"。要造声势，办法主要有二。一是使银子，拜会在京的同乡大佬，将文章拿与人看，若是赢得一声赞誉，自然大力夸耀；二是参加赴京赶考举子的聚会，这样的聚会几乎每日都办，宴上诗酒唱和，每有佳句，便要用红纸写出，写明是某某省某某举子所作，贴在酒店客栈的墙上。

古平原没有银子，第一个办法自然是无能为力，至于聚会倒是去了几次。他的七言写得很是不错，渐渐也得了些名声在外。古平原是有心计的人，别人去喝酒只顾推杯换盏，他却冷眼旁观，评估着一班举子的学识。这一科名气最盛、才学也是公认最好的，是明末大儒黄宗羲的后嗣黄维汉，排名第二的是一个广东举子。古平原颇有识人之智，也有自知之明，几日下来窥一斑可见全豹，料定自己虽然难以考中状元、榜眼、探花这三甲鼎，但二甲却有把握，退一步说，就算"场中莫论文"，中个三甲副榜也是十拿九稳的事情。

副榜也是好出息，尽管点不上翰林，但也同进士出身，放出去必是县令大老爷。想到这儿，莫说古平原只是个十七八岁的少年，就算是知天命的老举子也难免心潮澎湃。十年寒窗，真到了大轿一抬，回乡光宗耀祖的那一天，实乃人生快事。

谁料想就出了事，而且是谁也想不到的飞来横祸。原本一切顺顺当当，入闱那天，进了龙门，搜检之后，古平原被带到自己的号房。摆开笔墨，收拾心神，先写诗赋。这是他的拿手好戏，一篇大卷子写得"黑、大、圆、光"，自己看了都要叫好。接着做八股策论，八股题目向例出自"四书"，这一科选了《论语》，题目是"钓而不纲，弋不射宿"。古平原先打腹稿，再写了破题，阐明国家税赋不应竭泽而渔，要适当与民休息。时已近午，有人将午饭从小窗户送了进来。

饭还没吃到一半，古平原忽听到外面有人问负责值勤警戒的号卒，号房内是否是安徽举子古平原？

古平原顿时一怔，考场制度最严，龙门鼓响之后，号房门一关，除非失火，举子不得擅出，更不得与外人交谈，怎会有人打听自己。

正在疑惑之时，忽听有人轻轻敲了敲窗户，古平原犹豫一下，走到窗边，就听窗外人低声说道："古举子，你家里来信，说令堂重病垂危，要你知晓。"说完，窗外人疾步而去。古平原急推窗看去，却只看到那人的半张侧脸。

古平原闻言如同五雷轰顶，自己是母亲一手带大，刚刚离家，母亲竟然有此凶耗。安徽到此路途遥远，即是送信而来时就已经病危，那现在……古平原不敢再想下去，更无心再考，什么功名前程，此刻早就抛到九霄云外。他匆忙收拾文房四宝，推开号门就要出场。

守门的号卒自然要拦，古平原只说提前交卷，但科场历来没这个规矩。只要进场，就算是昏厥，大夫也只能在号房里把脉开方，不到第二日黄昏，绝不能放人出场。理由是科禁务严，防着提前出场的举人泄露考题，再做好答案传示于内。

这些规矩古平原自然是知道，但此刻心神一乱却顾不得了，好说歹说不行，情急之下声音大了些，把这一院的房官引了来。

要说"福无双至，祸不单行"，古平原的用意本来是要获个"喧哗科场"的罪名，拼着打十个小板，被逐出科场也就是了。但偏巧赶上房官走近时，他与号卒彼此推搡，手中的包裹一扬，这下坏了事了！

原来他心急之下，砚台里磨好的墨汁没有倒掉，就这么扣了盖子放在包里，此刻手一扬，无巧不巧，整个砚台砸在房官的脸上，把房官砸了个乌眼青不说，一兜墨汁将房官的脸染得像包公。

大清自开国以来，堂堂京试大典的贡院科场里从没出过这样的乱子。当下不由分说，士卒一拥而上，三道麻绳将古平原牢牢捆上，押在专门为犯禁考生准备的下三处的屋子里，这边房官、副主考、主考逐层上报。担任此次科举主考官的是文华殿大学士、礼部尚书万青黎。万尚书为人最是方正，是个有名的道学，听说有人咆哮考场，而且殴打侮辱房官，火冒三丈，认为是有辱斯文的大丑事，立时下令将古平原扭送京兆尹衙门。

京兆尹杨嘉倒是个明事理的好官，而且一向关照寒门学子。细问之下，觉得事虽荒唐，但情有可原，只要所言属实，未必不能从轻发落。谁知查问之下，却一个证人也找不到。

按理说，科场重地外人绝不能入，送口信之人必是能走动的执役，更何况之前这人还向号卒打听过古平原所在的号房。但问遍科场，无一人承认有此事。再到安徽会馆去打听，竟然也没发现有任何人从徽州来为古平原送信。

这就证明古平原所言不实。礼部下札，立时革去他的举人功名，再由京兆尹衙门按律治罪。拟发配黑龙江宁古塔与披甲人为奴，终身不得入关。待到堂上听判，却改成了发配流放稍近一些的奉天尚阳堡，十年为期，算是从轻。

"说来说去，令堂到底是有事还是无事呢？"常四老爹听了半晌，到底忍不住插了一句话。

"无事。"事情过去五年，古平原说起时已经可以很是平静，甚至于有些安慰，"事情一发，我便求同乡打听，结果果如衙门所说，安徽没有来人与我送信。后来发配到此，家慈托人捎信一封，更是证明贡院里的那个口信根本就是假的。"

"会不会是送错了信，不是给你的口信？"

"那人在窗外分明问是不是徽州古平原，这一科徽州的举子我都认得，并无人与我重名重姓，怎么能错？"

"如此说来是有人要害你。那么从终身流配宁古塔改判十年流配尚阳堡，这已是从轻许多。难道说是你托人使了银子？"

古平原苦笑一声："我囊中羞涩。至于他人，纵有同乡之谊，奈何交情尚浅，谁人肯为我掏银子打点。"

"这我就不明白了，你初次进京，与人没有深仇大恨，也没有至亲好友，怎么会既有人要害你，又有人要救你？"

古平原轻轻一拍桌子，道："老爹说得透彻，这也是我这五年来日思夜想想不明白的地方。我曾想过或者是有人不愿让我中榜，但我的文名并不盛，也挡不了谁的路，怎么会有人和我开这么个玩笑？"

"想不明白，想不明白。"常四老爹摇着头再斟一杯酒，一饮而尽，"古老弟，我劝你一句话，你现在是逃犯的身份，千万可不要为了这件事再返京城，俗话说'两京捕头，天下第一'，你可要小心。"

这句话正戳在古平原的心窝上，入关不过半天时间，他的心思已然变过了。在凌海镇上他是一门心思想找张广发问个清楚明白，冒险逃亡入关所为也是此事，可一旦死里逃生闯出性命，他反倒犹豫了。正如同常四老爹所言，跑到京城去找张广发无异于自投罗网，就算自己豁出一条性命把真相弄清了，只怕今生今世再也回不了徽州，见不到自己的高堂弟妹。所以他此刻心里纠结得很，又想直奔京城，又想先回徽州见过亲人再去京城，甚至在心底还有一丝索性回到徽州就此侍奉母亲、育护弟妹，其他的事情再也不理的念头。

他内心矛盾，脸上不知不觉就带了出来。等到发觉常四老爹向自己注目，这才不自然地笑了笑，遮掩道："常老爹放心，我没有那么傻，再说我现在探母心切，一心只想回故乡。"

"说到这个嘛。"常四老爹早有准备，伸手从怀里拽出个小布包，放在桌上，他将扣子打开，一层层翻开，里面是四个小银锞，每个足五两分量。

"古老弟，我这次出来带得也不多，你要回乡总要有盘缠，这点是我的心意，你可千万要收下。"

"不！"古平原连忙推辞，"您老千难万险把我带出来，就是我的再生父母，我怎能再要您的银子？"

"这就叫什么话，老爹还差这点银子吗，难道我还能让你双手空空上路不成？"常四老爹一噘嘴，胡子翘了起来。

古平原是说什么也不肯收，后来实在推不掉，便取折中之法，拿了一块银锞，五两银子可兑大钱四千余文，路上省着点花，用到徽州勉强够了。

常四老爹还不肯，一定要古平原全数收下，逼得古平原没有办法，只得说实话，"您这一趟买卖，要说赚也不过就是百八十两。去除门包、折耗、税银还有雇车骡马以及伙计们的行脚钱，大概也剩不了许多。要是再给我二十两，岂不是白忙。"

这一句话碰到了常四老爹心坎上，他轻轻叹了一声："原本就是白忙，替官家白当差。现在运了盐回去抵上官盐，盐池倒是保住了，可这房子已经押给了放贷的，实在是没有办法可想了。"说罢又是自失地一笑，"我倒是行，什么苦都吃过，大不了去住草房，只是委屈了我的女儿。"

古平原是个热心人，听到这话，皱皱眉头问道："老爹，你就痛痛快快地说，要想把今年的债还完，一共需要多少两银子？"

"这也不瞒你了，我现在欠了三份债。一份是官盐，要是车队平安回去，这份债算是还上了。第二份是利息，我的盐池有一半是向别人借银子兑来的，讲明是年息一分二厘的利，一千两银子就是一百二十两的利钱，但这笔利息我回去央告央告，兴许能缓上一缓。第三份就是这次来关外贩盐，用房子做抵押，借了印子钱二百两，三个月的利钱也是一分二厘，连本带利要还上二百二十四两。"

古平原心算极快，常四老爹话音未落，他已接口道："也就是说，不算官盐，现下如果有三百五十两的进项，您老就能渡过这一关？"

常四老爹默默点头："这些天我反复盘算过了，盐池的收项虽然不好，也勉强能赚上一百两。我手头的银子将来给了这些伙计脚钱之后，大概还能剩三十多两。但是还有二百多两，真是不知到哪里去找，实在不行就把我那老宅子给了放印子钱的吧。"

古平原摇着头笑了："老爹，您看您，说着说着露马脚了吧。刚才还说'不差这一点'，现在来看别说二十两，就是二两也是您的救命钱，也真难为您还能凑这一包银子给我。"说着他把已经拿在手里的五两银子重又放入布包，在桌上一推，推到常四老爹那一边。

他止住要说话的常四老爹，突然之间眼圈红了："老爹，您对我的这片盛情我真是五内铭感。我方才说了，您就是我的再生父母，我不但不能使您雪上加霜，而且还要为您想想办法，看怎样把银子筹足。"

常四老爹见他这般，也不好立时坚持，只好把银包收了起来。见古平原一时皱着眉头，便宽慰道："哪里就能想出法子来赚上二百两，若是能，天下的人还不都来做，还轮得到咱爷们。"

"不见得。"古平原想了一阵子，心中已有腹案，"眼下就有个机会，若是看得准，把握得住，用老爹手中剩下的银子就能赚上一大笔，兴许就能把这二百两凑够了。"

"古老弟，你不是开玩笑吧？你入关才一天，而且这一天我都与你在一起，哪会有机会你能看见，我却看不见？"

古平原笑了："其实看见这个机会的人是老爹，只是您没想到罢了。"

常四老爹挠挠头："这……这关子可卖得大了。古老弟，我晓得你主意多，还是别让我猜闷了。"

"这也没什么，只不过我碰巧知道些朝廷的制度。"

古平原的点子就来自那封"八百里加急"。他的老师是位老县丞，吏务甚熟，平日授课完毕，为了让弟子多长见识，少不了讲些"皇制行文"一类的事情。所以古平原也知道"八百里加急"一出，定是京城出了什么了不得的大事。

"到底是什么事？现在你我不能知道，但一定是坏事。"

因为如是喜事，譬如皇子降生、皇帝久病痊愈之类，必定是发邸报而非军报。更何况咸丰爷刚刚驾崩，小皇帝以六岁的冲龄即位，皇家何喜之有？

"一定是坏消息。"古平原说得极有把握，"既然是坏事，那就会有赚钱的机会。"

话说到这里，常四老爹还是不懂，这也难怪他，他只是个买卖人，除了账本之外大字不识一个，有关朝廷的体制仪注更是全不知晓，而古平原的主意就是从这上面来的。

"按例来说，咸丰爷的百日大丧就要过了，大丧里各地都在戴孝穿素，衙门的灯都是白纱的。现下各地衙门已经要开始采办红纸、彩灯、朱墨、亮绸之类的物品，以备替换。但这个坏消息一来，衙门的采办就不免观望。他们观望，那些进了货的商家可等不起，因为大家都要等银子周转，所以必要减价零售脱手。老爹就不妨沿路买上一批。"

"他们都卖不出去，我买了来还不是烂在手上？"

"老爹别忘了，你一路去到山西，还要个把月的时间。朝廷办事，历来越是糟到极点的事情越要速速遮掩过去，所以到时候兴许这个坏消息就已经结束了。太原府驻着巡抚衙门、兵马司衙门、藩司衙门、臬司衙门，都是大衙门，附近的州城府县还有知府衙门、县衙门，大大小小不计其数。衙门再要开始采买，就只能从你这里大宗进货，到时候价钱就是你说了算了，那些衙门里的听差只求能买到货交差，至于贵贱，反正不是他们出钱，哪个与你计较。三五十两银子进的货转手就是对半的利，要是赶上衙门急着买进，再多两倍也不稀奇。"

常四老爹又惊又喜，喃喃道："有这等好事？那万一——……"

"顶多就是我料事不准，到时候衙门不肯高价来收。可是老爹别忘了，我们是贱价买进，肯定亏不了本，大不了原价卖出也就是了。"

"不错，不错。"常四老爹猛然想到，白天里曹守备的检查也只是险些发现古平原藏身车中，至于那借活鱼运盐水之计却是始终无人起疑。

"古老弟，听你说得头头是道，那一条盐水计更是闻所未闻，到底是家学渊源，不愧是商界世家子弟。"

"其实我在家乡倒没学过生意经，只不过邻里乡亲为商居多，耳濡目染也就懂得了些经商的诀窍。"

徽商历来是商界巨擘，几百年的传承真的是不可小觑。古平原虽然只是读书之余拾得了一点牙慧，但他天资聪颖，可以举一反三，已然让常四老爹这个做了一辈子生意的商人刮目相看。

"看你的样子倒像个做生意的老手，算盘打得极精。"常四老爹微微笑着。

"这也算是歪打正着，拜了流放所赐。我好歹是个读书人，到了流犯大营，营官没怎么难为我，恰好他们那里的笔帖式报了丁忧，虽是不入流的小官，一时出缺也找不到合适的人，我便顶替上了。说来好笑，这些营官舞刀弄枪还行，每年两次兵部派人来考兵策，他们便傻了眼。这几年多亏我熟读兵法，帮他们糊弄过去呢。"

"所以老弟你的奇计，就是从兵法上得来的？"常四老爹恍然道。

"倒也并非全然如此。这几年大营采买我都跟着，关外虽然苦寒，但来此采办老参、熊胆这些药材的商人也不少，跟着他们也算是学到了些做生意的办法。"

这也就是古平原心境豁达，还能想着学点东西。换了旁人，金马玉堂一下子摔成寒窑苦役，憋也得憋屈死。

常四老爹心中暗暗佩服，同时打了个主意，这一趟听古平原的话所赚的钱，一定要分一半给他，反正知道了他的家乡，可以托票号汇过去。当然这一层意思现在不忙说破它。

说了半晌，又用了不少的酒。古平原有些疲乏，可说着说着他忽然愣了神，想了半天这才一抬头："老爹，我还有个不情之请，不知您能否答允？"

"说吧，咱们这交情还有什么不能说的？"

"昨夜我能逃出来，多亏了一位寇兄弟帮忙，当时他留在险地，我这心里一直七上八下难以放下。能不能请老爹派个伙计回去打听一下，这位寇兄弟是否平安脱身？"

"哦，是这样。好，你放心吧，我这就找人回去看看。"说着常四老爹起身出了房间，他来寻刘黑塔，因为这支车队里除了刘黑塔之外，再无可以托付机密的人，只有叫他去办才放心。

常四老爹下到后院里，见伙计们依旧是热火朝天地干着，两个时辰的工夫盐已经煎出了一成，看样子明天再煎一天，后天就可以装盐上路了，他不由得露出笑容。刘黑塔这一夜是不打算睡了，此刻他光着膀子，露出一身黝黑的肌肉，站在大锅前，与另外一名伙计掭锅，柴火烧裂迸出的火星溅在他身上，可他就像根本感觉不到一样。

常四老爹过来，把他搭在一边的衣服拿过来，半是埋怨半是心疼道："你这孩子，入秋夜里凉，你怎么把衣服都脱了。"

"嗨，这样干活痛快，再说万一火星子把衣服燎了，回家还得让玉儿妹子帮俺打补丁，那多麻烦。"

"麻烦什么，你到了我这把年纪就知道了，年轻逞强，年老遭殃。"常四老爹一边絮叨，一边把衣服硬给刘黑塔披上。接着道，"你跟我过来一趟。"

等到了僻静处，常四老爹把事情一说，道："只能辛苦你了，快马一个来回，明儿天亮出关，打听明白也不过就是半个时辰的事情。然后火速赶回来再歇息，免得古老弟心里着急。"

"行！"刘黑塔连个嗨儿都没打，一口答应下来，"古大哥的事儿我没二话，再说那位寇兄弟也是好样的，我去去就回。"

"可别惹祸！"常四老爹在后面加紧嘱咐着。

回到房间，常四老爹怕古平原过意不去，只轻描淡写说派人去了，二人继续喝酒谈着生意上的事情。古平原说若是知道那封"八百里加急"的内容，做这一笔生意就更有把握。

慢说他不知道，就是全国上下王公亲贵、督抚重臣、文武百官全都加一起，此时知道事情首尾的人也不超过十个。

古平原猜得一点也没错，京里头的确是出了大事！

咸丰十九年，也就是去年，英法联军烧了圆明园。咸丰爷带着后宫避到了承德避暑山庄，京里头留着懂洋务的恭亲王奕䜣来与洋人办交涉。奕䜣是咸丰的亲兄弟，人称"鬼子六"，为人精明能干，懂得洋务之道，在洋人中颇有人把他视为可以交涉的不二人选。

但交涉得并不顺手，英国和法国各有各的章程，谁也不肯吃亏，故此一拖再拖，转眼就是一年。谁也没有想到，原本身子就不好的皇帝，竟然就此病死在了避暑山庄的东暖阁。

噩耗一出，天下震动，恭亲王借机与英法订了和约，专等大行皇帝的梓宫回銮，新皇即位。

新皇是谁，那是连想都不必想的事情。因为咸丰帝身后只有一子一女，女系丽妃所出，子却是懿贵妃所生，继承皇统的自然就是这唯一的皇阿哥载淳。

可问题也就正是出在这位新皇的生母身上。懿贵妃是个权力欲极重的女人，皇帝生前因为身子不好，需要有人帮着批本，她看准时机将批本的事情握在手里，明着是替皇帝代笔，暗地里已经在学习如何参与政事。

懿贵妃作为皇帝的身边人，已经觉察出皇帝虚弱多病，在长毛内忧与英法外患之间恐怕难以支持太久，而她的儿子不久之后就会登上皇位，到了那时自己就可以帮着儿子管理政务。

但是皇帝的宠臣、军机大臣肃顺早就看出懿贵妃的野心，也不止一次在皇帝耳边进言，要防"武后之变"！

按他的意思，要皇帝早做决断，不妨学汉武帝对待"钩弋夫人"的故事，杀其母留其子。

皇帝倒是并非没有考虑，只是他一来没有汉武帝的气魄，二来身子实在太虚，每日军国大事尚且处理不完，哪还有工夫料理后宫家务，更何况懿贵妃恶迹不显，诞有皇子又对社稷有功，无端"处置"了，也着实忍不下心，这件事就这么搁置了。

事情虽然搁着，懿贵妃却早从太监宫女那里听闻肃顺要对自己不利，恨得咬牙切齿。但皇帝在一日，肃顺是炙手可热的宠臣，无论如何也动不了他。

肃顺也知道与懿贵妃成了解不开的死对头，若要在皇帝大行之后保住首级，第一步也是关键的一步，就是要抓住皇帝驾崩后的权力。在他的建议下，病危的皇帝封肃顺、怡亲王载垣、郑亲王端华、驸马景寿等八人为顾命大臣。顾命大臣里没有恭亲王是情理之外、意料之中的事情，因为皇帝与恭亲王素来不和，一是忌他才高，二来当初的老太后是恭亲王亲生额娘，处事不免偏颇，也让皇帝始终不释。

肃顺自以为得计，却没有料到，皇帝在临终之前留了两方玉印，一曰"御赏"，赐予正宫皇后，二曰"同道堂"，赐予懿贵妃。并有旨意，顾命大臣代皇帝拟的旨，非加盖这两方印不能生效。

这是谁也没有想到的事情，皇帝的本意是既防懿贵妃弄权，要顾命大臣辅政，又要防奸臣窃国，因此用皇后与懿贵妃手中的两方印来牵制。

这制衡之计本来不错，奈何皇帝千算万算，算漏了一个人，那就是恭亲王奕䜣。奕䜣的才具是中外皆知的，顾命大臣里没有他，颇有人为此不平，而他自己也是极不服气，加之肃顺防他，不许他赶赴行在哭丧。以亲王体制之尊，却受大臣如此摆布，也就难怪奕䜣对肃顺恨之入骨。

懿贵妃与恭亲王两个人都想掌权，又都要除肃顺，一拍即合。懿贵妃此时已是母后皇太后，尊号"慈禧"。她想了个苦肉计，在大行皇帝梓宫动身回銮前，借故发落了身前亲近的小太监安德海，实则是派他回京联络恭亲王及其一党。双方密议的结果是，慈安、慈禧两宫太后垂帘听政，而恭亲王则可以亲王之尊成为首席军机大臣，真正是一人之下万人之上。

这样帝后党与亲贵党利益完全一致，矛头全部指向顾命大臣。肃顺、载垣、端华等人却还蒙在鼓里。等到八位顾命大臣护着大行皇帝的灵柩走到密云，恭亲王派了醇亲王以及几位亲信前去迎接，然后分别将八人调开，最后一一擒获，用的罪名是"专擅把政，目无尊上"。

其实这是欲加之罪，顾命大臣辅政有明发上谕，何来"专擅"之名，但此刻权力已经尽归恭亲王与慈禧太后，肃顺的人缘向来不好，所以朝廷里无人肯为他说话。但就这样交部论罪，连恭亲王也觉得无法交代，因此又加上一些别人告发的罪名，其中有些也是颇重。比如肃顺护送梓宫回銮之时，身边竟然有小妾陪寝，这就是"国丧不检"，称得上是丧心病狂。其余各人亦有应领之罪。

肃顺虽然成擒，但其党羽却遍布京华。尤其是道光年间"穆门十子"之一的陈孚恩，如今党附肃顺，其人诡诈多变，不可不防。恭亲王一道密令将他擒在刑部，对外只说派到外省公干。

最头痛的还是肃顺一向与在外的汉人督抚特别是曾国藩、左宗棠等人交好。当初长毛初起，八旗无用，朝廷特旨允各地大臣、晋绅自办团练，自行筹饷对付长毛。但朝中的满大臣一心只念满汉之分，深恐汉人得了兵权会闹出事端，因此颇多顾忌。倒真亏了肃顺力排众议，重用曾国藩、曾国荃、李鸿章、左宗棠、刘铭传等汉人，这才有湘勇、淮勇力拼长毛的局面，否则能不能保住大清国还在两可之间。所以这些人都是朝廷倚重，用来消灭长毛的重器，既不能得罪，又要防他们上书为肃顺乞情，到时候这面子既不好驳回去，也不能照准，可就为难了。

正因为顾虑到这一层，朝廷对顾命大臣全数被擒下狱一事，消息封锁得极严，而且不见邸报。既然不见邸报，那么督抚就算得知了内情，也不能凭着小道消息就上折子为肃顺求情。否则朝廷追究下来，以"妄言乱政"治罪，是谁也担待不起的。

但也正因为如此，有一道命令必须尽快下给与京师接壤的直隶、热河、山海关的驻防军队，这是防着肃顺的党羽利用众人不知情的便隙，一道矫诏调兵来京勤王护驾，到时真假李逵打起来，肃顺混水摸鱼，就极有可能翻身。这都是不可不防，而且一定要安排好的大事。

肃顺被密擒在三天前，而常四老爹今日在山海关见到的"八百里加急"的公文，就是严令山海关诸将及所部，非见"玉玺""御赏""同道堂"三印，不得随意调兵，违者立斩。军法讲究的是听令而不问缘由，尽管各地总兵都对此摸不着头脑，但依令而行至少不会有错。

除此之外，下给山海关的命令中还有一条就是封闭关门十日，非旨不得擅开。这是因为肃顺归属镶红旗，怡、郑两王更是正白与正蓝旗的旗主，这三旗的旗兵有大半驻扎在关外，唯恐他们哗变，故此如临大敌般封锁了关门。

所以古平原真正是运气好。这一闭关，奉天大营的营兵，想出都出不来，更谈何抓捕，等到十日之后，古平原早就海阔凭鱼跃，天高任鸟飞了。

但古平原此刻不可能知道这么多的内幕，他只觉得这一天亡命下来，神疲力乏，骨头节都带着说不出的酸痛感。吃罢了酒回到房里，他勉强支撑着擦了擦身，向床上一歪，便昏睡了过去。

第二天一大早，常四老爹就起了身，他年纪虽然大了，身体却还硬朗，惦记着煎盐的事，半夜里还起来看了好几回。再说他也惦记着古平原的逃犯身份，每次店外有点风吹草动，狗一叫，常四老爹心里就是一翻个儿。

常四老爹从房中一出来，正巧与古平原走个碰头，一望便知古平原昨夜也没睡好，一双眼如同火燎，红得吓人。

"古老弟，你先回屋歇着吧，等有信儿了我再告诉你。"

古平原摇摇头，一开口声音嘶哑："老爹，有没有什么我能帮您做的，煎盐我也可以打个下手。"

"瞧瞧你，离病不远了，还不赶紧歇着去。"常四老爹往屋里搡他。

古平原没办法，只好回了屋，他此时心火极盛，坐立不安，打定了主意等从山海关回来人，得知寇连材的消息后，就马上辞别常四老爹。至于往哪儿去，他还没想好，反正肯定是先往南边走。

这个镇不像凌海镇那样热闹，客栈里一上午前前后后就来了两批客人。古平原每一次都把耳朵贴在窗户上，等知道不是常家车队打探消息的人，便又失望坐下。时近中午，终于传来了快马的声音，有人在客栈门口勒住缰绳，古平原推开窗户一看，见刘黑塔风尘仆仆地从马上跳下来，这才明白常四老爹是派自己的义子去打探消息，心里涌上一股歉意，连忙出房门迎上前去。

"刘兄弟，辛苦你……"古平原虽然疲惫乏累，心情焦躁，但是机敏仍在。一打眼就看出刘黑塔心情极差，沉着脸耷着眉，鼻孔都张得老大，仿佛在往外喷火。他都看出来了，常四老爹能看不出来吗？那是他干儿子，常四老爹一眼就知道事情不妙，怕刘黑塔不管不顾地当场发作，赶紧把他拉到屋里。

"黑塔，怎么了？是不是古老弟的那位小兄弟出事了？"常四老爹给干儿子递过一杯水，逼着他喝了下去，随后问道。

刘黑塔瞄了瞄旁边焦急等待的古平原，嘴巴嗫嚅了两下，没说话。

古平原情知大事不妙，深吸了一口气，一字一顿地问道："刘兄弟，你出关之后见没见到寇连材？他被抓了吗？"

刘黑塔低下头还是不说话。

"被打军棍了，还是被捆示众？你倒是说话呀！"古平原忽地爆发，双手摇着刘黑塔的肩。

"我没进关。"刘黑塔像做了一场噩梦，喃喃道，"我三更天就到了关外，只等关门一开就要进去。可就在这时候，从城墙上挑出一根木杆，上面，上面……"

屋里静得连掉一根针都能听见，古平原盯着刘黑塔那张嘴，不知里面会冒出什么样可怕的消息。

"挂着颗人头！"刘黑塔的声音仿佛从天边传来，古平原的身子晃了一下，常四老爹连忙扶住他。

刘黑塔声音闷闷的接着往下说："还有幅布条，写的是'流犯寇连材，助同犯逃亡，枭首示众，以为宵小者戒！'我看了之后就回来了。"

常四老爹听见这桩大惨事，脸色灰白，担心地望着古平原。古平原眼神发直，怔了好半天，在心里嚼着当初与寇连材分别时自己说的那句"总之你自己一切保重，千千万万等到我来接你的那天"。他忽地推开常四老爹，大步走出门去。

常四老爹一看不好，连忙抢前两步拦住他，问道："古兄弟，你要去哪儿？"

"是我害了连材兄弟。我答应过他，一定要去接他。现在人死了，我要去给他收尸，送他回家乡，不能让他死了也没个囫囵尸首，做个孤魂野鬼。"古平原喃喃自语，像是回答常四老爹，又像是对着自己说。

常四老爹拦着不让他走，怕被人听见，用极低的声音道："你回去是自投罗网，别说收不了尸，还得把自己搭上。"

"死的本来就该是我！"古平原忽然大声喊道，拼命地挣扎往前冲。

常四老爹拦不住他，连忙喊刘黑塔，两个人一个抱腰一个拉手，古平原挣了两下，猛然间"哇"的一声吐了一大口血，人随即软瘫下来昏迷不醒。

常氏父子把他架回房躺下，常四老爹老于商旅，对出门在外的事情烂熟于心，他搭了搭古平原的额头，果然，烫得像小火炉，鼻孔出气也是极热。

"坏了，这是急病，大概昨夜就蕴着病根儿。现在又受了刺激，更是不得了，赶快去请郎中。"

小镇上没有郎中，只有一家药铺的老板懂些医道。药铺老板为古平原把了把脉，又看看舌苔，极有把握地说："这是风寒之症被急火攻心引了出来。不要紧，我开些药，喂他吃下去，静养几日就没事了。"

开方吃药都不成问题，可是要静养就难了，总不能将古平原一个人丢在客店里。常四老爹思来想去，只能带古平原上路。先向山西走，什么时候古平原的病好了，再分道扬镳也不迟。

于是等盐煎好了，他雇了一辆舒适的马车，里面铺上被褥，让古平原躺进去，随着车队出发。一路上照着药方吃药，古平原的病却始终不见好转。常四老爹怀疑是庸医误诊，赶到下一个大市镇，请了有名的大夫来看，却也说是风寒入体，脾虚体弱，开的方子大同小异。抓过药一吃，烧时退时发，人却始终不见清醒，迷迷糊糊，神志不复。

常四老爹没有办法，只好买来冰块为古平原擦身退烧，每过一个市镇就延请大夫为古平原瞧病。来的大夫把过脉都说是风寒，看了前面的方子也都点头，但古平原的病就是始终不好，把个常四老爹愁得不知如何是好。

刘黑塔也没闲着，听常四老爹说了古平原想出来的生财之道，他大是兴奋。沿路之上指挥伙计收购喜庆用物，红蜡、红纸、朱砂、彩布，装了满满一大车，就等着到山西看古平原的话灵不灵。

"把我放出去，听见没有！"从京商的车队中不时传来这么两嗓子，伙计们都像听惯了一样，谁也不言语，就跟没听见一样。

喊话的正是李钦，他把喉咙都喊疼了，也不见人来，只得颓然坐下。这辆车是张广发为他特别雇的，两扇窗户加一扇门，从外面一关闩，就像个囚笼一样，只留个天窗透气。不过里面倒是布置精美，松软的座椅可躺可卧，一盏灯悬在头顶，果盘零食，外加上几本绣像小说，打发时间绰绰有余。

李钦被京商带入关的时候还是昏迷不醒，张广发只推说他喝酒误事，士卒验过不是流犯也就放他过去了。不过等李钦醒了之后，这一通大闹连张广发都头痛不已。李钦觉得在外人面前丢了面子下不来台，一想到自己是少东家身份，被张广发这个"伙计"给耍了，更是气愤。张广发左劝右劝也没用，李钦非逼着他掉转车头回去。张广发知道李钦的少爷脾气上来，劝不得，幸好自己早有准备，叫了两个伙计，把李钦连架带推弄到这辆马车上。

李钦都要气疯了，偏偏张广发就是不买他这个账，任他如何出语威胁总是不理不睬。李钦被关了几天，也软了下来，到今天实在闷得熬不住了，咬了咬牙，又喊道："我不闹了，叫张广发来！快去叫！"

"少爷，我就在旁边呢。"李钦话音刚落，就从车外传来张广发的声音。

"敢情你一直在旁边看我笑话呢，是不是？"

"瞧您说的，这我哪儿敢呢？您是少爷，我是奴才。"张广发的声音突然低沉下来，"您别忘了，打小您就骑着我的脖子四九城转悠。老爷没工夫，哪一回去天桥看打把式卖艺不是我带您去的？鬃猴儿、糖人、兔儿爷……哪样不是我给您买的？您的风筝放得南城第一高是谁教您的？您的八哥能哨十八口又是谁调教的？有一年去西山八大处，路过护城河，您非要下冰面上打哧溜，我说冰还没冻实，您愣不信，让我下去探一探。我下去走了十几步就掉到冰窟窿里了，要不是旁边有根晒衣竿，这条命就算交待了。"

他一路说着，李钦始终没开口，这时候终于缓缓插口道："记得我当时吓得哇哇大哭，怕被爹娘责骂，还要你千万别说出去，你呢，就真的谁也没说。"

张广发沉默半晌，长长地吐了口气，忽然喝道："停！"

京商的队伍纪律极严，一声号令车队立时停了下来，张广发一指旁边的树林："都到那边歇歇去吧，吃喝拉撒该干吗干吗，一刻钟之后上路。"

等把人都远远打发走了，他翻身下马从腰间摘下一把钥匙，亲手打开了车厢的门，阳光乍一照进来，刺得李钦睁不开眼。好不容易眯缝着眼睛向外看去，顿时吓了一跳，只见张广发直挺挺地跪在车后，垂首不语。

张广发是大掌柜，脸面要紧，就算是犯了再大的错，哪怕是得罪了东家，顶多是主动辞柜，绝没有跪地认错的道理。李钦惊异不已，跳下车来搀张广发，怎奈张广发执意不肯起来。

"少爷，我这一跪一是向您赔罪，二是有件事要求您。"

"什么事儿？"李钦迷惑不解。

"我知道您心气难平，不过就像我当年没有对任何人提起掉河里的事一样，您能不能从今往后也别提在关外遇上古平原的事儿，就当从没见过这个人，行不行？"

"这……"李钦可为难了，他原打算从车里一出来，非逼着张广发把事情的原委一一讲清楚，不然实在是好奇难忍。可没想到张广发棋先一着，抢先把自己的嘴给堵上了。

"您不答应，我就跪着不起来。您随着车队回北京吧，我就在这荒郊野岭跪死为止！"张广发跟着又将了一军。

李钦没法子，无可奈何道："你这是非逼着我答应啊。"

"说句打嘴的话，算您还我个人情。"

"得嘞，就依着你吧，我的张大叔……"李钦叹了口气，知道张广发先硬后软，自己已然是落了套。

张广发这才放下心来，没想到刚站起身，李钦就来了一句。

"你是不是给我下迷药了？"

"哎，少爷，您不是答应不问了吗？"

"姓古的事儿我不问了，我自己喝的那杯酒问问也不成？那不是同一壶酒吗，你怎么没中毒啊？"

张广发笑了笑："迷药抹在酒杯上，我不是抢先拿起一杯嘛，那杯上做了记号。"

"对，是这么回事儿……"李钦点点头，回想着当时的情景，随即一仰脖冲着张广发喊道："不对，这么说剩下的两杯酒里都下了药，你是存心连我也要迷倒啊！"

张广发二话不说"扑通"一声又跪下了，把李钦气得直噎气，指着他的手直哆嗦。

"张大叔，行，行，你可真有一手。"

张广发不哼不哈由着他发脾气，李钦气了半晌也只能作罢。车队再往前走，过了遵化眼瞅着离密云不远了。

"歇过今晚，明儿大伙都精神着点，一气儿赶路，争取赶在外城关门之前进城。到时候回家抱着婆娘睡觉，比在大野地里吃冷风强上百倍。"张广发一边安排伙计扎营，一边大声说道。

这就是商队大掌柜的本事了。本来走了一天下来个个疲累，他这一句话竟是说得人人笑逐颜开，还没进家门就仿佛已经吃了老婆亲手煮的"下车面"，心里那份舒坦熨帖就别提了。

这里唯一笑不出来的是李钦，他只要一静下来就想到古平原，心里有一份说不出的别扭。他看看天色，这一晚皓月当空，照见不远处的小山包，山包上面有个尖，辨了辨是一座庙。他又看了看七手八脚搭帐篷的伙计，抬脚就往那庙走去，不为别的，打算逛逛景散散心。

山是土山，山脚下勒着石碑，上写"磨盘冈"。沿着山有一条羊肠小道，再加上月色清明，上山的路倒还好走，半个时辰不到李钦已然来到了庙前面。这座庙前后只一进，有大殿无庙产，也就没有主持的和尚道士。殿前有一座天然石台，台上摆着不少插着残香的小香炉。周围乔木高大，枝叶却很稀疏，月光透过树叶照下来，如同斑驳鬼影。

李钦胆子并不大，看着黑咕隆咚的大殿心里直犯嘀咕，犹豫了半天才踏进半只脚。好在这殿残破，大梁漏了一角，借着月光，李钦抬眼往上看，殿里供的竟是雷神。雷神是水部诸神，供雷神和供龙王一样，都是为了祈雨。

李钦来到神像前，他受洋行的影响，早已信了基督，所以不拜不祷，背着手相了相。忽然觉得雷神那双厉目瞪着自己，不免有些心悸，不由自主地又想起古平原，心下觉得不自在。刚要退出去，就听到旁边角落里有窸窸窣窣的声音。

"谁？"李钦大吃一惊，连忙退了几步来到殿门口。

等了半天没动静，他壮着胆子又探了探头。

"别动！敢过来，一剑扎死你！"从角落里传来一个女子的声音，声调稚嫩，听起来仿佛还没有成年。

李钦一愣，连忙止步，他知道自己在明处，人家看自己看得清清楚楚，便拱了拱手。

"对不住，打扰了，我是京城的商人，从此经过，上山来观瞻庙宇，请不要害怕，我这就走。"李钦还以为是本地乡民半夜祈神祭拜，也不欲多事，转头就想走。

"请等一下。"殿里又传来另一个女子的声音，李钦这才知道里面并非一人。陡然想起狐仙鬼怪的传说，饶是他入了洋教，但从小听的故事深入于心，脸上神色不禁变了变。

"你别害怕，我们不是鬼也不是怪，和你一样都是大活人。"里面的人仿佛看出他心中所想，安慰了一句，随后走了出来。

出声的是女人，出来的却是男人，李钦好生奇怪。细一端详才发现原来是两个男装打扮的女子。一个与自己年纪相当，大概刚过及笄之年，虽然扮作翩翩公子，但细细看去，明眸皓齿，肌肤胜雪，清秀绝伦，双目晶晶如月射寒江。此人正凝神看着自己。

李钦虽然年未弱冠，但已在风月场里混过多时了，这个楼、那个馆的花魁也见过不少，可称阅人无数，却被这女子一比都比了下去，他没想到荒郊野岭居然有这样的美人儿，顿时就愣愣地看住了。

"喂，我说你这人，直眉瞪眼地看什么呢？"声音一起，李钦才想起旁边还有一人。这一个还要小上两三岁，豆蔻年华一脸的稚气，做书童打扮，手里拿着一柄三寸长没出鞘的短匕，想必方才说"一剑扎死你"的就是她了。

"哦，姑娘……"

"你说谁是姑娘？"李钦刚一开口，就被那凶巴巴的"小书童"打断了。

李钦倒不怕这样的人，笑嘻嘻道："要是男人说话这个声音，我倒真要撒腿跑了。"

"为什么？""小书童"追问。

"必是被女鬼上身呗。"李钦一笑。

"你……""小书童"刚要发作，旁边的"公子"拦住了她。

"算了，四喜，是我们猝不及防忘了装男嗓儿，怨不得给人家认出来。"

"知道了。"那叫"四喜"的"小书童"嘴里答应着，却还不忘狠狠挖了李钦一眼。

那"公子"开口道："请问，你方才说是京城来的商人，途经此地？"

"是，我们的商队去给奉天大营运送军马，现在是走回程，就扎营在不远处。"李钦好色，见了美貌女子就心痒，但面前这人却又有一种凛然不可侵的感觉，让他在心动之余还多了一份爱慕之心，故此也不藏着掖着，全都和盘托出。

那女子又打量了他两眼，微微一笑道："敢问阁下可是李家公子？"

李钦心里一跳，迷惑地看了看她，讷讷道："……你是怎么知道的？"

这无异于承认了，女子又是一笑："给奉天大营运军马这样的生意，在京商中只有李家才能揽下。在商队扎营之时独自跑上山看风景，足证连大掌柜都约束不了你。再加上你衣衫华贵……所以我姑且一猜。"

女子轻描淡写一说，李钦可是听呆了，这般玲珑心思，片刻间推理得滴水不漏，可真是少见。她一定不是普通人，李钦不禁问道："姑娘，你是……"

"我嘛……"那女子皱起眉，如同一江春水风吹过，又是别有风姿。女子心里仿佛有事委决不下，抬眼看看李钦，又叹了口气。

"姑娘，萍水相逢也是有缘，你有事情尽管说。实不相瞒，我就是李家的少东家，能帮处我一定帮。"

"真的？"女子眼前一亮，

"如有半句虚言，让雷劈死我。"这句现成咒起得恰是地方，四喜不禁一乐。

"我想跟着你们商队回京，我要见你爹。"女子等他发了誓，立时开口接道。

"我爹？！"让李钦想破头，他也想不到女子要求的竟是这件事，顿时如坠云雾中，瞪大了眼看着这女扮男装的主仆二人。

"怎么，我难为你了？那就算了。"女子倒是毫不在乎。

"这个……"人家要见自己爹，这无论如何也不算难事儿。李钦一咧嘴，心说我怎么总碰上这种怪事，前有古平原要见大掌柜，把我弄了个糊里糊涂，现在又来了个神秘女子，不知来历一张嘴就要见我爹，这更是稀罕事儿。

"见我爹倒没什么，可你到底是谁？打哪儿来？到哪儿去？是本来就要到京城去见我爹，还是知道我是李家少东家才起的这个念头？"他一口气问了好几句，那女子只是微笑不答，末了才回了一句。

"刚才看你在神前起誓豪气干云，没想到却如此婆婆妈妈。难道说你的话我一句不答，方才的誓就不作数了吗？"

"这……"李钦被问得张口结舌，知道自己太孟浪了。不过誓已经发了，咒也已然赌了，他一来是喜爱这个女子，二来刚在关外遇上不顺心的事情，要是在两姑娘面前再丢面子，实在是窝囊至极。想想不就是见我爹吗，真算不上什么大事，得嘞，又糊里糊涂地答应了下来。

李钦带着她们俩下山，路上问那女子叫什么名字，女子总是不肯说。李钦气急了："总得有个称呼吧？不然有事情我怎么寻你说话？"

女子一指那个叫四喜的"小书童"："你和她说，让她来告诉我。"

李钦原本还打算在路上和这女子攀谈亲近，至此已知无望，心里暗道倒霉。不合时宜地上了一趟山，又是弄了笔偷鸡不成蚀把米的买卖。

等到回了商队，李钦找到张广发，让他安排一顶空帐篷给那主仆二人住。张广发一听原委就急了，一把把李钦扯到边上："我的少爷，你好糊涂，什么什么，带人进京去找老爷？这两是什么人你知道吗？不知道就随随便便带去见老爷，你的胆子忒大了！"

"能怎么样？又不是毒蛇猛兽。"李钦还不服气。

"伙计们看不出来，你就以为我也看不出来，你当我这掌柜的白当了？"张广发气得鼻子不是鼻子眼不是眼，"那是两姑娘，对不对？有道是'和尚、乞儿、多情女'，在外面跑的都知道，这三种人都是绝不可招惹的，你怎么胆子这么大？"

"洋行里没教过这个。"李钦没好气道。

张广发直摆手："罢罢，我也不管是雄是雌，趁早把她们俩撵走，咱不惹这麻烦。"

"这三更半夜，把两姑娘家撵走？亏你想得出来，我不撵！"李钦也发脾气了，一扭头不理不睬。

"你不撵我去撵，她俩留在这儿，我一晚上别想睡好。"张广发抬腿就要去撵人。

"行，你撵吧，不过等到了京里，咱俩的那个约定也就不算数了。"李钦灵机一动拿古平原的事儿来要挟张广发。

这一招果然好使，张广发立时如泄了气的皮球，最后终于答应了李钦的要求，给那主仆二人弄了顶帐篷。第二天一早，把原本用来关李钦的车给她们坐，李钦骑着马跟在旁边。

商队里平白无故加了两个人，难免有伙计议论，有人也看出来这是女扮男装的两个姑娘，话里话外有意无意就把这两个人跟李钦扯在了一起。李钦倒是觉得很有面子，也不辩解，于是到了北京城外，整个商队就传开了，说是少东家在路上捡了个女人做相好的，还把她妹妹也一起带了回来，传得是有鼻子有眼。

张广发也听到了，但没工夫来管伙计，因为从密云一路过来，他就发现路上的形势有变。不管是乡间路口还是大邑门户都有士兵把守，水陆码头更是搜检极严。张广发因为惦记着东家的信，所以急着回城，一路上不免破财免灾。好在这些士卒都肯伸手拿钱，红包就是通行的凭证，手一摆对大车队视而不见，他们这才能在城门关闭之前赶到城下。

到了广渠门一看，张广发可就头疼了，这里的搜检比乡间严上十倍都不止。绿营的千总带着七八个把总分成几队来搜，行人入城，辫子要散开，鞋都要脱下来验看。

"史老哥，这是怎么了？这么严的盘查，我也就听我爷爷说过一回。那还是嘉庆爷那年月，天理教攻打皇宫闹的。这又是来的哪一出儿啊？"旁边有两个行人，等得实在是无聊，抽着烟袋聊大天。

"谁知道啊，听说是逮了几个大官，防着有同党入宫行刺。"

张广发不以为然地摇摇头，入宫行刺云云不过是茶馆评书讲的传奇故事罢了，皇宫戒备森严，岂是寻常人能潜入的。不过看这架势，入城的队伍行进缓慢，无论如何今夜是进不去了。他只得吩咐一声，叫大伙计找客栈，城外暂歇一宿。

他这边安排着，李钦也拍了拍马车的门，待那主仆下了车，往前一指："看见没有，搜人是搜男不搜女，你们两让人一搜就麻烦了，不如改回女装吧。"

四喜一看城门，脸色有些发白，拉了拉"公子"的袖子，悄声说："小姐，咱们听他的吧。"

那"公子"摇了摇头，看了一眼她们带的书箱，也悄声道："人虽搜不得，难道东西就能搜吗？还是要想个万全的法子进城。"

正说着，就听城门那儿有人喊张广发的名字，边喊边冲着队伍走过来。

张广发拢目一看，登时大喜，从马上跳下来，紧走几步。

"李安，你怎么到城门这儿来了？"

来人是高门大户仆从的打扮，年纪与张广发相仿，听问先是一躬。

"张掌柜，老爷知道城门戒严，怕你们不好进来，特地求了九门提督一张条子。这几日都让我在此等候，总算是把你们等到了。"

张广发连忙把他扶住，嗔怪道："你怎么和我闹这个，当年的交情都忘了不是？再要这样我可不依。"

李安憨憨一笑："现在你是大掌柜嘛，不一样了。"

他们在前面说着，李钦眼尖已是看见了，说道："那是我家的管家李安，来此必是有事。"

等把缘由弄明白了，主仆二人都松了口气。有了九门提督的条子，京商的车队畅通无阻地进了城门。此后兵分两路，大伙计带着车队返回商号不提，李安带着李钦、张广发，还有那半路相识的主仆，来到位于前门大街与先农坛之间的京商会馆。

京商会馆由来已久，始建于元朝，距离古刹般若寺不远。明初曾荒废过一段，后来明成祖"以天子守国门"，迁都北京，京商继而中兴，绵延明清两代。几百年下来，会馆房舍虽然依旧高轩，但早已破旧不堪。

后来李家主人李万堂于咸丰初年出资翻修，买下周围地皮，不计工本大造楼阁，重建后的会馆比原先扩了三倍不止。新盖的三座二层小楼，分为"议事"、"兴学"、"度支"，不仅可以供京商大佬会议商谈，还可以教贫寒子弟做生意打算盘以及放贷给小本经营的贫户。楼后一座大戏台，是京商堂会之用，而且无论富贵贫贱，只要缴纳京商会费，开堂会之时一视同仁，皮匠铺的小老板也能和茶庄、粮行的大掌柜同坐一席。

李万堂如此热心京商公益，且又公道无私，手面豪奢，赢了不少人心。待到京商会馆大修已毕，有头有脸的京商会聚一堂，公推其为会馆总执事，传到外面老百姓耳朵里，就变成了"京商首领"。再加上李家世代经商，买卖无数，早就有"李半城"的称号，可谓是声望一时无两，大江南北的商界就没有不知道京城李家的。

因为会馆全由李家捐资而建，故而前边三进是京商公所，后面一片宅院则无异于李家私宅，平日李家主人李万堂也都是在此会客理事。

穿过九曲回廊，廊边有人工开凿的一片小湖，其上密布佳荷，廊后构屋三间，成品字排列，中间空场修竹丛桂，横卧一根古木如虬蟠。

那"公子"随着几人往里走，经过时看了几眼，不禁赞道："北地园林少用江南'枯'字诀，若是本地人所为，恐怕就只有园艺大师欧阳三了。"

走在前面的李安回头看了一眼，心中惊异，布置这片花木的正是欧阳三，想不到这公子小小年纪，眼力却佳。

"到了，少爷和您二位先在下房休息，老爷等着见张掌柜。"李安止步恭敬道。

张广发随李安进了上房，那"公子"和四喜也不进屋，就悠游地赏看园子。李钦凑过来道："都到了这儿了，你总该告诉我，为什么要见我爹了吧？"

"公子"瞟了他一眼，压根儿没接茬。

李钦咳了一声，无奈地咽口唾沫："那姓什么叫什么总该说了吧。不然一会儿我爹把我叫进去一问，我带了个无名无姓之人来见他，岂不荒唐！"

原本他也没抱多大指望，不料那"公子"居然开了口："说得也是，待会儿要是李老爷问起，你就说我姓苏，名紫轩，紫气东来的紫，轩辕黄帝的轩。"

"哦，苏……听你口音是京城人士。现在天色就已经晚了，待会儿见了我爹之后，我送你回家吧，如何？"李钦觉得这个名字无论如何不是个女人的名字，但这件事儿从头到尾都透着古怪，他索性不想了。这女子不仅神秘，而且身上透出的那股子气质再加上美貌，让李钦很是着迷。

"等会儿再说吧，出了门还不一定去哪儿呢。"苏紫轩嘴上应着，脚步有意无意往上房走去，这里与前面公所隔着很远，嘈杂之音传不过来，等走近了上房，里面的谈话声便依稀可辨。

就听一个沉稳有力的声音始终在说话："现在靠山变成了冰山，冰山也已经倾倒，这没什么可惜的，越是大生意风险也就越大。不过我们不能不早自为计。"

他话音一落，这时就听张广发道："唉，没想到会出这种事，这些年陆陆续续地投了一百万也不止啊，心血付之东流，就这么全完了。"

"不要想那些！这几年具体的事情都是你去办的，眼下要先把线斩断，字据一张也不能留，明白吗？"

"是！我马上就去办。"张广发答应一声。

"嗯。"

张广发辞出上房，与李钦打过招呼便匆匆而去。随后李钦被叫了进去，那声音顿时严厉起来。

"听说你还没到山海关就摆少东家的谱儿？！"

"我……我本来就是少东家……"李钦说话的声音显得底气不足。

那声音许久没有开口，这一沉默，就连苏紫轩在外面站着也感到了一种迫人的压力，心里不禁有些发寒。

良久，李钦讷讷地开口："我带回两个人，有个叫苏紫轩的，她要……要见……"

没等他说完，那声音忽地打断："李安，命人带少爷回府，一个月内闭门读书，哪儿都不许去！"

"我……"李钦的声音刚要放大，李安在旁赶紧拦住。

"少爷，您这是第一次出远门，能平安回来就是一功，太太那边还等着您呢，赶紧回去吧。"

李安连说带劝把李钦劝出房门，对着退在廊下的一个下人吩咐两句，李钦看了一眼苏紫轩不情不愿地走了。李安这才对着苏紫轩主仆略一躬身，请她们进了上房。

苏紫轩不慌不忙地带着四喜进了上房，打眼一看就知道，这里其实是李万堂的私人书房，壁上一幅高魁鸿博李来泰的"半宜明月半宜风"已将房中衬得雅气十足。隔着案几坐着一位年近半百的中年人，湖纺的长衫，绣着雅致竹叶花纹的滚边，灰白的头发配上一双炯炯有神的眼睛，看不出丝毫的市侩气。

"想不到他就是李半城，不像是个商人，却好像国子监的学士，清秘院的翰林。"苏紫轩暗暗称奇。

屋中之人自然就是京商首领，号称"李半城"的李万堂。他看了一眼进来的主仆二人，心里也是一愣，女扮男装已是出奇，且又是如此倾国倾城的美色，他已听张广发说这两人是专程来找自己，但还猜不透她们葫芦里卖的是什么药。

"两位请坐！听说你们特地来找老夫，不知所为何事？"李万堂顺手拿过一把精巧的花剪，轻轻修着桌上的一瓶文竹，连看都没看苏紫轩。

四喜侍立在旁，苏紫轩坐下，盯着李万堂道："我想卖你一样东西。"

李万堂淡淡一笑道："想卖给老夫东西的人不少，但值得买的就不多了。"

"我这样东西你一定想买，就是不知道你的本钱够不够？"苏紫轩可是笑容皆无。

"喔？"李万堂手上的动作丝毫未受影响，声音中却有几分讥诮。

"请过来一看。"苏紫轩指了指四喜拿着的书箱。

李万堂起初见这女子容颜俏丽，还以为不过是来出卖美色，这样的女人他早已司空见惯。原本想给几个钱打发出去，看这样子却非如此。他这才仔细地看了苏紫轩一眼，四喜把书箱捧前几步掀开一角，李万堂略伸头向内细细一看，立时

91

抬头用凌厉的目光扫了苏紫轩一眼。

李安在旁一看老爷这样，也把头伸过来想看个究竟，四喜却已把书箱合上了。

"怎么样，值多少银子？"苏紫轩问道。

李万堂不动声色地指着书箱道："我且不问这是怎么弄来的，我只问你究竟是谁？"

苏紫轩转回头看了一眼李安。

"你但说不妨。"李安这些年为李万堂办了不少机密事，早已是李万堂的不二心腹，论起信任程度还在张广发之上。

"我是谁？"苏紫轩重复了一遍李万堂的问话，像是有些不知如何回答，想了想伸出一只手，纤长的手指上有一枚戒面向里的戒指。她把戒面轻轻转过来，一团红光顿时闪现，看得人目眩神迷。李万堂对珠宝颇有研究，最是识货之人，一看就知道这不是什么红宝石，而是钻石中最为珍稀的千金难易的火油钻。他猛地想起一件事，眉毛不由得一挑，细细端详着苏紫轩。

"这样的稀世珍宝，又是你亲手送出去的，自然不会忘记。我是谁还用再问吗？"苏紫轩缓缓道。

李万堂不答，对李安吩咐道："出去守着，不许任何人靠近。"

李安答应一声。李万堂这才转脸对苏紫轩道："你从密云逃出来也罢了，居然还敢回到京城。"

苏紫轩面上显得毫不在意，脸上却笼着一层寒意："京城嘛，虽险实安，我回来自然有事。"

李万堂揣度着此人来意，重又坐回到书桌后，却没有再拿起那柄花剪。

"想救人？你来晚了。"李万堂几乎是一转念便明白了。

苏紫轩站起身，边在屋中走，边说道："不晚！这样的大案子必是三堂会审，只要京中有那么一两位亲贵肯说话，就能归到'八议'制度上去，议亲也好，议贵也罢，哪怕是议功也不妨，都能将罪减等。退一步说，就算是不按'八议'，拖上些时日，可请督抚力保……"

"晚了！"李万堂听她一口气说到这儿，已知这姑娘智计非常，但还是一字一顿地强调着。

"你是怕惹祸上身吧。方才我已在房外听了你的话，哼，靠山变冰山，冰山也倒了，说得可真好。不过你别忘了，水还能结冰，土也能聚山，越是这个时候你出把力，将来……"

李万堂微微摇头，苏紫轩不等他说话已是变了色，寒着脸冷笑一声："咸丰四年，园工筹梁方，李家以川楠充贵州金丝大楠，获利五十万两白银。咸丰五年，垄断直隶兼热河十七座大营的军服专卖，每年获利三十万两以上。……咸丰十年，户部宝钞案，不经官卖，私自收买经营钱局五处，每年获利在七十万两以上……"

她一边说一边观察着李万堂的表情，却见他除了眼神霎时变得如刀锋般锐利外，脸上的颜色却是丝毫未变，心中暗暗钦佩此人的养气功夫。要知道这些都是李家的绝密生意，其中无不与当朝大员有直接的关联，通同贿赂，私相买卖，若是有一样捅了出去，都是抄家杀头的罪名。

等苏紫轩全都说完了，李万堂居然轻轻鼓了鼓掌："好记性，早就听说有一本账册，抄了家也不见下落，还以为见机得快，早早就毁去了，想必是在你手里吧。"

苏紫轩点了点头："从十岁开始我就保管这账册，上面的每一笔都是我记的。你不要打什么杀人灭口的算盘，我的书童有两个，这个叫四喜，还有个叫三笑的童儿没跟来，我要是出了事，账册的秘密自然就公之于众。"

李万堂听了连眉梢都没动一下，仿佛这样的安排早在他的意料之中。

苏紫轩点了点头："我知道你是聪明人，别的人就算是我握着他的把柄，也还真不敢去找，因为那些人太笨了，辨不清形势，搞不好急急忙忙挖个坑，连我带他自己都一起埋了。"

"明白这个道理，可见你对人心也知之甚深。"李万堂看向苏紫轩的眼神里带着三分欣赏，话中却又有七分冷酷，"聪明太深遭天妒，你真的是来晚了！"

他一再说晚了，苏紫轩心里陡起警觉，颤声道："你是什么意思？"

"你前面说的都对，奈何没有什么三法司会审，昨儿一道旨意已然定了斩立决。"

"什么？！什么时候？"苏紫轩的脸顿时变得比玉还白，美目大张，惊惶地望着李万堂。

"今日午时。"

午时！现在已是戌时，已然过去四个时辰。苏紫轩眼前一黑，若不是四喜手快扶着，险些跌在地上。

"菜市口问斩，老夫也去了，看得千真万确！"李万堂表面一脸的木然，但仔细看却能看出他一直在用眼角余光不停地观察着苏紫轩。

"有话留下吗？"苏紫轩脸上的表情极痛苦，紧紧地咬着唇，但是竟然没哭，目中满是怨恨地问。

他二人始终在回避着一个心照不宣的名字，李万堂沉默了一会儿，道："没什么要紧话，只是大骂西太后与恭亲王。"

"我知道了！"苏紫轩咬了咬牙，强撑着站起身来，四喜在一旁担心地看着她。

"临走的时候能去送一送，足证你还记得这番交情，倒真要谢谢你。救人的事情就算了，不过我在京里总得有个待的地儿，就麻烦你替我准备了。"

"你要留下来收尸？"李万堂虽然如此问，但显见得并不如此认为。

果然，苏紫轩答道："那不是自投罗网吗？再说宗室无暴尸，后事自然由宗人府管。我留下来有其他的事儿。"她的语气不容置疑。

李万堂脸上掠过一丝不易察觉的微笑，却假作好生为难，皱紧眉思量了半晌才叫道："李安。"

李安闻声而入，李万堂吩咐道："带这二位到南城口袋胡同那处宅子，安排她们住下，从府中派几个稳重的老人儿，一切用度全由府上账目拨给。"

"是。"

苏紫轩跟着李安要往外走，李万堂忽地又道："书箱里那东西，你打算怎么处置？"

苏紫轩头也没回，答道："原想万不得已时用来救人，现在则有了更大的用处！"

她说完带着四喜径直去了。李万堂坐在椅上，看着她的背影消失，这才拿起那柄花剪，将文竹一剪而断，轻声自语道："好一柄利器，不用可惜了。"

大局要越做越大，细节要越算越细

　　古平原倒吸了一口凉气，原本以为一省之
内消息互通不甚方便，这王天贵派到别地儿去
的人来不及往返请示，只要消息在这几天之内
无法互通，便大功告成了。可他千算万算，就
是算不到本地居然还有"信狗"这样的东西，
这可怎么办才好？

　　古平原急得双手互搓，在地上直转圈，此
时此刻只要有一条"信狗"跑到泰裕丰总号里，
那就一切前功尽弃。

常家车队经过霸州赶往山西，京畿附近的消息传得很快，这时直隶周边都已经传遍了政变的小道消息。

肃顺问斩，怡亲王与郑亲王两位王爷因为是皇室宗亲，所以赐白自尽，而顾命大臣中的其余五人却都加恩，除了丢官罢职，倒也没有大的处分。特别是六额驸景寿，旨意里说他是"受奸人胁迫，故恩施格外，不予加罪"。这一道"无罪开释"的旨意一发，立时就有人说景寿其实是慈禧太后安插在肃顺身边的一根暗桩，非但没有帮肃顺，而且通过他的举发，令那些想要救肃顺的人都没有机会得逞。这种说法本人不认，谁也无法证实，但慈禧太后的手腕却在这种传言下被越来越多的人所畏服。

女主临朝，雌声动天，历来不是国家之福。颇有些道学之士想起当年武则天篡李唐而改武周，不由得心里生出许多忧虑。还有一班熟读国史的儒生，谈起当年太祖皇帝提兵灭了叶赫部落，叶赫族的族长曾有遗言，叶赫即使只剩一女，也要向爱新觉罗报此仇，而慈禧太后正是姓叶赫那拉！

如此的巧合怎不让人心惊。在京里此般言论暗流涌动，尤其是连当初顾命大臣所拟的年号"祺祥"都被慈禧太后一手推翻，要军机大臣重新拟过。这样的霸气见诸一个女子身上，更是在各部官吏的私下聚会上成了酒后的热门谈资。

常四老爹当然不会知道这些朝廷大员才关心的机密事情，他现在忧心的只是古平原的身体和如何去还那笔印子钱。

随着车队绕过狼牙山进入山西境内，常四老爹的一颗心七上八下，不知家里现在怎样了，掐指算算，到家的日子正好是债款到期之时。常四老爹不敢耽搁，在路过省城太原时，按照古平原之前的指点，派刘黑塔带两个伙计赶着那辆装满"喜货"的大车进城去看行情。他自己则指挥伙计赶着盐车，直奔自家而去。

这样急着赶路还真对了。常四老爹原本住在太谷县城内，为了照料盐场，又在盐场附近置了一处小房子，但那处房子不值钱，常四老爹拿来做抵押的是太谷县城内的老宅。

要说这老宅，真正是好。常氏祖上出过财主，为了盖这所大宅院花了不少的钱。这宅院原本是常家一族所共有，后来常氏一族的其他各支渐渐老病死走，几十年下来，这偌大的宅院竟然都归了常四老爹。常四老爹一家人也住不了这么大的宅子，因此平日里只开两处院子，一处老爹与刘黑塔住，另一处是女眷住的地方，其余各处都封着。

这大宅院早有人惦记，出价到一千两银子的也不在少数，但常四老爹不愿卖祖宅，更何况家里吃用不愁，也不到卖房子的地步。这次不同了，常四老爹没办法才用宅院抵了高利贷。让他奇怪的是，整个县城里，除了一个叫陈赖子的人，没第二个肯将钱借给他。他隐隐约约觉得事情蹊跷，不过急着要到关外，只得定了契约。讲明三个月为期，到时本银利息全数缴回，否则就拿老宅抵债。

现在三个月已经到了，常四老爹赶着车一进自家所在的桃叶巷，就听到从前面传来一阵喧哗之声，里面还夹杂着女人的哭叫。他知道不妙，加了一鞭，盐车飞快地向常家老宅的方向驶去。

常家的老宅在这条巷子里算是气派非常，斗角飞檐的门楼前围了一大群看热闹的人，几个地痞打扮的人正从大门里往外拖一个女人。这女人披头散发，一面挣扎一面大骂："陈赖子，你个天杀的，光天化日就来夺屋，还讲不讲王法了！"有人认得这女人是常四老爹近几年出门做生意时，找来照顾女儿常玉儿的佣人李嫂，她与常玉儿感情极好，情同母女。

"王法？"一个穿黑衣短打，留着两撇狗油胡子的男子冷笑一声，抖了抖手上的字据，"我手里拿的就是王法！欠债还钱，这字据上写得明白，三月还不上钱，就拿宅子顶债。我陈赖子够意思了，之前来找过你们催要银子没有？没有吧。不过今日既然到期了，可就别怪我翻脸无情。"

"来，把老常头家里的东西都搬出来，人也拽出来，这院子从今往后不姓常了！"陈赖子一声吩咐，又有三四个人冲到院子里。

不过他们刚进去，就纷纷抱着脑袋跳了出来，只见一个年轻姑娘手里拿着门闩一阵乱挥，来到门前一手拽起爬在地上的女子，脆声道："李嫂，不用怕他们。"

"哟，这不是玉儿妹子吗？上次见你还是三个月前到你家立字据时，这几个月不见，可真是越发水灵了。"陈赖子眼前一亮，对着站出来的漂亮姑娘觍着脸皮说道。

"你别在那里胡说八道，哪个认得你。你要收屋也得等我爹回来，没有硬闯女人家门的道理。乡亲们，你们说是不是这个理儿！"常玉儿转向围观的众人。

大家早就对陈赖子不满，但事不关己，陈赖子手上又有字据，倒也奈何不了他。现在见常玉儿一问，大家哄然一声，竟都是向着常家说话。

"喂，这是怎么回事，难不成欠债的倒有理了？"陈赖子没想到常玉儿竟如此机灵，避开债务不谈，只说男女大防，反倒赢得了众人的同情。俗话说"众怒难犯"，陈赖子情急之下道："要照这么说，你爹一天不回来，我就一天不能收屋，那要是他死在外头，一辈子不回来呢？"

"你！"常四老爹一晃三个月没回来，常玉儿和李嫂本就在担心，此刻听陈赖子满嘴胡扯，只气得浑身发抖。李嫂叫一声："你这无赖，我和你拼了。"一头就撞了过来。

陈赖子猝不及防，一闪身，推了李嫂一把。李嫂一头栽在地上，额角碰出好大一个口子，血流满面。

"啊！"一见有人血溅当场，众人一阵骚乱，陈赖子也是一愣。

就在这当口，常四老爹已经赶着盐车到了，最后这一幕，他全看在眼里。就是泥人尚有三分土性，但常四老爹实在是个忠厚人，尽管心里大怒，面上却不露出来，只是急急下了车，赶到李嫂身旁。

常玉儿乍一见爹回来了，又惊又喜，抱着李嫂的手不曾松开，眼泪已经止不住地落了下来。原本是个大姑娘家，被人逼得当场撒泼，传出去名声要紧，另一面又挂着李嫂的伤势，所以哭得格外伤心。

常四老爹顾不上安慰女儿，先查看李嫂的伤势，好在血流得虽然多，只是皮外伤，没伤在要害处。

常四老爹先叫常玉儿将李嫂扶进屋去，然后转过身对着陈赖子一抱拳："陈老兄，为何要到我家中搅闹？"

常四老爹一出现，围观众人都觉得好戏要连台唱了，陈赖子也是心中一紧。但看看常四老爹风尘仆仆，面有忧色，不像是凑到了钱，再看他没敢发作自己，更是放下心来，笑嘻嘻道："常四，你方才也看到了，是你家的佣人要来撞我。我一闪，她自己碰到地上，这么多人都看见了，你可诓不到我。"

常四老爹强压着火，绷紧了面皮道："那是自然，她一时失足，怎么能怪到陈老兄头上。不过你带人来我家搅闹，这可没冤枉你吧？"

"嘿！常四，想不到你这老小子还是个泼皮！"陈赖子一下子把声音拔高了八度，又把那张字据拿了出来，"这上面的字是你签的吧，手印是你盖的吧，怎么着？想要赖不成！要不你现在把银子还出来，我就带着弟兄们撤。不然我就要收屋！"

众人的眼光都聚在常四老爹身上，要看他如何应对。

常四老爹沉默一阵，低声说："我没银子还你。"

"嗬。"众人一阵叹息，想不到传了几代的常家大宅就要易姓了。陈赖子乐得嘴巴咧到耳根上，叫一声："都跟我进去！"就要往里闯。

"慢！"常四老爹拦在他身前。

"我说常四，你可不要搞不清楚，这一次就算知县大老爷来，也救不了你。欠债还钱，欠屋还屋，天公地道。"

"我没说不还。不过……看看你手上的字据。"常四老爹紧紧盯着陈赖子。

"嗯，字据，字据怎么了？"陈赖子把字据翻来覆去看了一遍，也没看出个所以然。

"看看那上面的日期，是不是八月初五戌正？"

"嗯，不错。"

"当然不错，你是在晚上送银子到我家，与我签了这印子钱的契约。当时正是戌正，而现在天刚正午，也就是说离你来收屋的时间，至少还有五个时辰！"

常四老爹一口气说到这儿，陈赖子不由得目瞪口呆。看看手上的字据，再想一想时辰，果然是如此，可谁能想到常四老爹能在这上面打主意。其实常四老爹当初签约时写上了时辰倒也没有什么特别的用意，只是他做生意一辈子谨小慎微惯了，想不到今日倒派上了用场。按照字据上写的，戌时未到陈赖子就不能收屋。

旁边众人也没想到常四老爹还有这么一手，眼见陈赖子张口结舌难以应对，大家哄然叫好。

陈赖子半天才结结巴巴道："就……就算是还有几个时辰，这几个时辰你能干什么？"

"你管我干什么，总之戌正之前，你要是再敢踏入我家一步，我就告官报抢。"说完，常四老爹要伙计将几辆大车赶入家中，狠狠地将家门关上。

陈赖子自觉面子上有些下不来，对着大门高喊道："没想到你个老骨头还挺倔。好吧，大爷我本来就没什么事，就在你们外面坐上几个时辰，到时候一样收屋。"说罢又对围观众人道："各位想看热闹就别散，一会儿看我怎么把常四撵出来。"

谁有工夫陪着他，再说大家都同情常四老爹，不愿看陈赖子的小人嘴脸，故此都一一散去。

常四老爹进了屋,先细看李嫂的伤情,拿来家中常备的金创药给她敷上,又要常玉儿扶着李嫂在屋中走了两圈,直到头不晕了,才让她躺在床上休息。

常玉儿把李嫂安顿好了,走到爹身边。女儿家受了委屈,本想埋怨一声:"怎么拖到这时候才回来?"但一抬眼看见常四老爹一身的尘土,满脸倦容,话到嘴边就改了口:"爹,你先坐坐,我去泡茶。"

"不忙,不忙。"常四老爹的眼神很复杂,方才闺女进去,没听到他说手中无钱那句话,看样子还盼着自己大赚一笔回来销债,这话真是不知如何开口才好。

正想着,一班雇来的伙计也进了屋,为首的行了个礼:"常老板,东西我们都卸到了后院。"

"好,好,辛苦你们了。"常四老爹点头笑笑,见伙计们都不动,自己愣了一下,这才想起来,"看我,家里事情太多,一时昏了头了,脚钱还没付给你们呢。"说着把钱袋拿了出来。

"按说好的给你加一成的脚钱,只是我现在没有吊钱,干脆付给你们银锞,自己去找零均分吧,好不好?"

怎么不好?现在的市面银贵钱贱,别人都是想方设法给铜钱,只有常四老爹不计较这些。

脚夫伙计们领了银子欢天喜地地走了,常玉儿从后堂走出来,把沏好的茶给爹端来。

常四老爹无心品茶,看着女儿默不作声。常玉儿感到奇怪,开口问道:"爹,怎么了?是不是生意上出了什么事?"

常四老爹不答,仰着脸向四周看看,指着院里一处石头凿成的盆景道:"玉儿你还记不记得,你五岁那年,在院子里和爹蒙着眼睛捉迷藏,一不留神磕在了花盆的角上。磕破了皮,还流了血,你吓得大哭起来,怕破了相将来不好看。"

常玉儿抿嘴一笑:"女儿当然记得,爹把我抱起来,越哄我哭得越厉害。后来爹说要是真的留了疤,就把自己的皮割一块下来给女儿补上。"

常四老爹呵呵笑道:"你那时候小,听爹这么一说就不哭了。"

"那时候我淘气得很。"

"也难怪你,你从小没了娘,跟着爹,爹也不会教你女红,又不放心把你一个人留在家里,带着你成天在骡马背上做生意,连骑马都学会了。好在这几年有李嫂来帮忙,爹也很放心家里的事。"

常玉儿越发诧异，爹千里迢迢赶回来，一坐下尽说些无关紧要的事。不过她很孝顺，不愿打断爹的话，只是脸上明显带出了疑惑的神情。

常四老爹问道："小李和小吴呢？"

他问的这两个人是盐场的伙计。大的盐场要雇管事、把头、账房以及十多个伙计，常四老爹盐场不大，他自己就身兼多职，再加上干儿子在盐场帮忙，只另外雇了两个人。

这一次轮到常玉儿沉默了，常四老爹追问道："怎么？难道盐场出事了？"

"那倒没有，只是外面传得很凶，说爹爹的盐场办不下去了。小李向我辞了工，小吴前儿也说家中有事，要回去照料，大概也不会回来了。盐场现在关门停工了。"常玉儿看着爹，眼里是生怕他着急的神色。

出乎常玉儿意料，常四老爹只是叹了口气，也没说什么。站起来背着手走了两圈，又坐回到座位上，点着水烟袋，呼噜噜地抽起来。

常玉儿因为从小没有娘的宠爱，所以性子里带了几分坚忍刚强。又因为怜爹无人照顾，所以尽管有不少人喜爱她的美貌，托人上门提亲，都被她拒绝了。直到今年已经过了十九奔二十，还是待字闺中。女儿家到了这个年纪都有些敏感，看见爹说话吞吞吐吐，第一个想到的就是自己的亲事。

"莫非爹这一次出门顺便把自己的亲事都定了下来？"联想到方才爹说起小时候的事情，那份依依不舍的感觉更是让常玉儿不得不肯定自己的想法，剩下来的就是"那一头"是谁？常玉儿素来知道爹的脾气，他要是不想说，你磨破嘴皮也甭想要他开口蹦一个字，那就只能等了。

常玉儿在那儿胡思乱想，常四老爹心里也在打着盘算。爷俩还真想到一起去了，他想的正是女儿的亲事。

常四老爹想的是，自己原本还想求陈赖子宽限几日，容自己凑一凑钱，看刚才那个样，他是不得这处宅院不肯罢手。既是这样的话，今天夜里一家人就要无处容身了。自己年纪大了，住到哪里去都无妨，可是女儿正在花季，如何能让她吃这般苦。想来想去只有把女儿尽早嫁出去才好。唉，去年"胜记"杂货铺的老杜掌柜托人来替儿子求亲，那户人家自己是深知的，最是忠厚善良，老杜的儿子也是挺棒的小伙子。当时若不由着常玉儿的性子，将这门亲事答应下来就好了，如今只好再想别的人家了。

常玉儿与常四老爹各想各的，想的虽然都是亲事，但一个想的是当下，另一个想的却是下一步的事情，脸上都带出古怪的神色。

常玉儿看见爹的脸色，心里越发的忐忑，只是这种事情，女儿家无论如何是不好开口问的。好在常四老爹总算是开了口了："玉儿，你去把东西收拾收拾。"

这一张口，常玉儿的心差点从腔里跳出来。收拾东西？难不成这门亲竟急得很，可是再急也要告诉自己是什么样的人家，也要问一问自己的意思。常玉儿急得几乎要奔到房里，把昏睡过去的李嫂叫醒，请她向爹好好问问清楚。

"你收拾要紧的东西就好，我的那几本账册你都知道放在哪里，一并收好。其余笨重的东西我待会儿找人来搬。"

这就不对了，带嫁妆万万没有把家里的账册也带出去的道理。常玉儿知道必是自己想岔了，壮着胆子问一句："爹，干吗要收拾东西啊？"

"唉，玉儿，爹没用，这一次只带回了官盐，可是却没有钱去还印子钱，看样子这宅院过了今晚就要归那陈赖子所有了。"

"啊！"常玉儿吃惊不小，原以为爹一回来就万事太平了，想不到盐场虽然保住了，但家却没了。常玉儿难过得说不出话，想一想爹的心境只怕更苦，趋前几步跪下，抱着常四老爹的腿呜呜咽咽哭出声来。

常四老爹也是百感交集，当年自己就是在这宅院长大，在此娶妻生女，又在此抚养女儿，一柱一石都甚是难舍。有时候恍惚觉得妻子还活在这大院里，操持着家务，只是房多院深，难以相见罢了。想到这儿，他一只大手捂在脸上，两行老泪从指缝中淌了出来。

"爹，您别伤心了，盐场不是还在吗？总不能年年都是这个坏收成吧，我们今后省吃俭用，把钱攒足，再把房子赎回来也就是了。"常玉儿见爹伤怀，自己先止住眼泪，拧了把热手巾，递给爹擦泪，常四老爹默默点头。

"对了，爹，大哥呢？"这说的是刘黑塔，他虽然是义子，但比常玉儿只大一岁，又是从小一起长大，常玉儿始终叫刘黑塔为"大哥"。

"他，去太原城卖货了。"

"货？我们还有什么货？"常玉儿疑惑不解。

常四老爹刚要答话，忽然想起一事，失声道："哎哟！"起身就奔后院而去。

常玉儿不知是什么事，也跟着来到后院。就见爹左右一顾，冲着廊下走去，常玉儿也随着来到廊下，一看不由得吓了一跳。

就见廊下躺着个陌生的年轻男子，双目紧闭，身下铺着厚厚的铺盖，身上盖着一床大被。

"这是谁啊？"常玉儿脱口问道。

"先别问，来，帮爹把他抬到客屋中去。"说着常四老爹用铺盖裹着古平原的上半身向上使力。

"我？"常玉儿腾地一下红了脸，暗暗埋怨爹糊涂了，自己一个女儿家，怎好去抬陌生男子。

"快点。"常四老爹催促道，"这是我们家的大恩人，没有他，你就见不到爹了。"

听这一说，常玉儿也顾不上许多了，学着爹的样子用被子包住古平原的脚，使劲向上一拽，与常四老爹一起将古平原架到了屋里。

架是架了，放手之后，常玉儿险些腿一软摔到地上。原因无他，常家虽然不是什么书香门第，但对礼教却也看得紧。常玉儿从小就知道"男女授受不亲"的道理，即使与大哥，互相递接之间也明白绝不能碰到肌肤。现在居然去抬一个男子，虽说隔着一层棉被，但那一股男子气息扑面而来，还是让常玉儿心头鹿撞，一半是害羞，另一半却又说不出什么滋味。

常四老爹却不能明白女儿的心思，还以为她是力不能胜，便说道："你歇歇，我去打点开水来给他喝。"

常玉儿还是第一次与一个陌生男子同处一室，值得安慰的是这男人昏迷不醒，否则真不知如何自处。她犹豫一下，走前几步，端详了他的样貌，发觉这男子不似北方的粗豪汉子，倒像个文质彬彬的读书人。

"爹说这人是他的救命恩人，难道爹在外面出了什么危险？"想到这里，她又担心起来。

好在常四老爹不多时便端着一碗水回来，小心地喂古平原喝下去。常玉儿才得空问常四老爹一句话："这人到底是谁？怎会救了爹的性命？"

常四老爹尽量长话短说，把如何与古平原相识，如何得计能够无恙出关，古平原又是如何突发急病的事情讲述了一遍。听到常四老爹在关外被逼得要跳海，常玉儿心痛不已，哭泣着回头望向古平原，自然是感激无限。

"可是爹，既然你用了这位古大哥的计，也许大哥能将货卖个好价钱，那我们的祖屋不就有望了吗？"常玉儿忽想到此处，问了出来。

"哪有那么简单。"常四老爹苦笑一声，"我与黑塔在太原城外分手，随后就赶了回来。他去卖货，就算卖得顺手至少也要三五天才能将货抖干净，陈赖子岂会容我们。再说，三十两银子进的货，卖好了也不过赚上十两而已，就算是对半的利，六十两还不够还欠陈赖子的三成银子，实在是杯水车薪呐。闺女，就别想了。"

常四老爹一席话把常玉儿刚升起的一点希望也熄灭了，她知道离家已经不可避免了，眼下只能收拾好紧要的东西，跟着爹寻个住处。

住处是现成的，常四老爹在盐场还有栋小房子。虽是简陋，收拾一下也能住下。

李嫂也醒了过来，知道主人家要搬家，不肯再躺，坚持起身帮忙。就这样忙忙碌碌装箱子到了掌灯时分，东西大都已经打包。按常四老爹的意思不打算等到戌正了，因为那时天色太晚，不好雇车雇人，与陈赖子赌这个气，反倒自己不方便，何苦来哉。反正早晚都是让，不如早让出去几个时辰。

于是常四老爹打开宅院的大门，走了出来。一打眼就看到陈赖子和他的那帮手下正聚在不远处的树下。

陈赖子刚刚叫人买了几只烧鸡，弄了瓶烧酒，与几个狐党大吃大喝，边吃边拿着根签子剔牙。看到常四老爹出来，陈赖子向手下使了个眼色，一伙人慢悠悠地走过来。陈赖子讪笑道："怎么，常四你在屋里憋闷得慌，出来透口气？我劝你还是回屋去吧，再过一会儿这屋就不是你的了，还不好好多瞧几眼。"说罢，便与手下狂笑起来。

常四老爹也不理会，拱了拱手："既然是我立下的字据，没有反悔的道理。东西已经打好包了，我去雇车，拉了东西就走。"

"慢着！"陈赖子一脸的无赖相，"这会儿你想走，我陈某人还不答应了。"

常四老爹一皱眉，不知他又要出什么花样。

"你说东西都打好包了，那不行，要拆开了让我们看看。字据上写明这所大宅子整个归我，万一你带了什么砖头瓦块出去，我不是吃亏了吗？"陈赖子盯着常四老爹。

真是小人难惹，这分明就是冲着方才常四老爹那句"告官报抢"来的，想来陈赖子与手下商议一翻，要用这个法子留难常家，报复之前当众下不来台的一箭之仇。

箱子是一下午收拾好的，此时打开翻看，又要重新整理，费时费力倒是其次，常玉儿的箱子里有不少都是女人的应用之物，怎么能由着这群恶棍搜捡。常四老爹气得咬紧牙关，半晌才道："陈赖子，你不要欺人太甚！"

"就是欺负你又怎么了？你去打听打听，十里八村谁敢跟我陈某人说个不字。要不是你这老小子有这处宅子，就是在道上给我磕三个响头，都甭想我正眼看你一眼。告诉你，今天你的箱子，让看也得看，不让看也得看，否则我看哪个赶大车的敢拉你。等过了戌正，这屋里的东西全归我，你想拉都拉不走。"

常四老爹没想到陈赖子竟然如此横蛮不讲理，怒道："我自己的东西，我当然拉得，你不许，我就去告官。"

"去吧，我去年打了十二场官司，还没输过呢。"陈赖子斜着眼，不慌不忙说道，那自然是他使了银子的缘故。

常四老爹气得没法子，转身往家里走，回手刚要关门，却被陈赖子一手把住。"关什么门，难不成你闺女在里面洗澡，就让兄弟们看看能怎么样？"

语甚恶谑，而且辱及女儿，常四老爹再不能忍了，一伸手将陈赖子一推。他年轻的时候跑单帮，也学过武艺防身，石锁石担全都来得。现如今年纪大了，手上的力气却还不减。

这一推不要紧，陈赖子噔噔噔连退三步，一屁股坐在了地上，疼得直咧嘴。

"好哇，你个老小子敢动手。"陈赖子恼羞成怒，从手下那儿夺过一根棍子，冲过来就要照常四老爹打去。

突然之间，众人眼前一花，就听"咣当、哗啦"接连几声，陈赖子摔出去足有一丈多远，身子撞上了墙角一个放花盆的木架子，木架一倒，花盆碎了一地。

这一摔可不轻，手下赶过去相搀，扶了几次才扶起来。陈赖子疼得直叫："哎哟，慢点慢点，可摔着我了，这他妈是谁啊？"

话音未落，有道人影闪了过来，一巴掌抽在陈赖子脸上，把他打得就地转了三圈。

打他的这个人边打还边说："叫你骂娘，老子打死你！"

别人没看明白，常四老爹可早就看出来了，打人的正是干儿子刘黑塔。刚才陈赖子冲过来，刘黑塔从后边赶上来，拽着他的脖领子把他摔了出去。刘黑塔自幼丧了父母，最不能容忍的就是别人对着他骂娘，陈赖子那句"他妈的"犯了刘黑塔的大忌。

常四老爹最知道干儿子的性子，见他抡圆了胳膊又要打，生怕他力气大，把陈赖子打个好歹，赶忙过去一把抓住。

"黑塔，住手！"

刘黑塔除了老爹和常玉儿，谁的话也不听，见是老爹让他住手，只得悻悻然收回了巴掌，指着陈赖子道："王八蛋，你要是再敢满嘴喷粪，我把牙都给你打下来。"

陈赖子早就抱头鼠窜到一边，他知道刘黑塔是远近闻名的硬汉，自己手下这几个人根本不是对手。见常四老爹拉住了刘黑塔，才稍稍放下心来，大叫道："刘黑子，你敢打我！好，这笔账我们以后再算。现在你们统统给我滚出去，老子要收屋了！"

"收屋？嘿！做你的春秋大头梦吧！"刘黑塔恶狠狠地说，从随身的褡裢里拿出一包银子，往地上一掼，"老子还钱，快点点数。"

这下子奇峰兀起，在场的人俱是一愣。陈赖子满脸不相信的神色，走近来打开包裹一看，才铸好的拉丝元宝，五十两一锭，一共六锭，就摆在眼前，白花花一片，看上去叫人心里发馋。

"三百两银子，够还你了吧。"刘黑塔双手叉腰，得意扬扬地道。

这时候常四老爹简直是喜从天降，常玉儿也从门后走了出来，大眼睛一眨不眨地看着刘黑塔，满脸都是惊喜的神色。

"你……你……你这穷鬼，从哪儿淘弄得三百两银子？"陈赖子的计划被全盘打乱，顿时手足无措。

"咸吃萝卜淡操心，管的事还不少，还不拿着银子快滚！不然我把你们的脑袋都拧下来。"刘黑塔眼睛一瞪，向前走了两步。

陈赖子吓得连连后退："好，好，算你行。"说完看了一眼常氏老宅，眼里突露出一股狠色，他咬了咬牙，拿起银子招呼同伙就要走。

"等等。"常玉儿连忙叫着，"你只能拿二百二十四两，还有那字据要一并还给我爹。"

"还是妹子想得周到，险些让这王八蛋占了便宜。"一家人回到屋中，刘黑塔摸摸后脑，咧开嘴笑了。

"你没看到陈赖子走了之后，乡亲们在背后唾他，那才痛快呢。"常玉儿也笑道，一改先前的悲伤，整个家里喜气洋洋。

"唾他？那是轻的，我哪天非把他堵在巷子里狠狠揍一顿。"

常四老爹眼里也是止不住的笑意，劝道："算了，咱不惹这麻烦。不过黑塔，你这银子是从哪儿来的？难不成是在太原府的票号借了钱？"

"嗨，爹，您老也糊涂了，我身上一没田契，二没房契，谁肯借钱给我？"

"对，对，那到底是……"

"就是那车货呀，全卖了！"

"全卖了？这么快？卖了三百两？"常四老爹难以置信地睁大双眼，连声追问道。

"可不是。"刘黑塔坐在厅堂的侧椅上，一掌拍上大腿，脸上是那种办事办得意想不到得顺手的表情。

"爹，您想都想不到，我把那车货赶到太原府最大的集市上，一掀开篷布，商户都呼啦围了上来，那阵势简直像是要放抢，把我都吓了一跳。"

常玉儿在一旁"扑哧"一声笑了出来。

"妹子，你笑什么？"

"我笑大哥一向天不怕地不怕，能让你吓一跳，当时的情势可想而知了。"

"就是啊，我一看不好，赶紧把车护住。那帮人像疯了似的往我手里递银子。我还没来得及接，他们又都走了。"

"怎么走了？"尽管知道事情已经过去，银子也拿到了手，但这一进一出之间干系太大，常四老爹还是忍不住把心吊了起来。

"藩司衙门的人来了，一顿鞭子把人都赶散。那个藩司衙门的采办过来，一张口就给我五十两银子，要把这车货都包圆。好家伙，一转手就是二十两的利，我于是就要答应。"

"大哥你不是拿回了三百两吗？"常玉儿问了一句。

"玉儿你别急啊，听我说完。"刘黑塔得意地笑笑，"亏得我晚答应一声，巡抚衙门的人随后也到了，也要买我的货，价钱给到一百两。过了一会儿，提督衙门也来人，也说要买货。这会儿我反倒不急了，趁着他们争来争去的工夫，我细一打听，原来同治小皇爷再过几日就要举行正式的登基大典，原本太原府的商家已经为这件事备好了应用的喜庆之物，就等着卖给各大衙门。可是前一阵子京里出了件大事，据说是杀了几个奸臣，为这事闹得是人心惶惶，都说这登基大典肯定要改在年后再办，于是商人就把货都卖给零散小户用作结婚、架梁、乔迁、开业之用。谁承想京里头根本就没改日子，这下可倒好，各个衙门都抓瞎了。你们想啊，小皇帝登基，要是衙门口的灯还是白的，蜡烛也是素的，那谁也担待不起。于是撒下人马去办'喜物'，可是这种东西屯货本就不多，前一阵子卖光了，商人还没进货，把几大衙门的采办急得不得了。赶巧，我就是这时候赶着一车货进了太原。"

"那可真是奇货可居了！"常四老爹喃喃道。

"可不是嘛。我这么一听啊，就站在大车上对他们说，现在你们自己喊价，谁的价钱最高，就把货卖给谁。最后还是巡抚衙门有钱，把价抬到三百两，那其余的两个采办不敢做主，要回去请示大人。我心想，得了吧，哪有工夫等你，就一口价三百两，卖给了巡抚衙门。这不是，货也卖了，钱也拿回来了。"

"这件事情你办得好。不过黑塔你要知道，若是你沉沉性子，等那两个采办回来，就是一千两也能拿到手。"常四老爹不无遗憾地说。

"一千两，不可能吧。三百两我都觉得是天价了。"刘黑塔眨眨眼睛。

"这车货关系着几个大员的顶子啊，真要是办他们个'大不敬'的罪，就都得丢官罢职，所以……"常四老爹话已经说得很明白了，这货关键是看卖给什么人，卖得对不对路，要说为了乌纱帽，一千两又算得了什么。

"爹，要不是大哥及时把货脱手赶了回来，我们这会儿可都无家可归了，要我说大哥这件事做得恰到好处。"常玉儿不同意爹的说法。

常玉儿一语提醒，常四老爹连连点头："看我，真是糊涂了，光想着赚钱。玉儿说得没错，黑塔这次是大功一件。"

说完，常四老爹自己一愣，缓缓站起身，向后屋望了一眼。随后他又坐了下来，把头低下，先摇摇头，再点点头，也不知想些什么。

常玉儿与刘黑塔对望一眼，都很奇怪，事情办得这么好，怎么常四老爹反而显得心事重重。

"爹，你怎么了？"常玉儿走到近前，轻轻问道。

"唉，我是在想，这次的事情全都亏了那位古老弟，要没有他，爹早就死在了关外，车队更人不了关，祖宅也保不住，他可说是咱们常家的大恩人。"

常玉儿默默点头，刘黑塔抢着问："对呀，我光顾高兴了，古大哥呢，病好些没有？"

常四老爹摇摇头，接着道："听你刚才所说，与这古老弟当初的猜想一般无二。这年轻人好生了得，人还在千里之外，居然能做成太原府的生意，真是天纵奇才。只可惜，我怕他过不了这一劫。"

"爹，我觉得咱们无论如何也要救他，做人当讲知恩图报，就算是素不相识，也不能见死不救，更何况他是咱家的大恩人。"常玉儿缓缓进言。

"我也是这意思。"刘黑塔痛痛快快地说道。

常四老爹欣慰不已："能说出这番话，就是我常家的好孩子。我已经想好了，这方圆百里之内，只有鸡鼓山双阳沟的李神医医道最高，号称妙手回春。不过他是有名的不出诊，只看上门的病人，可古老弟的病实在经不起折腾了。黑塔你跑一趟，看看能不能求李神医出诊，实在不行，我再套车送古老弟去。"

"好嘞。"刘黑塔二话不说，站起来就往外走。

"大哥。"常玉儿叫住他，"可别空手去，带上四色礼物。"说着又从厨房包了几个杂面馒头，"赶路回来还没吃饭吧，带着路上吃。"

"嘿嘿，谢谢妹子，还是你想得周到。"刘黑塔拿过馒头，一口就塞进去一个，嘴里含糊不清地说。

常玉儿又是好气又是好笑："当心，别噎着。"

陈赖子没回家，打发走几个手下，就从县城东大门旁边牌楼的边上拐进了一处小巷，这里是整个太谷县最繁华的泗堂大街的后巷。他七拐八拐，来到一处商铺的后门，看看左右无人，轻轻敲了敲门。不大工夫，门一开，他像条鲇鱼一样，"哧溜"钻了进去。

开门的是个小伙计，陈赖子认识他，开口就问："王大掌柜呢？"

"在后房过瘾呢。"

"带我去。算了，我自己去。"说完，陈赖子拔脚就往后房去。小伙计要拦，想了想还是没敢，把门插好，回前头铺面去了。

陈赖子来到后房，见门窗紧闭，知道王大掌柜此刻肯定正在里面吞云吐雾，不由得咽了口唾沫，心想："老子在外面办事，你这老家伙倒真享福，要是能换换位置，他妈的，给老子个神仙当，老子也不干。"

他想敲门，又怕打扰了王大掌柜，搓着手在外面打转。声音大了些，里面传来一声苍老的询问："谁在外面？"

陈赖子堆起笑脸："王大掌柜，是我，陈友三。"

屋里沉默了一会儿，那老人才发话："给他开门。"

"是。"一个女人的声音回道，接着，门"吱呀"一声打开了。一股鸦片烟的味道混着女人身上的香粉气一下子扑了出来，把陈赖子熏得直愣神。

那女人体态丰腴，骚媚入骨，似笑非笑的勾了陈赖子一眼，扭着腰肢回到屋里，身子斜倚在榻上，隔着一张烟桌帮另一头的老头烧烟泡。

陈赖子知道，她就是太谷县最大一处票号"泰裕丰"大掌柜王天贵的宠妾，名唤如意，之前是驴士大街春香堂的头牌姑娘，身价不菲。听说王大掌柜为了赎她，花了足足一千五百两银子。陈赖子盯着如意看，慢慢挪着脚进了屋。

进屋之后，他立刻把眼光投向榻上正在吸烟的清瘦老头，这个人他可是一点也不敢得罪。整个县城没有不知道的，近十年以来，太谷县令上任的第一件事不是审案，也不是催征，而是投一张晚生帖到泰裕丰拜会王大掌柜，也只有这样，他这一任才能做得太平安心。

"我不是说了嘛，不许你到店铺来找我。你是放印子钱的，让旁人看到，会影响泰裕丰的声誉。"王大掌柜很是不欢喜。

"是，是。"陈赖子嘴上答应，心里骂道，"他妈的，老子放印子钱的本钱还不是你出的，得了利息你拿大头，真是又要做婊子，又要立牌坊。"

但他没时间多想，接着就道："王大掌柜，那事砸了。"

"什么事？"

"就是常家那处宅子。"

"嗯？"王大掌柜放下手中那杆翡翠嘴的镶金烟枪，稍稍坐起身，如意马上往他身后垫了个枕头。王大掌柜眼光瞟过去，对如意的伺候很是满意。但接着就沉下脸来，问道："你方才不是还派人过来，说常四的那处宅子准定到手了吗，怎么这会儿又吹了？"

"是，不过那老小子的干儿子刘黑塔赶了回来，看样子不知从什么地方凑到了三百两银子，居然把账还上了。"

"岂有此理！"王大掌柜一拍桌子，现了怒容，"我已经通知了这附近大大小小的同行，不许借给常家银子，是谁这么大胆子，敢和我王天贵对着干？"

"这，小的也不知道。"陈赖子卑恭地低着头。

"哟，发什么火啊？"如意隔着烟桌伸过一条雪白的手臂揽住王大掌柜，"您要是真看中了常家的那处宅子，花钱买下就是了。大不了就是千把两银子，值得动气吗，可别气坏了身子。"

"你懂什么，"王大掌柜的脸色虽然和缓了下来，语气却是不减，"我是个商人，将本逐利，能花一两银子搞到手的东西，我绝不花一两一钱。"

说完，他又转向陈赖子："去，查一查常家的银子是从哪儿来的，来路正不正？哼，要是被我抓住把柄，那就……"他的脸上现出阴冷的神情。

"小的明白。"陈赖子心领神会，见如意的手臂还揽着王大掌柜，便知趣地退了出去。

常四老爹叫玉儿给古平原熬药，同时因为李嫂受伤的缘故，要她回家歇息几日。李嫂却是不肯，只说家中左右无人，回去也是闲待着，不如在常家帮帮手。

按常四老爹的想法，从双阳沟到太谷县城，一来一回要大半天。刘黑塔去请李神医，第二天日落之前便能赶回来，就算是请不到，也应该回来报个信。可是第二天一整天，刘黑塔没回来，第三天过去，还是没回来。

这下常四老爹急了，无论如何也该回来了，莫非是路上出了意外？

当夜常四老爹就要去找，被常玉儿和李嫂死活劝住。大半夜黑灯瞎火就怕老爷子再出了什么事，剩两个女人在家可就真的是叫天天不应，叫地地不灵了。

不去是不去，常四老爹却有一句话："我别的不怕，就怕是陈赖子找黑塔的麻烦。"

"凭大哥的功夫，陈赖子那几个人近不了他的身。"

"这我倒是知道，可是明枪易躲，暗箭难防。"

就这么一句话，常玉儿也放心不下了，几乎一夜没睡，总觉得听到有人叫门，却又都是听错了。就这么迷迷糊糊到了天破晓，真的有人来叫门，而且"啪啪啪"接连不停地扣打常家的大门，那声音就仿佛是在大喊："出事了！出事了！"

常家的三个人本来就谁也没睡实，一听叫门声，都紧张地起身来到院落中，相互张望一眼。常四老爹披着衣服来到门边搭问："谁啊！"

"是不是老常家？开门，开门！"

声音很陌生，加之语气急促，常四老爹不由自主便伸手卸了门闩，向外一推。门开处，站着一个青衣大褂的中年人，一见常四老爹开门迎出来，先目光不善地瞪了他一眼。

常四老爹一愣，这人是谁？我不认识，为何好像对我十分不满？就见那穿着大褂的中年人向后一转身，原来身后还有一辆骡车，车厢外垂着布帘。中年人向车里一躬身："大伯，常家到了。"

"嗯。"帘子一挑，从里面出来一个老者，瘦高的个子，衣衫整洁很有精神，一根旱烟不离手，正呼呼地吸着。中年人赶紧上前把老者扶下车，老者站在地上，用旱烟杆挑起车厢的布帘，往里面一指，对着常四老爹说："看看，是你家的人不是？"

常四老爹一伸头，失声叫了出来："黑塔！"就见刘黑塔双目紧闭，一动不动地躺在车厢里。他的个子高，身量长，车厢里放不下，一双脚还摆在外面。

"这……这是我干儿子，他怎么了？"常四老爹急问，几步过来向车内探身察看。常玉儿与李嫂在院内也听见了，只是外面有陌生人，尽管着急却一时不便出来。

"没事，没事。"老者不慌不忙道，"他不过是经满络虚，脉气上虚尺虚，是谓重虚也。"

常四老爹听得真真切切，却半句不懂，试探地看向一旁的中年人，那人没好气道："这人是饿晕了，而且也是乏得狠了，没甚么大碍，做碗面片汤给他灌下去就好了。"

常四老爹更是疑惑，好端端自己的干儿子怎会饿晕在外面？想想这么着不成话，还是先请问来人的姓名。于是对着老者抱拳为礼："请教老人家尊姓大名？"

"呵呵。"老者倒是很客气，"老朽李鸿铭，双阳沟人氏。"

"李神医，您是李神医？"常四老爹吃了一惊，想不到刘黑塔到底把李神医请来了。只是不明白他自己为什么会搞到这般模样。但此时也没有时间细问，待客要紧，赶忙将李神医向屋内请。

中年人"哼"了一声，李神医训斥道："老三，不可无礼！既来了，哪有不进去的道理？"

常四老爹把李神医让进大厅，要李嫂去煮些丸子粥喂刘黑塔吃，常玉儿伶俐，早泡了香茶奉上。

这时常四老爹才能问上一问："李神医能大驾光临，真是感激不尽。不过，我这干儿子怎么会……"

"怎么会？"中年人抢着说话，脸上还都是愤愤不平，"你问问那个黑大个，有这么不讲理的吗？我大伯不出诊的规矩已经立了二十年了，他可倒好，跑到我家门前，一跪就是两天两夜，硬要逼着我大伯出诊，这不是欺侮人嘛。"

"哎哟。"常四老爹这才明白过来，想必是刘黑塔的倔劲又犯了，这下好了，本来是请医生来看病，看样子却变成兴师问罪了。他立刻站起身，恭恭敬敬地向李神医深施一礼："我这义子是个粗人，不懂礼数，想必是一时着急，办了混账事。等他醒了，我要重重责罚他。"

"不必了，"李神医摇摇手，"老朽问令郎是家里什么亲人病了，他告诉我病的是非亲非故的一个人。可就为这么一个人，他居然硬是水米不打牙，眼都不合地跪了两天两夜。遇到令郎这样的人，老朽那规矩就算是铁打的，也要破上一破了。"

常四老爹做梦也没想到李神医会这么说，当下又惊又喜，搓着双手，不知如何是好。常玉儿也是欢喜无限，却又有好多说辞，都是善颂善祷，把李神医说得呵呵大笑。

"好了，我还是去看看病人吧。"李神医起身，常四老爹连忙在前面带路，来到后厢房。

来到房里，李神医先是细细地把过脉，然后详细地问了古平原自病发以来的情况，之后沉吟不语。常四老爹与常玉儿不敢打扰，站立在一旁等着。

"病人发病之前可曾吃过什么特别的东西？"李神医又问道。

"他之前的那顿饭是与我一起吃的，没什么特别的，就是一壶酒，两个家常小菜。"常四老爹回忆了一下。

"这就怪了。"李神医捻着胡须，皱眉看着古平原。

"难道不是风寒？"

"风寒只是表症，内里是中了毒。"

"中毒？"常四老爹失声道。

"不错，而且是很奇怪的毒。你再说说看，病人之前都做过些什么？"

常四老爹本来不想透露古平原的来历，此时也顾不得了，就一五一十把与古平原自相识以来的事情说了一遍。待说到古平原藏身水中，偷逃入关之时，本来一直闭目在听的李神医忽地睁开双眼，又一把扣住古平原的脉门，过不多时，把手一丢，身子向后一仰，重重出了一口气："原来如此。"

"神医，请问他到底中了什么毒？"常玉儿问道。

"是火毒！"李神医抬眼看着常四老爹与玉儿，"盐有火毒，他在浓盐水里泡得太久，火毒从毛孔渗入体内。本来还不打紧，可是晚上又用了酒，接着受了风寒，最要紧的是急痛攻心，心火旺盛，内外交逼，将这股火毒逼了出来。之前的几位大夫都只见风寒之症，以为是寒气御府，其气不清，便下了大黄、柴胡这样的提升之药。风寒倒是治好了，可火毒却反被催发得越来越烈。"

"对了。"常四老爹一合掌，"之前我提醒过他，盐水杀得慌，要他买一罐鱼皮胶，到时涂在身上。可后来他没带来，我也就忘了。若是涂了鱼皮胶就好了。"

"不错，这个偏方确实可防盐火之毒。可惜却没有用上，不然他不会病得如此严重。"李神医颔首道。

他二人却不知道，古平原其实已备了鱼皮胶，但却由于变生意外，而没有来得及带出。

"那这位古老弟现下如何？"

"唉，现如今他的脉相是弦为阳运，微为阴寒，上实下虚，不能自还。这股火毒抑郁良久，在胸腹间盘桓不去，着实凶险得很。"

"还望李神医妙手施救，需要什么药，我立时去办。"常四老爹又是一揖。

李神医避而不受，说道："现在也只能尽人事听天命罢了。你只管放心，方子老朽尽心去开，你把药抓来，按时喂他吃下，三日内就见分晓。"

"是，是。"常四老爹捧来笔墨，请李神医开方。李神医开过方后，看了一眼站在一旁的常玉儿，对常四老爹道："你去抓药吧，我坐上一坐，过一会儿再给他把把脉。"

"如此有劳了，玉儿，你帮爹招呼神医，爹一会儿就回来。"说着常四老爹匆匆而去。

等常四老爹走了，李神医向那侍立一旁的中年人发话道："老三，方才来的时候我听左边车轮咯咯地响，你去瞧瞧，回去的时候别摔着咱们。"

"大伯，那车轮是刚换的，没毛病。"

"要你去你就去，多话！"

中年人不敢顶嘴，领命而去。李神医转过头又深深地看了常玉儿一眼。常玉儿聪明伶俐，早看出李神医是有意将常四老爹和"老三"调走，不知他有什么话要和自己说。

李神医支走了旁人，却是迟迟不开口，一口紧似一口地抽烟，低眉垂目不语。常玉儿心中好生奇怪，却又有些好笑，前日爹是这般模样，今天这位李神医也是如此。

"常姑娘。"李神医到底还是开口了，常玉儿赶忙答应一声。

"我是个看病的大夫，一辈子就是把脉开方，凡是于病人有益的事情，我一向是知无不言，言无不尽。"

常玉儿心中更是奇怪，应道："远近十里八村，谁不知道李神医仁心仁术，活人无数，大家都叫您'活菩萨'呢。"

李神医摇手道："那是病人命不该绝，老朽何能贪天之功。只是今日有一句话，讲出来唐突了姑娘，不讲却又害了床上这位小哥的性命，老朽心中着实为难。"

常玉儿闻言诧异道："老神医，他是我常家的大恩人，我家已经决定无论如何要救他的性命，有话您就请说，不必为难。"她也是着实不明白，为何治病救人却会唐突了自己。

"嗯，既如此，请姑娘走到窗前，面向窗外，不要回头，也不要开口。这话，老朽实在不方便当面讲。"

常玉儿心中疑惑，看一眼神医，慢慢走到窗前，背过身去。

"实不相瞒，这位小哥的毒中得太深，时间拖得太久。最难的是，误用庸药，此刻火毒已散入了五脏六腑，再用什么药，也难以见效了。"

常玉儿闻言大惊，只是有言在先，无法回头去看，也不能相问，心中却是惶急不已。

"但是他的病却并非无救，老朽开的药可以拔毒驱邪，保中理气，但还必须要有一个药引子，将火毒引出来，老朽的药才能发生作用。否则药效进不到病灶，纵是千年雪莲也是无用。"

李神医顿了一下，声音低了许多："至于那药引子，就是在他服药之后，要有一纯阴之体，也就是处女之身与其相偎相依，同床共枕，彼此之间必须赤裸相对，不能着一缕衣物。这样纯阴之体才能将阳毒引出，药才能起效。"

常玉儿听到这儿，已是羞得满脸通红，恨不能夺门而出。幸好是背对着李神医，只得闭着双眼强自镇定。

李神医又道："所以我说，这小哥一条性命，就系在姑娘身上，但是你若救他，于名节有亏。所以老朽只是将医理说出，此事还请姑娘自裁。救人，有救人的道理，不救，也有不救的苦衷。只有一事请姑娘放心，此事天知、地知、你知、我知，绝不会有旁人知晓。将来这小哥要是病愈，只是老朽的药好，至于内中之事，老朽至死也不会泄露半分。"

李神医等了一下，见常玉儿没有任何表示，便道："言尽于此，老朽告辞了。"说罢，起身走了出去，到院中喊一声："老三套车，咱们回去了。"

"哟，李神医怎么这就走了，饭菜还没做好呢。"没过多一会儿，李嫂走了进来，见常玉儿一动不动地站着，奇怪地扳过她的身子。

"玉儿，怎么好端端地哭了？"她见到两滴眼泪从常玉儿的眼里流出来，不由得慌了手脚。

"没事，"常玉儿用手帕抹抹眼角，转而问道，"大哥怎么样了？"

"他呀，壮得像头牛，能有什么事。我喂他喝了三大碗糙子稀饭，他连眼睛都没睁，喝完放了一串响屁，倒头就睡，呼噜声比打雷都大。"李嫂见常玉儿不开心，有意逗她。

常玉儿此际哪有心思笑，只勉强牵了牵嘴角："一会儿爹回来，我去熬药，李嫂你就去看火做饭吧。做好了饭，还回屋歇着，前儿刚受了伤，别干太多活。"

李神医开的药中颇有几味甚是难熬，药铺的人特别关照过，七分火，三分焖，隔水煎煮，等到一碗药熬好，已经过了吃晚饭的时辰。

常四老爹小心翼翼地将药汤灌进古平原的口中，吁了口气："唉，这下子总算好了，古老弟有贵人相助，看样子这条命是保住了。"

常玉儿侍立一旁，听到这儿，不由得悄悄低下头去。此刻她心里在想："爹不知道，其实这个人的命是保不住的，除非……除非我救他。可是爹要是知道了，会让我救他吗？就算没有任何人知道，我救了他之后，这一生也是不能嫁人的了。不行，就算他是我家的大恩人，我也不能用女儿家的清白之躯去换他的性命，这实在是办不到的事情。"

常四老爹哪里知道女儿在想些什么，兀自兴高采烈地说："这算是死里逃生。依着我说，也甭找什么仇人了，等他醒了，第一件事肯定是要急着回安徽去，他们母子分离足有五年了，这一厢见了面，必然是欢喜得紧。玉儿，我明天就去给古老弟多多买些礼物，让他带回去孝敬高堂。"

常四老爹的话听在常玉儿耳里如同钢刀剜心，她想到遥远的千里之外有一位白发老母在苦盼儿子归来，但儿子却要命丧异乡，今生今世母子再难相见。又想到自己自幼丧母，若是能再见母亲一面，就是死了也千肯万肯。一念及此，常玉儿再也把持不住，一捂嘴推开房门跑了出去。

"这孩子，怎么好端端地……"常四老爹摇了摇头，给古平原披好被角，自己也走了出去。

这一夜，月白风高，满天云彩都被大风吹得干干净净。打过定更之后，常玉儿摸黑从自己的房间里走了出来，她走两步，又停一下，回头再看看自己的房间。就这样终于来到古平原所住的客房前。

常玉儿深深吸了一口气，这件事情她想了一晚上，已经有了决断。但此刻伸手去拉房门，却还是经不住地颤抖起来。

房门到底还是开了，常玉儿走进去，反手带上了门。冷月无声，只有月光照见一道秀长的身影，常玉儿慢慢地解开了自己的衣带……

"哎哟，可饿坏我了。"天边连鱼肚白都还没起，已有一个人跌跌撞撞从常家的西厢房走了出来。这人是刘黑塔，他这一觉足足睡了一天一宿，凌晨时分醒来，只觉得腹中十分饥饿。他自己也奇怪为何会回到了家中，但他是个大胃汉，一饿起来什么都顾不得了，先奔后厨找吃的。

去后厨的路上正好经过古平原所住的客房，刘黑塔想也没想就要迈步走过。忽听门枢一响，房门开了，从内走出一人。

这时候天还一点都没放亮，刘黑塔又是刚睡醒，也没细看便道："古大哥，你病好了？"

"啊！"出来这人显然是没想到外面会有人，惊呼半声，又很快地掩住自己的嘴，僵立在当场。

刘黑塔听出是常玉儿的声音，再定睛一看果是如此。这一下把他也吓傻了，结结巴巴问："这……这……妹子，你这么早到古大哥房里做什么？"

"不要问，不许和爹说！"常玉儿回过神来，知道不能久待，丢下一句话就往自己房间走。

刘黑塔此时已经完全清醒过来，什么饥啊饱啊的，全都抛在脑后。他见常玉儿衣裳虽然整齐，可是双颊通红，神色慌乱无比，头上簪横发乱。他可不傻，一见妹子这样，不由得怒喊道："是不是姓古的欺负你了？"

"你喊什么！"常玉儿怕被爹和李嫂听见，没办法只得回身低低喝道，"没有的事！"

"那……你为什么？"

"不要问。别和爹说，也不许和任何人说，更不许再提，不然大哥你就是逼我去死。"常玉儿用快刀斩乱麻的手法，一句话镇住了刘黑塔。刘黑塔与她从小一块长大，从没见过妹子这般模样，一时站在那里不知如何是好。

"我说的话，大哥你记住了！"常玉儿双眼直视刘黑塔，见他木木地点了点头，这才转身匆匆而去。

刘黑塔果真和谁也没说，一则他完全弄不明白是怎么回事，二来常玉儿的语气的确是吓住了他。他知道自己这个妹子性子刚烈，万一把她惹急了，可不是闹着玩的。但这件事就此成了一个大疙瘩，憋在他的心里。

陈赖子再次见到王天贵是在半夜，王天贵的管家悄悄把他引到太谷城边的小南河畔。这条小南河的水是有名的好，附近人家做汾酒都用这里的水，酿出来的酒水甘郁清冽，口感甚佳。

　　不过陈赖子今儿可是没了喝酒的心情。他刚走到河边就听到一阵阵撕心裂肺的惨叫声，仔细看去，一个年轻的小伙子正被人捆在河堤上，身上的衣裳破碎，处处都是血迹，看样子已受了好一阵子拷打。有两个人恶狠狠地按着他，其中一个把他的手按在一块卧牛石上，边上一个头戴歪帽的汉子正在用牛皮靴的硬跟，死力踩着那只不断抓挠着的手。

　　陈赖子是地痞，打架出血都不在乎，可看那年轻人被整治得活像屠宰场里待宰的猪崽，心里不由得也有些发寒。

　　王天贵其实早就发现他过来了，却装作没看到一般，咳嗽一声让人让开，自己走到卧牛石边，半俯身和颜悦色地说道："小季，按说我王天贵待你不薄啊，我的私账都交由你来管，月份钱你比和你一起进店的伙计多一倍，你怎么还敢私拿柜银，你不知道这是票号的大忌吗？"

　　那小伙子气息微弱地嘟囔了一句什么，王天贵勃然变色。

　　"没拿？嘿嘿，我看你真是不见棺材不落泪！"

　　说罢，他把头一摆，旁边的"歪帽"又狠狠踩了一脚下去，小季惨厉的呼号在河滩上再次响起。

　　"别，别打了。我说了，是我干的。"

　　"银子呢？"王天贵眼里射出寒光。

　　小季抬眼看了一眼王天贵："大掌柜，我说出来，您千万饶了我。"

　　王天贵放缓了语气："那是自然，年轻人嘛，谁没办过错事儿？你既然认了，只要下不为例，养好伤还回票号里。"

　　"哎。多谢大掌柜。"小季艰难地点点头，"银子在我家后院的鸡舍里，你们去的时候可别吓着我妈，她年岁大了……"

　　王天贵不等听完转身就走，"歪帽"跟了两步，问道："真的放了？"

"哧！"王天贵笑了，"怎么能放？你没听我说吗？他替我管过私账，要是他怀恨在心，那是甩不掉的麻烦。怎么办，你自己心里有数！"

"是！"

王天贵走到陈赖子身边，瞟了他一眼，道："边走边说吧。"

陈赖子跟在王天贵身后，往后再看去，就见那"歪帽"指挥着两个人正在往小季脚上拴石头。

"沉河！"陈赖子惊恐地想，他再望向王天贵的背影，只觉得那背影越发的阴森。

"说吧。"王天贵的声音传过来，虽不大却把陈赖子吓了一哆嗦。

陈赖子小心翼翼地赔上笑脸："听说刘黑塔拿回来的银子是在太原卖了一车的'喜货'赚进来的。当时为了庆祝小皇爷登基，太原城里最缺的就是这批货，结果赚了大钱。"

"原来是这样……"王天贵沉吟着，"想不到还真让这老小子误打误撞碰上了好运气。不过这件事不能善罢甘休。"

陈赖子一听王天贵还要谋常家大院，他一想到刘黑塔，头就禁不住地疼，讷讷道："大掌柜，您要好宅院，这太谷县城里还有好几家呢，都是软柿子，随便您捏。怎么就偏偏看上常家大院了呢。"

说着，几个人已经走到了无边寺白塔附近，王天贵先不忙答陈赖子的话，转头吩咐管家："记着，明天到会馆里给小季立个无名牌位，然后送到寺里超度。"

等管家答应了，他才对陈赖子说道："你知道什么，那常家大院往上数三代，出过鼎鼎有名的一位大商人，当年可称是晋商领袖。现在晋商不比从前，锋芒已然被各大商帮遮盖许多，要是再没人出来登高一呼，只怕过几年连我们本省的生意都保不住了。"

王天贵仿佛有些伤感，略停了停才说道："京商有个李万堂，徽州是胡家父子，再加上洞庭商帮的陈七台、龙游商会的颜鹤年、十三行的伍钧林……这些人都是我晋商的大敌。可笑现在的晋商个个鼠目寸光，没人能看得清这个道理。"

"那是，谁能有王大掌柜站得高看得远。"陈赖子忙不迭地拍马屁。

王天贵"嘿嘿"一笑："所以我必须要重振晋商，把上面说的这些人一个个全都打垮。这第一步就是要常家的宅子，那里的风水好，就是所谓的'潜邸'，是我王天贵一飞冲天成为晋商龙头的地方。你明白吗？"

陈赖子似懂非懂的点了点头，王天贵带着些嘲弄的眼神看着他："这些事你不会懂，你要是真能懂，我也就不会说给你听了。不过下面这件事，你不仅要能听懂，而且要能办到，否则……"说着他有意无意地往河滩那边看了一眼。

"是……是，小的明白，一定办到。"

"那就好。"王天贵方才边走边想，已经想好了办法，此时一步步地向陈赖子吩咐着，末了说道："官府那边你不用管，一切有我。其余的事情你都要安排妥当。"

"是。"陈赖子听了一身冷汗，暗道王天贵这老小子可真毒，看来这回常家是完了。

李神医的"药"真灵，古平原的身体一天比一天好，到了第三日，已经能下地行走了。只是他卧病昏迷这么久，身子实在是太虚，要调养好至少也要一个月。古平原醒了之后，也不清楚自己为何竟会到了常四老爹的家。常四老爹就将事情的整个经过一五一十讲述一遍，古平原这才知道自己在鬼门关打了个转又回过来，对常四老爹自是感激不尽。

"老爹，您一而再、再而三地救我，对我真是如同再生父母一般。"古平原醒来后的第三天晚上，便在饭桌上当着刘黑塔与李嫂的面，给常四老爹恭恭敬敬地叩了三个头。常玉儿没在场，这几日她只礼貌性地见了古平原一面，随后就躲在闺房中，尽量避免与古平原相见，常四老爹与李嫂还当是姑娘家不好意思见陌生人，只有刘黑塔隐隐约约明白一点儿。

常四老爹赶紧把他一把扶起来："可别这么说，要说救，你也是一而再、再而三地救了我们常家，也是我们常家的大恩人。古老弟，你只管在这儿安心养病，等病好了，我帮你雇车回安徽。"

想到家，古平原百感交集，他醒后感念寇连材为己而死，心痛不已，又想到他当初劝自己的话，决定听这位已经不在人世的小兄弟的劝，不再到京城去寻仇，权当是用这种方法来告慰寇连材的在天之灵。

"我想尽快回去。"

"不急不急，你病才刚好，不养好身体，万一又在道上复发怎么办？至于长毛军的事情，我已经找人细问过了，长毛拿下武汉之后，顺流而下直奔杭州，目前大军正在围困杭州，安徽安然无恙，你不必担心了。"

这在古平原是个难得的好消息，他心情一好，身体也跟着大好。虽然每日遵医嘱只能在房前屋后走走，但精神自是大不一样。

隔天清早，古平原起床后从怀中拿出一根玉簪，定定地看着。这根簪子是当初他在家乡时，一个青梅竹马的女子送给他的。二人其实私下里已经有了婚姻之约，只不过古平原从龙门举子变成关外流犯，早已不敢再想这段姻缘。可是玉簪他却始终留在身上，再苦再难，没有动过变卖换钱的心思。就像这一次从关外私逃，他身上什么都没带，唯独把这根玉簪放在贴身的衣物中。

"古公子，我做了枣泥方糕和莜面栲栳。待会儿你可多吃点。"古平原正在出神，李嫂敲敲门走进来，笑呵呵地说。

说起栲栳的大小，有句诗形容得非常好"栲栳量金买断春"。栲栳是一种面食，配上羊肉臊子，再加上各种作料，不但让人食欲大开，而且制作栲栳用的莜面与羊肉，对大病初愈的古平原恢复体力也是极有好处的。山西大枣更是天下闻名，李嫂做的枣泥方糕香气四溢，实在是手艺不凡，古平原笑着点点头。

李嫂见他应了，笑着转身离开。一转过屋角，常玉儿正等在那里。李嫂笑道："行了，人家古公子高兴得很。"

常玉儿脸上泛起红晕，一抿嘴就待转身而去，早被李嫂一把扯住。

"我说玉儿。"李嫂脸上似笑非笑，"我是看着你长大的，你要是想些什么，可别瞒着我。"

"李嫂，你说什么呢，我不懂。"常玉儿大窘，甩手就往后走。

李嫂大乐，跟着后面说："不懂？那为什么巴巴地做了好吃的给人家，还非得说是我做的？"

"你……"常玉儿又气又急，正窘得说不出话，前面大门处突然传来如山响般的敲门声。

山西虽然是北地，但靠近京师，礼仪上也都效仿京城，平素乡里来往都客客气气。常家大院的大门上有门环，一般来访不过轻叩几下罢了，从没有人这样疾风密雨地叩门。

李嫂与常玉儿都是女人家，彼此对望一眼，眼神中都带了惊慌之色。

古平原也听见了，披着衣服从屋中走出来。

叩门之声持续不断，又密又急，简直就像是官府来抓逃犯一般。古平原心里有"鬼"，暗道一声："不好！莫非是奉天大营的人追来了？"偏偏这时候常四老爹和刘黑塔又到盐场去了，连个能出来打圆场的人都没有。

古平原心里也有些发慌，一时拿不定主意要不要赶快从后门逃出去。想了一想他又镇定下来，要真是官府来拿人，搞不好堵了后门，跑出去是自投罗网。反不如常家大院屋多宅深，真要是藏起来不是那么容易被人找到。

"李嫂，你先不要开门，隔着门问问什么事？"古平原听敲门声持续不断，这样僵持下去也不是个了局，便出了个主意。

李嫂犹豫着走向前院，古平原与常玉儿都跟在她身后，古平原看了常玉儿一眼，常玉儿发觉了，将头微微侧向一边。

"谁啊？"李嫂声音不大地问了一句。

"出来，出来，常家的人快点出来！"门外的人敲了半天正不耐烦，李嫂这一应声，他们顿时又高喊起来。

"到底是谁，我们家老爷不在。"

"我呸，常四这老小子也配称老爷，我们才是县大老爷派来的呢。快点开门，再不开门就要砸门了。"

古平原听门外果然是县衙门的人，脸"刷"的一下子就白了。真是怕什么来什么。他方才还想躲在常家大院，此时却又意识到这个主意极蠢无比，要是当街被抓到，他可以对与常四老爹相识一事矢口否认，可要是在宅子里被差役捕到，就真是害了常家了。

想到这里，古平原不敢迟疑，见李嫂要开门，连忙叫道："先别开！"

李嫂一愣，转回脸看着他。

"李嫂，请你等一会儿再开门，我先从侧门出去。"

"古公子，你这是……"

"别问了，我不能连累你们家。"说着，古平原掉头就往外面走。

"等一下。"古平原的事情李嫂不知情，可常玉儿早就从父兄那里得知了，她一看古平原的脸色就猜到他想干什么了。常玉儿低头想了一想，先对李嫂说："你先应付几句，拖住外面的人。"

说完也不等李嫂回话，又对古平原说："请随我来。"

常玉儿迈步往后院走去，古平原莫名其妙地跟在后面，几次想问都咽了回去。一是与常玉儿不熟，二是虽然没打过交道，但古平原看人很准，一眼就看出常玉儿是个胸中大有丘壑的女子，不会无缘无故让自己跟来后宅。

果然，常玉儿三拐两拐，把古平原带到一处房前，眼睛并不看古平原，只是低声说道："你进房中去躲，房后池塘靠近山墙的地方有个暗洞，是将小南河水引进来的活源。真是要逃，只要推开后窗跳出去，从暗洞出去便是。"

古平原恍然大悟，一揖到地："多谢常姑娘。"

常玉儿闪身避开，不好意思道："不能留李嫂一个人在前面，我走了。"

古平原看着常玉儿的背影消失，这才轻轻推开房门走了进去。一进门就有一股似麝似兰的香气扑鼻而来，说不出的好闻。再看房中摆设虽然陈旧，却处处流转着女儿家的婉转气息。窗前有一张玉梨雕花的梳妆台，上放剔红牙盒，里面不用问都是胭脂豆蔻。菱花铜镜抹得干干净净，丝毫不见灰尘。

古平原这才知道这间是常玉儿的闺房。他是客人身份，怎么好进云英女的闺阁，可眼下实在是顾不了这么多了。屋里前后两部分用一张六扇屏的屏风隔住，不用问后面就是常玉儿的香榻。

古平原犹豫再三，抬脚向后走，他要看看那扇后窗在哪里，以免事急慌了手脚。屏风后不远就是后窗，古平原仔仔细细看了看后面的情形，确与常玉儿所言相符，逃起来煞是方便，这才放下心来。

这后半间房里有不少女儿家的私密之物，古平原知道在此不妥，回身想要到门前去坐。谁知走得慌张，不经意间从床边带下一件东西，这东西落在地上，古平原定睛一看，不由得大是尴尬。

竟是一件薄如蝉翼的贴身亵衣。

古平原想了又想，不敢伸手去碰，可又怕常玉儿误会自己乱动女儿家的衣物，没奈何只得轻轻拿起。亵衣入手轻柔，一股香气幽幽传来，上面好像还留着常玉儿的体温。古平原并非登徒子，却也不由自主深吸了一口气，这才镇定心神，将亵衣放好。他回身走到门前，拉过梳妆台前的枣木小凳坐下，眼观鼻、鼻观心，全副心神都放在耳朵上，一丝不敢轻忽地留神着前院的动静。

过了好长一阵子，也没人到后面来搜检，古平原心下奇怪，却又不敢贸然出去，只急得是心火上浮，恨不得有双千里眼顺风耳才好。

就这么等啊等啊，也不知过了多久，总算听到脚步声往后院来。没声音盼声音，有了动静古平原的心却一下子提了起来。他急忙起身，轻轻几步走到后窗旁，眼睛直盯着那扇屏风，若是有人进来却不开口，他便要顺着窗户跳出去了。

好在来人先是轻叩了几下门，接着方说："古公子……"

是常玉儿的声音，古平原这才把心放下一半，却还是小心翼翼地没有答话，因为他不知道门外到底是个什么情形，也许常玉儿受了什么胁迫，这也是不得不防的一件事。

常玉儿再敲几下门，见无人应声，这才推门走了进来。她转到屏风，见古平原张着眼睛看着她，知道他心里紧张，开口就道："古公子放心，那些人不是来抓你的，而且都已经走了。"

古平原心中一块石头落地，只觉得虚惊一场，心里又有几分好笑，问道："究竟是什么人？"

常玉儿刚要答话，眼波一转看见自己之前搭在床栏的亵衣，此时却被放在了床上，不用问必是古平原动过了。她的脸"腾"的一下就红了，心中又羞又气，想瞪古平原一眼，却又实在不好意思看向他。

古平原随着常玉儿的眼神看过去，心里叫声"糟！"想开口解释却担心越描越黑。正迟疑间，常玉儿已经一转身向门外走了出去。

古平原心里也说不清是个什么滋味，他随着常玉儿走到前面堂屋，意外地看见常四老爹和刘黑塔都在，担心常玉儿向父兄告状，这可是浑身是嘴也说不清的麻烦事。

好在常玉儿什么都没说，只是向常四老爹点点头，示意已经将古平原带了来，便从侧门走了出去。

古平原这才看清，常四老爹与刘黑塔脸上都有烦忧之色，他知道这肯定和方才前门的吵闹有关，问道："老爹，您不是和刘兄弟一起去了盐场？"

"唉，这不是有邻居赶去报信，才赶了回来。"常四老爹愁眉不展。

"方才来的是什么人？听他们说好像是县衙门的差役。"

刘黑塔"嘿"了一声，接口道："不只是差役，什么人都有，都是买了我们家运回来的盐的客人。"

不是债主也不是捕快，古平原大出意外："难不成是生意上出了事？"

"古老弟。"常四老爹接二连三受到打击，精神已有些支撑不住，他微微颤着音道，"我们拉回来的盐出了问题。不管是交给官府的官盐，还是零售出去的盐都被人退了回来，说是奇苦无比，无法下咽。我方才尝了一下，可不是嘛，这……这可真不知道怎么办才好了。"

"怎么会呢？"古平原见被退回的盐都堆在当院，他也拿起一把细细拈着，看上去是细白上好的食盐，可放一点在嘴里，果然苦不堪言。

古平原皱着眉头吐了出来，回头问道："难道卖货之前，老爹没尝过这盐？"

"老爹尝了，我也尝了，是好盐没错。可就不知为什么，现在全都变了苦盐。"刘黑塔闷闷的声音传来。这件事简直要把这莽汉的头都气炸了，可偏偏众口一词，就仿佛当初常家是故意卖的苦盐。

"除了卖出去和上缴官府的盐之外，我们手里还有没有这一批的存盐？"古平原急急问道。

常家父子对视一眼，摇了摇头。忽然常玉儿的声音响了起来："有，我留了些放在厨房自家用。"她忧心家里，躲在隔间一直都没离开。

常玉儿很聪明，不等古平原再说话就直奔厨房，将那瓶咸盐取了来。开瓶一尝，果然是好盐。

刘黑塔这下子可逮着了，咧开嘴就喊："怎么样，我说咱们家卖的是好盐吧！"

古平原直摆手："刘兄弟，这没有用。你自家拿证据根本就没人会相信你。现在要搞清楚的是，为什么卖出的好盐变了苦盐。"

"就是搞不清楚这一点才为难，别人家卖出的盐都没有事，唯独我们家的盐变了味，这到底是……唉！"常四老爹可是一点办法也没有了。

"老爹，您现在准备怎么办？"古平原一边想一边问。

常四老爹的声音很痛苦："卖宅子，还钱！"旁边的刘黑塔与常玉儿听了，脸上都是一片惨然。

"对了，就是这么回事！"古平原思索着点了点头，"就是为了这处宅子，所以有人下了黑手！"

"古老弟，你把话说清楚一点，我怎么听不懂？"常四老爹张惶着看向他。

"其实几句话就说明白了。上次您说找人借钱，没人肯借，只有陈赖子肯借给您，然后他就心急要夺这处宅院。现在您还上了钱，没几天就又来了这么一出儿，分明是有人不甘心，一定要得这处宅子而后快。这才买通了官府和客人，硬说您的盐是苦盐，非要逼您卖宅院不可！"

常四老爹是老实人，想不到背后有人会这样坑害自己，听了个目瞪口呆。常玉儿却是个明理的，两下一印证，就觉得古平原说得不差，开口道："那么多买盐的，只要找出几个肯说实话的不就……"

古平原摇头打断了他的话："要谋这处宅院的人既然能买通官府，必然势大，恐怕不会有谁敢为了你们常家出来做证。"

这话不假，常四老爹一听，刚刚点亮的心又绝望了。刘黑塔鼓着腮帮子道："这么说，还是陈赖子捣的鬼，我找他去！"

"刘兄弟，我听你说过，那陈赖子不过是个泼皮无赖，要说用高利贷占些便宜这说得过去。可现在这情势，背后捣鬼的人分明是要借机压价买下常家大院，这就说不过去了。他一个放印子钱的无赖铁了心要这么大的宅院做什么？要依我看，陈赖子不过是个马前卒罢了，我们还是要弄明白谁才是幕后黑手。"

常家人现在把所有希望都寄托在古平原身上，一家三口都看着他。古平原尽管见事明白，但仓促之间哪能就想出什么好办法，一时间不由得紧皱双眉。

几个人正在互相呆望的时候，天空中传来几声尖利的哨响，从常家大院的上空飞过几大群白鸽，鸽群整齐划一，白羽闪闪，煞是好看。

古平原在关外的时候就帮军营养过信鸽，尽管这时候满腹心事，也不由得赞了一句："好俊的鸽子！"

常四老爹见古平原为自家事劳神，心里老大过意不去，主动接口道："是街上的赌局养的，开白鸽票用的。"

"白鸽票？"

"是这几年才流到山西的赌博法子，关外可能还没有。"刘黑塔平素也喜欢到赌局去小玩两把，见古平原感兴趣，索性说给他听。

这白鸽票是从广东开始，逐渐传至全国的博彩术。其实就是从《千字文》里取八十字，从"天地玄黄"到"鸟官人皇"，每个字都可以下注，开彩时用白鸽衔纸团的方式以示天意公平。投买者圈十个字为一票，开彩开出来，以中字多少决定是否中彩及彩金等级。

"你看，我昨天还去买了一注，不知道今天能不能中？要是真中了一注大的，老爹就不用卖房子了。"刘黑塔从身上摸出一张盖着赌局印戳的纸票。

常四老爹心里烦恼，却还是教训义子："跟你说过多少遍了，赌要是能发家，母鸡也能变凤凰！"

常玉儿劝道："爹，大哥这不也是为了家里。"常四老爹摇摇头不响了。

古平原拿过"白鸽票"反复看着，眼前忽然一亮。

"有办法了！"

古平原这一句话，对常家人来说无异于金声玉音，常玉儿张大眼睛看着他，眼里满是希冀。

刘黑塔更是一把抓住他的胳膊："古大哥，我就知道你一准有办法。快说，快说！"

"别急，我先问问老爹。"古平原说着转向常四老爹，"我有一计，弄得好就能让那幕后主使哑巴吃黄连，有苦说不出。要是弄得不好，也能把常家大院卖出个高价，免得让人低价买走。老爹看怎么样？"

"这……"常四老爹思来想去，终于下了决心，"行，就这么办，反正没有你这一计，我终究还是要把这宅子卖了。"

"那我可就说了，我们只要这么办……"古平原身子前倾，将自己想到的办法一五一十说了出来。

等他说完，刘黑塔大是兴奋："古大哥，真有你的。嘿嘿，这一次饶那厮奸似鬼，也要吃咱的洗脚水。"

常玉儿听他说得不雅，脸上一红，插口道："只是……"

古平原忙道："常姑娘有话请说。"

"那人要是不上这当，而白鸽票又没有卖出去那许多，搞不好常家大院就要低价易主了。"

古平原此时越想越觉得有把握："这幕后黑手明明可以光明正大地来跟常四老爹谈买卖，却非要使这鬼蜮伎俩，说明其人贪心。而一而再、再而三地谋夺常家大院，说明其人必欲得之而后快。就凭这两点，我断定他非中我的计不可。"说完他目视常玉儿。

常玉儿不敢看他，点点头又将视线落在脚下。

常四老爹嘴角总算露出一丝笑意："黑塔，你平时总说我不让你做这个，不让你做那个，现在你既然跟赌局熟，这件事就交给你去做。古老弟还是不方便出门，至于我……不愿进那劳什子地方。"

刘黑塔答应一声，古平原忙跟了一句："一定要找一家通省都有分铺的大赌局。"

"好嘞。"刘黑塔取了房契与地契，甩开大步直奔赌局而去。

太谷别看只是个县城，却是山西出了名的钱柜，赌局在这儿是不愁没有生意做的。最大的一家赌场称作"大昌赌场"，就开在县衙附近的宝齐街上。

刘黑塔其实赌瘾很大，只是碍于身上银两不多，所以平素强忍着只隔三岔五来个一两趟。这一回赌得这么大，他心里除了患得患失之外，还有些按捺不住的兴奋。

等来到"大昌赌场"近前，刘黑塔从十级台阶下往上看，就见大开扇的黑漆门嵌着铜铆钉，被来来往往的人群摸得个个发亮，不断进出的赌客如同长流水，挡住大门，一眼看不到里面的情形。

"嘿，这群王八蛋生意可真好！等将来老子有钱了，也开它一爿赌局好好过过瘾。"

每家赌场里都少不了有群不入流的混混痞子专给豪客打下手，事后等着抽条子。刘黑塔虽然不是豪客，不过他为人大方不吝啬是出了名的，也就有人愿意给他捧场。一见刘黑塔进来，好几个混子都围了过来，点头哈腰："刘爷，您来了，好长时间没见了。"

"这不是到关外做买卖去了吗？"

"哟，瞅您这气色必是发了大财，恭喜恭喜。这场儿刘爷好几个月没来，路子不太熟了吧，我这儿有画好的路图，您要不要看看？"

一句话，身边的几个混子都纷纷从怀里掏"路图"往刘黑塔眼前递。刘黑塔心不在焉，一边支吾应付着，一边到处找寻赌场老板的身影。

"刘爷，您这是找什么呢？"

"顾老板在吗？我怎么没看见他？"

"嘿，我说您发了大财吧，一进来就找大老板，必是要下一大注。"

另一个混子赶忙示好："顾老板在里间过瘾呢，您跟我来。"

混子口中的顾老板其实不是"大昌赌场"最大的庄家，这家赌场的庄家龙蛇混杂，有当地的财主，也有广东的富商，为了能立住脚跟，还白送了山西巡抚一大股，可谓是官商两途硬得很。名义上的大老板顾青城是个几十年的老赌客，对"赌"这一道的花样十分擅长，所以被请来主持赌局。他虽然在里间吞云吐雾，但一双眼睛却隔着薄纱门帘时刻关注着外面的情形。

刘黑塔往这边走过来，顾青城早就看见了，心里一愣，心想这黑大个常到我的赌场来，可每次都不废话，输了起身走，赢了就拿钱，而且输得多赢得少，算得上是个好主顾。今儿为什么事找我呢？

不过是一闪念的工夫，刘黑塔便已经进了来，顾青城躺在烟榻上不动声色地看着他。

刘黑塔认得顾青城，双手一抱拳："顾老板，我有笔生意跟你谈，大家一起发财！"

顾青城哑然失笑，这黑大个说话真是开门见山不客气，他点了点头："你是叫刘黑塔吧，我听过你的名字。说吧，有什么生意？"

刘黑塔平素粗鲁无文，可今天临行前古平原密密地嘱咐过他，所以他知道此事不能入于外人耳中，他伸手一指伺候烟盘的小童："你出去！"

这口气横得很，那小童怔了怔，怯怯地看了一眼顾青城。顾青城想了一下挥挥手，小童不言声下了榻走出去，将门在外关紧。

刘黑塔一屁股坐在烟榻上，从怀里拿出常家大院的房契和地契放在桌上，三下五除二把来意说了个清楚。

"你这常家大院虽说值几千两银子，可是也不值得我发十余倍的白鸽票。再说白鸽票每一期发多少张都是有定例的，虽然没明文，不过老赌客都是知道的。这要是一下子多发了这许多张，我赌场的信誉何在？不行，对不住了老弟，此事不可行。"顾青城听完，略加思索便摆了摆手。

要搁往常，刘黑塔一听他不愿意，非急了不可。不过今天出门前古平原已经料到赌场会有这种反应，也把应对之法教与了他。

"我说顾老板，你这就不对了。"刘黑塔瞪着大眼珠子说。

"哪里不对？"

"第一，你管我常家大院值多少银子，谁规定这头彩必须价值千金？反正头彩挂出去了，就是这么个东西，想要的就去买白鸽票。只要有人心甘情愿来买，你管那么多干什么？"

顾青城被他顶得一愣，想一想还真驳不倒他。刚要说话，刘黑塔又道："至于说白鸽票一发就是十倍，你担心坏了赌场的规矩，那也无妨。因为这些票子最后都会被一个人收过去，绝不会犯众怒，更加不会影响你今后的生意。就算是那个人来找你要什么说法，那白鸽票发多少张也不是铁打的规矩，你一句话不就打发了他吗？"

顾青城可一点不笨，刘黑塔在那边说得满嘴牙子冒白沫，他在一旁眼珠不断地转，瞅准一个话缝插言道："敢情你这是给谁设了个套吧？"

刘黑塔心里一惊，心想这老小子怎么这样精明，居然被他一眼看穿了，他刚要支支吾吾地打算蒙混过关，顾青城已然笑了，用烟枪点指着他道："刘老弟，你这就不对了，俗话说'麻布筋多，光棍心多'，这样的事情你不跟我说实话，我如何敢与你合作呀？"

刘黑塔心一横："好，说就说！"于是一五一十把古平原的计策讲了出来。

"哎呀。"顾青城越听越觉得妙，嘴角不觉就带了一丝笑意，"这位古老弟可称是心思缜密。如果真是像他猜的那样，背后真的有这么一个人，而又财大气粗，那这白鸽票他还真是非全数搜走不可。"

"就是喽，所以这的确是笔好生意，对不对？"刘黑塔赶紧跟上一句。

顾青城点了点头："谁跟钱都没有仇，能赚钱的生意就是好生意，我答应了。"

他这么痛快地一答应，刘黑塔反而不敢置信，愣了半晌重复道："答应了？"

"嗯，刘老弟来我的赌场赌钱不是一回两回了，你的赌品也算得上是数一数二。我顾青城看人能不能交，就是看他的赌品，赌品好人品自然也就好，所以我和你做这笔生意。"

听他这么一说，刘黑塔咧着大嘴也笑了。

"不过这笔生意风险也很大，事成之后我要多抽两成佣金！"

"行！"

三天之后，陈赖子急匆匆地跑来找王天贵，脸上的表情有些不知所措。

"王大掌柜，这可真是没想到……"

"你最近没想到的事情多了，怎么，是常四不肯卖宅子？"王天贵还是在炕上闭着眼睛抽大烟，语气淡淡的，"那不要紧，让那帮人再去闹，多闹几次他就肯卖了。"

"不是，我原打算今天去找他，这不是您教的吗，晚两天去，抻抻他，就能多压下些价钱。可没想到……唉！"陈赖子双手互搓，直咧嘴。

"嗯？"王天贵听话风不对，慢慢睁开眼，"难道说他把宅子抢先一步卖了？"

"没卖，不过也差不多。常家把祖宅挂在大昌赌场，成了白鸽票的头等赌金。任何人只要买上一张白鸽票，都能博这份彩，运气好的话，一钱银子就能把常家大院弄到手。"

"放在赌局了？"王天贵不由得皱紧了眉头。如果是别人要买常家大院，无论是明里暗里，他都能想法子阻止。可都说大昌赌场里有巡抚的股，而且凡是敢开赌局的，身后的根子都硬得很，他可不想平白惹这个麻烦。

不过常家大院的事儿王天贵琢磨好一阵子了，确是如古平原所说，必欲得之而后快，想到这儿他不由得有些心烦。

"这常家大院要是估估价，两三千两银子可能没问题，也不知是哪个家伙运气好，能中这一本万利的彩金。不瞒您老说，我手下的几个小兄弟也都买了白鸽票，准备碰碰运气。要是真中了，我一定把这处宅院孝敬您老人家。"陈赖子察言观色，知道王天贵可能是没辙了，乐得说说漂亮话。旁边的如意听了，撇撇嘴一笑，却是抛了个媚眼过来。

陈赖子知道像如意这样的青楼女子都是水性杨花，整天陪着个老头子没什么意思，看这样子大概是对自己动了心。不过他可还记得不久前"沉河"的那出戏，咽了口唾沫，假装没看见如意抛过来的媚眼，气得如意又狠狠剜了他一眼。

"别做梦了！"王天贵突然开口，把屋中心怀绮思的一对男女都吓了一跳。陈赖子夯着胆子问："王大掌柜，您……您说的是？"

"我是说让你的那几个小兄弟别做梦了！常家大院是我王某人的囊中物，别人休想取走！"王天贵问道，"大昌赌场的白鸽票一期开出多少张？"

"两万张！"

"那就是两千两银子！还不在我王天贵的眼里。"王天贵叫来伙计，"听着，大昌赌场在山西各地大概开有十四五处赌局，用'信狗'发出通知，叫我们各地的分号拣着临近的赌局收他们这期的白鸽票。连卖出去的一起收，哪怕加几分银子也行，一定要全数收来。"

"王大掌柜，您这又是何苦？不如我去和常家说，让他们去赌场撤了头彩，然后我们再买下常家大院，岂不是更是方便。"陈赖子不解其意，摸着后脑勺问道。

王天贵冷笑一声，将烟枪往旁边一伸，如意早就烧好了两个"松、软、黄、高"的大烟泡，轻轻放入烟枪中。王天贵过了一阵子瘾，这才开口道："常家既然想出了别的路子，你再去买，那他们必定认为奇货可居。若是要抬价，你怎么办？我王天贵总不能输在常四这种小角色手里。再者一说，买下通省的白鸽票，赢了晋商领袖留下来的大宅院，这必定成为茶余饭后的谈资，无形中也等于是为泰裕丰造了声势，此乃正合吾意呀！"说着说着，王天贵有些得意，不由自主就念了一声白。

"那是，那是，您老真是神机妙算，这事儿传出去，谁都得对泰裕丰挑大拇指，您老更是威风八面……"

"行了，你去给我盯好常家，别让他们出新花样！"王天贵不耐烦地挥挥手。

等陈赖子退出去，如意娇笑一声，夺过王天贵手里的烟枪放在一边，眼里好像出水一般。

"你也过足瘾了吧，说话办事这么老半天，也不想着我一下。"

王天贵搂过她，在大腿上摸了两把，眼里放出色光。

"我这把老骨头，早晚死在你身上……"

白鸽票十天一期，可还不到三天，性急的刘黑塔就迫不及待去大昌赌场打探消息，常四老爹心神不宁地在大厅里直转弯弯。

古平原直劝："老爹，您放心，这事儿肯定能成。"

常四老爹想笑笑，嘴角一牵却是比哭都难看："古老弟，我知道你自己也没把握，不过是宽我的心罢了。你不知道我出去看了多少回了，赌场外面冷冷清清，根本就没人进去买白鸽票。"

这说的倒是实话，古平原对此也是大惑不解。按说人都有个占便宜的心，自己这一计即使不成功，也断不会如无源之水一般啊。

正想着，门上一响，刘黑塔大踏步从外面走进来。他走得急了，一进来就从李嫂那儿要了一大罐水，双手举起"咕嘟嘟"地往肚子里灌。

一家人眼巴巴地看着他，要听他说消息。常四老爹实在忍不住，把那水罐抢下来。

"你说句话再喝也不迟，我问你，卖了多少？"

"三天工夫就都卖出去了！"刘黑塔一语石破天惊，厅里的几个人都愣住了。

"你这孩子，急糊涂了吧？"常四老爹伸手去摸刘黑塔的脑门，刘黑塔一拨愣脑袋躲了开去。

"爹，我可没糊涂，糊涂的是那把白鸽票都搜走的家伙。"

古平原在旁听得真，立马跟上一句："确有此人？"

刘黑塔笃定地点点头，却对常四老爹说："爹，您猜为什么在赌场外面看不到有人买白鸽票？因为头一天就被人买光了，而且都是一家买进的。"

常四老爹半张着嘴："究竟是谁和我常家过不去啊？"

刘黑塔脸上带着恨色："说出来吓你们一跳。把白鸽票都买走的是泰裕丰票号的大掌柜王天贵。而且我刚才还专门去打听了一下，据说他真的让全省的分号都在搜集这一期的白鸽票，看样子不统统买到不肯罢手！"

"啊！"古平原听了没怎么样，其他几个人可都吓了一大跳。常玉儿皱紧了双眉，咬着下唇道："大哥，你没弄错吧。泰裕丰可是通省有名的大票号，听说王大掌柜和县令是换帖兄弟呢。"

"应该没错。"古平原一听王天贵如此声势也不由大皱眉头，"你们想想，买通官府将收上来的好盐硬换成苦盐，这不是一般人能做到的事情，要是县大老爷的换帖兄弟，那就能说得通了。"

"这老王八蛋……"刘黑塔咬着牙喃喃骂着。

"唉呀。"常四老爹蹲在地上，大叹一口气，"王天贵手眼通天，咱们常家可弄不过他啊！"

古平原很沉稳地劝道："没事不惹事，有事不怕事。现在主动权在我们手里，就算他财大势大，也不能大白天闯进来吃人不是？按我说的计划去做，终归吃不了亏就是了。"

刘黑塔问道："古大哥，现在咱们怎么办呢？"

"今天开彩，一个月之内可以兑奖。也就是说王天贵一个月之内必定会有所动作。我们来个以静制动，静观其变好了。我看这事儿也就两个结果，一是他吃个哑巴亏，咱们等于是高价把常家大院卖给了他。若是他不甘心，来找我们谈，那就二一添作五，要他白拿一半的钱，常家大院我们还留着。那一半的钱用来解决'闹盐'的麻烦是足够了。"

常四老爹嗫嚅道："王天贵这个人出了名的不吃亏，他能认了这笔账？"

古平原极有把握地一笑："老爹，这一次您就把心放在肚子里吧，这王天贵不认也得认了。钱，他已经出了，现在轮到他心烦了。"

"不对，不对呀！"常四老爹突然脱口而出。

"爹，您怎么了？"常玉儿连忙问道。

"古老弟，你这计的确是好，可如果对方是王天贵那就不妙了！"常四老爹一把抓住古平原的胳膊，神情紧张。

"这是为何？"

"唉，你是外乡人，不知道这里面的事情。在山西，像泰裕丰这样的大商号与外地分号之间往来传递消息都有一种便利的方法，称之为信狗。"

"信狗？"这在古平原真是闻所未闻。

"所谓信狗其实和信鸽是一个道理。不过山西像灰背隼这样的猛禽比较多，养信鸽容易误事，可是总号与分号之间光靠驿站信客又嫌太慢，于是就有晋商前辈想出了一个好主意，用训练得有耐力的狗来带信，速度比马还要快。到了现在，大商号都养信狗，泰裕丰自然也不例外。如果外地的分号见白鸽票发得多了，用信狗送信到总号问问清楚，那就全都露馅了。"

古平原倒吸了一口凉气，原本以为一省之内消息互通不甚方便，这王天贵派到别地儿去的人来不及往返请示，只要消息在这几天之内无法互通，便大功告成了。可他千算万算，就是算不到本地居然还有信狗这样的东西，这可怎么办才好？

古平原急得双手互搓，在地上直转圈，此时此刻只要有一条信狗跑到泰裕丰总号里，那就一切前功尽弃。

常家几个人看古平原脸色都变了，知道真是遇上了为难的事情，不禁也都皱眉不语，心下那份焦急就别提了。

"大哥！"常玉儿忽然叫了一声，"我记得你去年好像说过一件关于信狗的事情，你还记得吗？"常玉儿盯着刘黑塔。

"这个……"刘黑塔说过就忘了，此时摸着后脑勺直晃头。

李嫂在一旁插言："我也记得有这么回事，好像是说叫花子吃狗肉什么的……"

"就是这件事。"常玉儿眼前一亮，"当时大哥说叫花子请他吃狗肉，他请人家吃酒，我还说我不听，要他别把虱子带进家来。"

"对对对，是有这么回事。那是城门口的几个叫花子，诱狗逮狗那是一绝，焖的狗肉也香。我就带了一瓶汾酒请他们喝，其实是馋那肉，嘿嘿，一来二去大家成了朋友。爹也说过嘛，这朋友不分高低贵贱。"

"那狗是信狗？"

"唔，那一次是误逮的，抓住时狗已经死了。要说信狗可不好逮，灵得很，不过叫花子有叫花子的办法，要不是城里的几家大商号警告过他们不许逮信狗，这些信狗早就都变了瓦罐里的狗肉了。"刘黑塔笑道。

"那你还等什么？"常玉儿莞尔一笑，催促道。这边古平原也已露出笑容。

"等什么？"刘黑塔还不明白。

"找叫花子抓狗啊！给钱也好，给酒也罢，总而言之不能让一条信狗进了太谷县。"常玉儿拍着手道。

"我懂了！"刘黑塔转回身就往门外跑，"妹子你真聪明！"

"抓住可不许吃，过后都放了！"

"此事须做得机密！"

常玉儿与古平原一人在后跟了一句。

王天贵在票号的后院大发雷霆，陈赖子跪在当院吓得缩脖端腔不敢抬头。

"我问你，你不是说白鸽票一期开出两万张吗？你看看。"说着，王天贵把手里的一札信摔到陈赖子的脸上，"这是全省分号给我来的信，算上本号收进的票子，整整收了三十万张。你知道那是多少钱吗？买十个常家大院都够了！"

"是是是，小的该死，不过谁能想到常家和赌局串通好了，这天大的局，那常家必然要分给赌场大笔佣金啊！"

"那还不都是泰裕丰拿的钱！"不提这个还好，一听之下，王天贵怒不可遏，抬脚就把陈赖子端了个马趴。

"可恨他们还勾结叫花子抓了信狗，不然我一早得知此事，也不至于损失如此惨重。这帮分号也真是没脑子，要他们收，居然就真的收了这么多！"王天贵气道。

陈赖子趴在地上，心里道："你王大掌柜没回音，大家自然以为你没改主意，谁敢不收？"

"哟，生什么气啊。几万两银子还在你王大掌柜眼里吗？我在屋里炖了羊蹄银耳汤，进去喝……"如意的话还没说完，王天贵反手一巴掌打在她脸上。

"滚！"

如意愣了愣，一张脸从白到红，从红到青，终于大哭一声，掩着脸往屋里奔去。

"你敢打我，我不活了，你个老东西，昨晚趴在我身上的时候说什么来着？嘴像抹了蜜似的，现在居然打我……"

王天贵从鼻子里长出一口气，要说心疼那几万两银子是真。不过更让王天贵心里别扭的是，他精明了一辈子，居然让他最瞧不起的窝囊常四给要了，这口气他实实在在是咽不下去。

陈赖子从地上爬起来，看见如意都被打了，他知道王天贵是动了真气，心里倒也好受了些。

"王大掌柜，不然您去找找县太爷，或许能有什么法子把常四这老小子给治了！"

"你出的都是馊主意。票号最重的是信誉，现在全省都知道是我王天贵买了白鸽票要赢下常家大院。如是不能'认赌服输'，岂不等于是送话柄给人骂，几万两银子是小事，今后我这票号还开不开了！"王天贵越想越窝火。

"那……"陈赖子一咧嘴。

"唉，再等等看吧，先不忙着去兑奖。"王天贵知道这一次自己恐怕真是阴沟里翻船了。

陈赖子边往外走，嘴里边嘟囔："这常四怎么了，一会儿碰上好运气，一会儿又变成人精子了。"走到门边，他忽然想出一个点子，犹豫了一下，觉得有利可图，又返身转回来。

"你又回来做什么？"王天贵厌烦地瞥了他一眼。

陈赖子堆起笑脸："王大掌柜，我想起一件事，不知您听说过没有？这常四有个干儿子叫刘黑塔。"

"嗯，好像听人说起过。怎么了？提他做什么？"

"嘿嘿。"陈赖子干笑两声，"这个人现在可是大有用处啊。"

王天贵不言声只是盯着陈赖子。陈赖子原本还想拿一拿，想不到王天贵比他老辣得多，压根就不开口问。他只好在肚子里暗骂两声，接着往下说："刘黑塔是远近闻名的莽汉子，性急如火，脾气又暴。"

"你不用说了。"王天贵比猴都精，一听这话就知道陈赖子在打什么主意，脸上这才浮起一丝笑意，稍稍压低声音道："我估摸着现在常家已经瞄上了我，这正好！你去找刘黑塔，把事情经过一五一十说给他听，就说是我主使的你，想法子把他的火气撩起来，撩得越大越好。"

这正是陈赖子肚里的主意，用混子的行话就是"有理搅十分，没理撞墙根"。泼皮混子出去弄钱，要是自家有理自然不用说了，群起而攻之就是了；若是没理呢，就往人家院子里的树上或是墙角上一碰，伤不重但非碰个头破血流不可，之后没理也变有理了。现在陈赖子与王天贵不谋而合，把心思打到了刘黑塔身上。

"不过刘黑塔果真像你说的那样性急如火吗？"王天贵真正担心的是这个。

陈赖子笑了："这是半点不假，他那急性子别说县城，就是通省都难找，我给您说个事儿您就信了。"

那还是前年的时候，刘黑塔给鼓楼外最大的饭馆"满一楼"打短工，干的是扛盒子菜的活儿。所谓"盒子菜"，就是小康人家在家里请客，自家人忙不过来，于是到饭馆酒楼里叫一桌整席，分成一个个木盒子装好，酒店派人一根扁担挑到人家里，把菜卸下来，收了钱，木盒再挑回去。每逢黄道吉日，像"满一楼"这样的大饭馆，盒子菜总要卖出去十几份。

正赶上有一家给老太太过冥寿，亲戚朋友来了一帮，自家女眷又不多，做菜做不过来，就琢磨着到"满一楼"要了两桌子的盒子菜。刘黑塔劲儿大，一般人是一个人只能挑一桌，他一个人就能挑两桌。饭馆掌柜的一看正好两桌，就点着名让刘黑塔给送去了。临走的时候还嘱咐了一句："今天买卖多，送到了早点回来，还有等着要送的菜呢。"

刘黑塔人实惠，干活从来不偷奸耍滑，把这句话记在心里，就挑上扁担往顾客家里走。等到了一看，热闹极了，满院子都是人，迎来送往，你寒我暄。好半天才有人招呼刘黑塔把盒子菜送到后厨。

刘黑塔说："你们可快着点卸，我赶着回去。"

那人答应一声，因为太忙了，转眼就把这茬儿给忘了，留着那扁担挑子在地上没人搭理。

刘黑塔喜欢看热闹，出去转了一圈，看罢了热闹回来，见挑子还在地上，二话不说，挑起来就往回走。

等他回到饭馆，那几个活儿等不及都已经另派人送了，他也不说什么，手脚勤快，打水扫地什么活儿都干。过了能有大半个时辰，方才那家的人气喘吁吁地跑来了，到饭馆里张口就骂。

原来刘黑塔误以为人家把菜卸了，结果呢，原封不动把两桌盒子菜又都挑回来了。他劲儿大，挑子里有没有菜对他而言分别都不大，压根就没觉出来。等人家客套完了，肃客奉席坐下吃饭，到后厨一看，得，什么都没有。这家人面子可丢大了，再做也不要了，嚷着要退钱。

可等老掌柜把刘黑塔叫出来一问，连饭馆的人都笑了，刘黑塔性子急得连饭钱都没要到手就跑回来了。这下可倒好，两免了。

"您看这份性子够急吧，打那以后，出来一句话，叫'刘黑塔做买卖——全都省事！'"

陈赖子这么一说，王天贵也呵呵笑了。

"这能不省事嘛，货没送，钱没收，买卖等于是没做嘛。好了，就冲他这份急性子，咱们这出戏算是唱成了。记着，别忙着去找刘黑塔，抻抻他，像这路人你越抻着他，他越烦躁，到时候脑子不清楚，我们就容易得手了。"

"是，您老放心吧。要说刘黑塔我打不过他，但说到骗，就是十个刘黑塔也得上我的钩。不过……这刘黑塔拳头重，我上次让他给揍了，现在身上还青一块紫一块，我倒是想为您老人家出力，不过实在是有心无力啊。"

"哼！"王天贵老实不客气地点破他，"你少在我这儿装神弄鬼，无非就是想多弄几个钱罢了。年初你不是到号里借了三十两嘛，待会儿你把借据拿回去吧。"

陈赖子顿时眉开眼笑："谢谢王大掌柜，您老真是活菩萨、活菩萨！"

古平原猜到王天贵不会急急过来兑奖，所以常家人也都安心等待，但唯有刘黑塔是例外。他也想静下心来等，可一颗心总是七上八下不得安稳，恨不得王天贵马上就来把事情说个清楚。这家搬是不搬，卖是不卖？就这么整日价思来想去，把这壮汉子弄得神不守舍，在院子里看着大墙恨不得一头撞出去。

过了能有十几天，刘黑塔觉得自己再这么等下去非憋疯了不可。正好这一天街里有个集，他琢磨着出去打听打听消息，看看情形。刚走到大门口，伸手要去拽门闩，就听后面有人叫了一声："大哥！"

因为常四老爹有话，怕这段时间王天贵又出什么幺蛾子，所以嘱咐家里人能不出去就不要出去。故此这突如其来的一声把刘黑塔吓了一跳，猛往后看，却是常玉儿。

"妹子，你吓死我了，我还以为被爹看见了呢。"

常玉儿没好气道："我看见也一样，你干吗去？"

刘黑塔一摸脑袋："哎呀，妹子你还不知道我嘛。我哪是能在家里待住的人呢。硬要是不许我出门，一个月下来我准病！嘿嘿。"

"打嘴。"常玉儿瞪了他一眼，"净说些不吉利的话。你是不是想出去打听打听消息？"

"哎！"刘黑塔老老实实地认了。

常玉儿太了解大哥的性子了，知道关着他不是办法，想了想道："那就去吧，不过可快去快回，别让我和爹担心。"

"好嘞。"刘黑塔高兴得如同放出笼的鸟儿，三步并作两步出了门，临走还不忘回头一句："妹子，回来我给你带糖人。"

常玉儿又气又笑："你还当是小时候啊，别惹事儿就好。"

刘黑塔能有十天没上街，乍一出来竟是满眼新鲜，走到街上到处跟人打招呼。正边走边聊边看景，忽然斜里来了这么一声："刘大哥，好久不见了，这可巧了，让我在街上碰见了。"

声音一入耳，刘黑塔就觉得这油滑的腔调十分让人别扭，一扭头不由得怒气上撞。

"大哥？我还是你大爷呢。你这王八蛋，我正要找你。你是不是嫌活得长了，还敢往我眼皮子底下跑！"说着过去就把那人的衣襟揪住了。

这人当然是陈赖子，他派了几个手下盯在常家大院门口，刘黑塔一出来，早有人飞报给他。陈赖子一琢磨，差不多也到时候了，再要赶这么个机会也不容易，于是就跟着刘黑塔到了集市上。

眼下自己被刘黑塔用醋钵一般的大拳头挥在面前，心里也有些害怕。但他陈赖子当泼皮不是一天两天了，大场面也见过不少，很快就镇定下来，脸上堆起比八月蜜还浓的笑容。

"刘大哥，你看你，性子也太急了不是，小弟今天是特意请罪来了。你骂王八蛋，不错，确实是有个王八蛋，不过可不是陈某人呐。"

刘黑塔不防他还有这套说辞，愣了一愣，问道："你是说王天贵？"

"嘘！"陈赖子竖起食指放在嘴前，"王大掌柜的名字可轻易提不得。"

"怕个屁！"刘黑塔一拨愣脑袋，"你说，是不是他指使你来谋夺老爹的宅子？"

陈赖子假意急得直作揖："我的好刘爷，您是英雄好汉，我可还要吃饭的家伙呢。这么着，你要真想知道，旁边'满一楼'，我做东，一则赔罪，二来我把这里面的事儿都跟你说清楚，成不成？"

"嗯？"刘黑塔刚犹豫了一下。陈赖子跟上一句："听说'满一楼'刚进了一批十年陈的汾酒，咱哥俩来几斤，边喝边聊。"

"行！"这事儿要是换成古平原，绝对不会和陈赖子去喝这顿酒；常四老爹也许碍于面子浅尝辄止，也绝不会在这节骨眼上喝醉。刘黑塔就不一样了，他一方面压根就没瞧得起陈赖子，一方面也真是没那么多的心眼。陈赖子找了一帮弟兄轮番上阵，刘黑塔酒量再大，也是猛虎架不住群狼，一会儿工夫两坛烈酒下肚，就有了七八分醉意。

陈赖子冷眼旁观，知道已是恰到好处，他凑近前，装出酒后失言的样子，对着刘黑塔说："刘大哥，咱们兄弟都服你功夫好，人也仗义。不知道王天贵那老王八蛋为什么一门心思和你过不去，偏要兄弟们和你为难。"

"你……你给我说说，他都干什么了？"刘黑塔大着舌头问。

"干什么？"陈赖子添油加醋，把王天贵不许别人借钱给常家，指使自己放印子钱，时候一到就来夺常家大院，一计不成又设计陷害，买通官府和主顾，把好盐换成苦盐，非逼常家卖宅子的事情通通说了个遍。

刘黑塔就是没喝醉，听到这些也肯定气炸了肺，更何况他酒意上头，只气得一佛出世，二佛升天，眼珠子瞪得血红，嘴里哇哇乱叫。

陈赖子还假意劝了几句，说什么泰裕丰惹不起，王天贵财大气粗，这些话就如同火上浇油一般，刘黑塔听着听着腾地就站了起来，一把扯过陈赖子。

"小子，你给我听好喽，就是天王老子，今天我也把他的窝给拆个底朝天，不然我'刘'字倒着写！"

说完了话，刘黑塔晃晃悠悠下了二楼，陈赖子坐着纹丝没动，只把头往外面探了探，见刘黑塔果然踉踉跄跄地往泰裕丰的方向走去。他冷笑一声："你'刘'字倒是不用倒着写，不过人能不能直着出来就两说了。"

自从刘黑塔从家中出去之后，常玉儿就觉得心神不宁，总觉得要出点什么事儿似的。她一遍又一遍往门外看，就是盼着大哥赶快回来。

但是她终究是失望了，从日上三竿盼到日影西斜，刘黑塔竟是踪迹不见，这下子可把常玉儿急坏了。她左一个借口右一个理由替刘黑塔瞒着，也亏了她性灵机变，把个不在家的大活人说得好像一会儿在这个院，一会儿又跑到那个院了，常四老爹、古平原，再加上李嫂竟然都没发现刘黑塔一整天不在家。

可是到了开晚饭的时候，说什么也瞒不过去了。常四老爹就先问道："黑塔呢，怎么不出来吃饭？"

常玉儿张张嘴，心里的后悔就别提，暗自埋怨自己怎么就鬼迷心窍答应了大哥去街里，这不是给爹爹添烦嘛。

常四老爹再问一遍，常玉儿没办法只好站起身，低着头道："爹，大哥出去了。"

"出去了？去哪儿了？"常四老爹还不知道是怎么一回事儿，等听常玉儿说完才唬了一跳。

"我说你们这两个孩子，让你们这一个月千万别弄出事儿来，老老实实在家待着，怎么就不听话呢！不行，我得去把黑塔找回来。"说着，常四老爹饭也不吃了，穿好外衣就要往外走。

常玉儿见爹急了，李嫂又是下人身份，心里盼着古平原能解劝一句。古平原在一边听了，也暗自埋怨刘黑塔，觉得常四老爹赶快把刘黑塔找回家是正理儿，以免节外生枝，所以没说话。

可没想到大门刚一打开，迎面进来一个人。因为天色灰暗，古平原没看清是谁，赶紧闪身躲入内堂。

常四老爹跟这个人走个顶头碰，见他大咧咧的也不说话就往自家里闯，心里先就不高兴，再一看来人，更是气不打一处来。

来的不是别人，正是陈赖子。这小子斜戴一顶六棱瓜皮帽，脚底下穿一双翻羊毛的快靴，一件黑布袄也不嫌冷就那么半敞着怀，贼眉鼠眼的模样比泼皮无赖还赖上三分。

他一进来，也不理常四老爹，开口就向常玉儿打招呼："哟，常家妹子，又见面了。嘿嘿，今儿这胭脂抹得可真香，用的是京城'香满地'的俏货吧，我一闻就闻出来了。"

常玉儿气得脸煞白，想了想倒是一笑："那算什么，你又不是第一个闻出来我这胭脂香的。"

"嘿，太谷县城里谁还比我识货？说出来听听。"

常玉儿似笑非笑，正眼都不看他："忠旺啊。"

"忠旺？谁啊？"陈赖子不知是计，认真问道。

"我们家养的那条看家狗。"一语既出，常四老爹和李嫂都笑出声来，连躲在后面听的古平原也憋不住乐了出来。

“你！”陈赖子被骂得一噎脖，定了定神才又冷笑道，“好一张利口，怪不得到现在还没找到婆家。你这寡女和我这孤男恰好是一对，要不，咱俩配配？”

说到这样的话，常玉儿一个大姑娘家可就没法再回嘴了，她一咬牙，回身往内屋走去。一旁的李嫂过了来，气哼哼地骂道：“我说你这陈赖子，怎么这么不要脸，还不赶紧滚出去！”

常四老爹也过来说：“你赶紧走吧，一会儿我干儿子回来看见了，非把你打坏了不可。”他倒不是心疼陈赖子，而是怕自己的干儿子惹麻烦吃官司。

按常四老爹的想法，陈赖子很怕刘黑塔，不管他是为了什么来家里搅闹，听了这句话总该有所收敛。不料陈赖子冲天打个哈哈，伸手在鼻孔里挖了两下，弹出一块鼻屎，斜眼睨着常四老爹：“我说常四，你以为靠你养的那条黑狗吓唬人能吓唬一辈子吗？你错了，今时不同往日，你那条狗已经被我收拾得服服帖帖了。”

“什么？”虽然陈赖子话里带着脏字，可常家人都听出来刘黑塔出了事，正往里屋走的常玉儿顿时停下脚步。常四老爹急急问道：“你……你这是什么意思？我干儿子怎么啦？”

“哼哼。”陈赖子吃过刘黑塔好几次亏，这时候看见常家人担心的神情只觉得得意非常，摆了一会儿架子才说道：“他吃醉了酒，跑到泰裕丰去搅闹，打伤了三个店伙计，砸坏了店里的东西，还嚷着要放一把火把票号烧成灰。王大掌柜是什么人，你们还不知道吗？他可是眼里不揉沙子，当下就请县衙派了衙役过来。要说这刘黑子可真行啊，足足用了七个官差才捆翻他，现在人已经给送到大牢里去了。”

“你们也太不讲道理了！”常玉儿虽然不明白究竟是怎么一回事，可听说大哥被抓到牢里去了，心里急得走过来就对陈赖子说：“明明是你们收买买盐客人，偷换官盐，硬说我们家的盐是苦盐，现在还要倒打一耙抓我大哥。”

“慢来，慢来。”常玉儿越生气，陈赖子越欢喜，他慢条斯理地说，“刘黑子打人砸东西，一条街的人都能做证。你说的收买客人栽赃苦盐的事儿，有谁看见了？啊，谁来做证啊！”

常家人你看看我，我看看你，顿时都说不出话来了。古平原在里面听了，心知刘黑塔必是落入了对方的圈套。苦于不能现身，他向外闪了一眼，见陈赖子背对自己，赶紧冲着李嫂招了招手。李嫂赶忙往屋里走了几步，古平原声音压得低低的说："说别的都没用，这人是王天贵的手下，他来只是传话，咱们快点弄清楚王天贵想要什么才是真的。"

李嫂恍然大悟，走到常四老爹身边低语几句，常四老爹点了点头，改容问道："陈老兄，想必王大掌柜有话让你带给我？"

"算你聪明！别的话没有，就是让你到泰裕丰去一趟，看看怎么赔店铺的损失。"陈赖子说完冲着常玉儿色迷迷地望了一眼，"看样子你们也不想留我吃顿饭，话带到我可就回去了。我要是你们就早点去，也省得刘黑子多受罪不是？"说完他一步三晃地走了，留下常家人不知所措地站在当场。

等李嫂把大门关好，古平原这才闪身出来，一看常四老爹举步要往外走。古平原一把把他拦住。

"老爹，您要干什么去？"

"我去赌局，把他们给咱家的分红拿着，然后去找王天贵。"

"老爹，您可想明白了，您这么做正中人家下怀，就等于是把常家大院白白送了出去。"

常四老爹眼泪都急下来了："古老弟，你没听那陈赖子说吗，去晚了，黑塔指不定受什么折磨呢！"

"嗐，那是他为了让您着急才说的这个话。又不是有什么深仇大恨，再说将来刘兄弟肯定得放出来。要是怨结得狠了，他自己走路就放心身后吗？"

"那……"常四老爹没主意了。

古平原盘算了好一阵子，这才开口："看样子王天贵就是打的这个算盘，让您把从白鸽票上赚的钱给他送回去，然后他再去兑彩，把常家大院拿到手。老爹您想想，事情最坏也就不过如此了，为什么不争一争？能争几分是几分。"

"现在咱们的人在人家手里攥着，怎么争啊？"常四老爹摇了摇头。

"这又不是土匪绑票，他有来言，咱有去语，就像谈生意那样去谈。他想要那三万两银子，行，除去赌场拿的佣金，其余的都可以给他。不过一是要他放人；二是把彩票拿出来，就当没有这回事，常家大院不能给他；三是要他们把闹盐的那件事给平了，不许人再来常家搅闹。"古平原掰着手指头一条一条说道。

"跟他谈三条，这能行吗？王大掌柜可不是一般人，我……我可不是他的对手！"常四老爹抓着头。

"爹！"常玉儿忍不住走过来，"大哥能不能放出来，咱家能不能保住老宅，今后能不能太平无事，全靠您去争这一回。您可不能不争啊！"

"我，我……"常四老爹望着女儿的脸，把心一横，狠狠一跺脚，"好，我今天非跟他王天贵争个鱼死网破不可。"

"对，就是要这样去争。"古平原赞道，随即又皱起了眉，"不过听你们说，这王天贵是个老狐狸，他想必不肯认下指使旁人'闹盐'这件事，可这事又非当面说开不可，而且还要他立下凭据，这可难办了。"

这真是一个大大的难题摆在眼前，以王天贵老奸巨猾的性格又岂会在这件事上落下一丝一毫的笔据。

古平原正苦无良策，常玉儿说话了，她这话其实是向古平原说，但对着的却是常四老爹。

"爹，我想起一件事儿。以前听前街的顾大婶讲故事，说是乾隆爷那时候，咱们山西有个满人学政叫萨尔钦，手长得很，有一年乡试。贿买生员，把个举人名额像卖白菜豆腐似的卖了出去。乾隆爷知道了大怒，榜刚贴出去就叫钦差大臣来查案，可在萨尔钦府里连一两银子的赃银也没查出来，却搜到了许多的借条。上面写着诸如：乾隆十二年举子李某某向萨尔钦借银一千两的字样。后来朝廷才弄清楚，原来这是他们定好的贿赂计策，要是那考生中了举，不用说必定要'还钱'的，要是没中举，那他就不是举子李某某，借据无效，也就不必'还钱'了。"

李嫂也听过这个故事，此时插口道："这法子想得真绝，也真亏了这帮当官的想得出来，要是把心思全放在给老百姓审案子上多好。不过玉儿，你这时候说这个干吗？"

别人都是听者无意，古平原却越听越明白，只觉得常玉儿姑娘的这番话处处都在点拨自己，想着想着已是有了主意。回身进房拿出文房四宝，就在当院没有摆放盆景的木桌上一挥而就，随后拿起来给大家看。

上面写了一大段的话，最关键的是这样一行字："立据之日起，常家因苦盐一事所欠所有银两均由泰裕丰票号妥为支付。"

古平原看了一眼常玉儿，把这张纸交给常四老爹。

"就照这个样子立一份字据，找人作保，让王天贵签字画押，'闹盐'从此就跟常家没关系了。"

"那要是再有人来闹……"

"不会，公私两面都是王天贵买通的，有了这张字据，再来闹岂不等于是闹他自己。"古平原笃定地说，"这样写，最妙的是从表面上看不出'闹盐'与王天贵有什么瓜葛，他也就没话说了。"

"对，对，古老弟，你真是聪明极了。"常四老爹连连点头，十分佩服。

该佩服的另有其人，只是常玉儿始终不看古平原，古平原也就只好愧领了这份夸赞。

等帮着常四老爹换好衣服出了门，常玉儿回转身，脸色黯淡起来。她是个懂事的女孩子，大哥出了事，自己当着爹的面万万不能露出焦心颜色，可是怎么能不担心呢？

古平原倒是没注意常玉儿的神态，他手里握着一杯早已凉透的花茶，紧张地想着常四老爹此去的种种变数。王天贵善使狡计，应该不会硬扣住常四老爹，但万一他出花招，常四老爹一不留神自己也陷了进去，那就糟糕。到了那时候常家就剩下两个女人，自己要不要出面去解这场危难，以自己的身份，一旦出面情况会不会变得更糟？这些念头在他心里转来转去，望着常家堂前的黑漆大门，他倒是怔住了。

常玉儿心里也是七上八下，后来实在忍不住开口了，问的却是李嫂："李嫂，你看我爹这一去，有几成把握能够把大哥救回来？"

李嫂哪儿回答得出，实际上常玉儿问的也不是她。只不过古平原想事情想得出了神，根本没有注意常玉儿在说话。

开始常玉儿还当古平原在装糊涂，后来偷瞄了他几眼，发现他眼睛一眨不眨地看着大门，这才知道敢情他也是在担心爹和大哥的安危。心里就带了几分感动，干脆推了推李嫂，使个眼色让她去问。

李嫂这才明白，来到古平原身前，把常玉儿的问话原封不动又说一遍。古平原这才惊醒过来，连忙站起身，为难道："我没和这泰裕丰的王天贵打过交道，实难判断他的对应之策。不过票号是钱眼里翻筋斗的行当，能当上那儿的大掌柜，必是个精明无比的人。我看最坏的结果就是只把人放出来，钱全都还回去，常家大院归了王天贵，然后常家还要赔累'闹盐'的银子。"

"那……那我们家岂不是……"常玉儿这时候可有些绷不住了，颤着声不敢往下说，更不敢往下想了。

"唉！这是最坏的打算，还要看常四老爹的交涉办得怎么样。有时候事情就在一张嘴上，像战国时苏秦张仪可一言兴邦也可一言丧邦，要是有这么个人去办这件事，那就好多了。"古平原心里乱，也忘了对面是两个女子，顺口就把《战国策》搬了出来。

常玉儿虽然听不大懂，可是古平原话里的意思她是明白的。这么说来，自己的爹爹心实口拙，其实是个最不适合去做这件事的人。可现在家里除了爹爹没人能去办这件事，真是愁煞人。这么想着，她又看了一眼古平原，心中有这么个念头："要是他是我们家的人就好了，他肯定能把这件事办好。"

顺着这念头想下来，就是古平原如何能成为常家的人？那只有一个办法，一念及此，常玉儿自己就先羞得满面绯红，而且不由自主地想到了那一晚的情形，赶紧在心里喝住自己。父兄都在不测之间，怎么能想到这上面去？

幸好天色已晚，没人能看得到她的脸色。不过常玉儿可不敢再待在堂前了，找了个借口回到自己屋中，坐在床上，拿起那件自从古平原碰过她就再没去穿的裹衣，心如鹿撞，也辨不清是个什么滋味。

工夫不大，连最后一丝晚霞都消失了。往常这时候，常家大厅台阶上的石灯台上必然要点上几盏油灯。因为刘黑塔好武艺，饭后总要练上几趟链子鞭，常四老爹就在厅外坐看，常玉儿和李嫂也常常过来看热闹。今天这爷俩都没在家，而且也不知什么时候才能回来，大厅内外漆黑一片。

古平原就坐在黑暗里，忽然想起自己的母亲和弟妹，不知千里之外的他们，是不是也如同此刻常玉儿盼父兄归来一样盼着自己早点回乡。想到这儿，古平原突然动了情肠，险些落了泪。不过由此及彼，他也暗下决心，常家人都是好人，无论如何自己要帮着常家人过了这一关，不然就算是回到家乡，心里也必定时时不安。

黑暗之中想心事，时间过得特别快，不知不觉门外传来了"天干物燥，小心火烛"的声音，随后又是"梆——梆""梆——梆"古平原心里一沉，打二更了，常四老爹还没回来。

这时候，厅前的古平原和房中的常玉儿不约而同想到一件事，常四老爹当初在关外曾经起过寻死的念头，这一次不会是交涉没办下来，又……

古平原正想着，听到后面传来轻微的脚步声，回头看去常玉儿正怔怔地看向大门处。

古平原暗地咬了咬牙，心想就这么干等下去不是办法，万一外面有点什么事，一点应变都没有那还行？

"就算是出门便要吃一刀，也不能一辈子待在屋里当缩头乌龟！"想到这儿他站起身，侧身对着常玉儿，稍稍躬了躬身子，说道："常姑娘，我出去看看，要是有什么事，也好接应一下老爹。"

常玉儿其实很希望他这样做，不过也不能不想到他的流犯身份。古平原只好道："不要紧，夜色已深，街上没有多少人，我出去看看，不在外面久留。"

"那好。要是事情办得不顺利，你千万把我爹劝回来，大家再想办法。"常玉儿借着夜色看向古平原，眼神里满是期盼。

"常姑娘放心。"古平原简单地答了一句。常玉儿指点了他泰裕丰的大致方向，古平原把大门推开一条缝，探头一看，见左右无人，这才一闪身溜了出去。

从此，古平原不再是一个读书人

　　行商以智计为先，但从来也不乏置之死地
而后生的行为。原因就在于坦途大道上竞争者
必多，利则必少，而险地则刚好相反，人少利多。
至于是得不偿失还是得偿所愿，正是考验一个
商人眼光的时候，该冒的风险就一定不要犹豫。

　　这下众人是真的听懂了，这个外乡人才是
真的要来玩命，而且是货真价实，一点退路都
不给自己留。

这一晚风大月黑，满街都是呼呼的风声，泰裕丰所在的那条街是全太谷县最热闹繁华的地段，往常小食摊能一直摆到三更天，今夜却是早早而撤。街上行人也都是行色匆匆，搂领子遮脖、伸手捂耳朵，哪会有人注意一个生面孔。

这可真成全古平原了，他顾不上什么冷风似刀，站在街角处目不转睛地看着泰裕丰门前的两个大红灯笼随风而摆，盼的是门一开常四老爹从里面出来。

然而一直等到三更天，还是没动静。古平原可急坏了，脚底下不知不觉就往票号的门前挪，等到了大门前，抬眼望了望门上的招牌，想了又想终于下定决心，抬手去拍门。

风声呼啸，门环的声音显得十分微弱，过了好久才有人来应门。

"什么事？"

"我……我来汇银子。"

"明早吧，几个写账的先生都歇下了。"

"……请问一下，方才是不是有人来过贵号？"古平原犹犹豫豫地张嘴问道。

门里的人笑了："我们这是买卖，没人来不是关张了吗？"

"……那我再请问一下，来的人是不是常四爷？"

"嗯？"门里的人起警觉了，今天才被人砸了买卖。撒野的就是常家的刘黑塔，全票号无人不知，此时又有人来问常四，可不是怪事吗？

"你是谁啊？问这个干吗？"问了两声，没人回答，门里的伙计把大闩卸下来，开门一看，除了风之外，街上什么都没有？

"呸，闹鬼了！"伙计啐了一口，重又关门上闩。

远处躲起来的古平原无可奈何，琢磨着就这么回去只能让常玉儿更加心急，无论如何这事儿得打听点苗头出来。他平时听常家父子闲聊，虽然没有逛过太谷县城，但大体上的方位还是懂的。而且他知道，按照清朝的规矩，县衙门前面必有吊斗，斗上的"公道灯"一年到头不能熄灭，隔着几条街都能看见。

古平原想到县衙旁的大狱处看看，也许常四老爹在那里为刘黑塔疏通打点也说不定。

他想得挺好，走得也对，才走出一条街就看见不远处有个高高的吊斗，上面亮着一盏气死风灯。古平原才要加快脚步，冷不防从前面的街口转过来一队巡夜的士兵。

这一顶头碰上，古平原掉头跑是来不及了，没办法只能硬着头皮故作镇定往前面走。

双方越走越近，越走越近，那帮巡夜的兵大爷谈谈说说，讲的是大酒缸上听来的古怪风流事，好像谁也没有注意古平原。

双方一擦肩，古平原刚把心放下，就听一个小个子兵道："我说咱们别往前走了，这么冷的天，到吴寡妇店里喝两杯烧刀子去，我请！"

众兵卒哄然叫好，有个老成持重的兵想了想叫住古平原。

"喂，你从那边过来，有没有什么火警盗情啊？"

古平原只想赶紧支吾过去，匆忙间答了一句："没有！"

古平原的口音本是徽音，在关外待了几年，又掺了些关外的调子，变得有些南腔北调，可就是不带山西的那股子醋味，让人一听就听出来不是本地人。他这一回话不要紧，那老兵心里就起了疑。

"你是哪里人？大半夜的上哪儿去？"老兵追问了一句。

古平原心里暗暗叫苦，心想"若要盘驳，性命交脱"，再问下去自己就得和刘黑塔做伴去。自己的罪比他重得多，可千万去不得。事到如今，三十六计走为上，赶紧跑吧。

他趁那些兵没反应过来，撒腿就跑。巡夜的兵卒愣了一愣，叫喊着追了上来。古平原知道被追上准没个好，旁的不说，自己脚上打着流犯的印记，一查就露馅，所以没命地跑，可也不敢往常家跑，他左转右转，也不管是哪条街哪条巷，兜头就是一钻，可身后的士兵就是紧追不放。

古平原急得恨不得眼前有条河，赶紧跳下去，就这么会儿工夫，跑出去也不知有多远，忽然听旁边的一条暗巷里有人叫他的名字。

"古平原，古平原！"

古平原吃惊地一扭头，还没看清楚，就被人一伸手拽了过去。

巷子里有两个人，其中一个把他拽进来之后，往身后一推，低声道："趴地下别动！"

说时迟那时快，身后那群士兵就追到了，那两个人往前走了几步，站到巷口之外。

士兵看见那两个人，站住问道："咦，是你们两个呀，怎么不回家，跑这儿来了！"

"这不是往家走嘛，老汉年纪大了走不动，站下歇歇。"

"看见有人过去吗？"

"人倒是没看见，就看见有条黑影往那边去了。"

"废话！那就是人。给老子追，肯定是个贼，追到了到县大老爷那儿领赏去！"说完那群士兵又顺着那人指的方向追了下去。

看这群巡城守夜的士兵走远了，答话的那人才转回身对着古平原道："行了，古老弟，起来吧。"

古平原憋了许久，闻言立刻就站起身，紧走两步来到二人面前。他连紧张带激动，嘴唇有些发抖："老爹，刘兄弟，你们怎么……"

帮他解围的不是别人，正是常四老爹和刘黑塔，就见老爹连连摆手："这儿不是说话的地方，咱们赶紧回去，到了家里再说不迟。"

"是，是。"古平原跟着常家父子，一路无话。等进了常家，常玉儿和李嫂都是又惊又喜，赶紧端茶端点心，又忙不迭地问几个人的遭遇。

古平原没什么可说的，他不愿"丑表功"，只是轻描淡写说了几句。

刘黑塔就不同了，连声咒骂，他进了大狱，依旧是那副宁折不弯的性子，很是吃了点苦头，这时候把王天贵和大狱的牢头都骂了个狗血淋头。

"大哥，你少说两句吧。"常玉儿虽然也心疼大哥，可是这一次的大好局面全都是因为刘黑塔的暴躁冲动而毁于一旦。"你就不想知道，爹怎么把你救出来的？"

一句话让刘黑塔闭了嘴，他睁大眼睛看着常四老爹。

"那也没什么，黑塔没事就好。"常四老爹竟是不愿多说。

"爹，您不说，难道要我们急死不成？"常玉儿知道爹爹性子憨厚，不愿让刘黑塔内疚，可是刘黑塔这样的急脾气，不受点震动，只怕还要吃大亏，所以硬逼着常四老爹说出经过。

古平原也道："老爹，那三个条件，王天贵应了几条？"

常四老爹伸出三根手指。

"三条他都答应了？"这在古平原看来未免有些不可思议。

"嗯。"常四老爹稳稳点头。从怀里拿出两张纸，一张是中了奖的白鸽票，上面盖着赌局"作废"的印戳，另一张就是古平原写好让王天贵去签字的字据。

"再加上放了黑塔，三个条件我都谈成了。"

常玉儿也是大感诧异，爹爹老实巴交，竟能从王天贵手中争得如此优厚的条件，未免让人怀疑这背后有什么"猫腻"。倘若是王天贵的欲擒故纵之计，那就大大不妙。

这个念头其实人人都有，正因为如此去想，所以大家一定要要常四老爹把与王天贵谈判的详细经过说一说。

"嗨，有什么好说。"常四老爹被逼不过，又从怀里拿出一把尖刀放在桌上，"我嘴笨，自知说不过王天贵，所以等他一出来就拿把刀架在自己脖子上。我告诉他，今天要么答应我这三个条件换回他的几万两银子，要么我就死在这里。他就是本事再大，店里面逼死了人，只怕也难逃干系，事情传出去，他这爿票号的名声就臭了。更何况我虽然死了，还有女儿在，他的那许多银子依旧要乖乖付给我女儿。"

说着，常四老爹把衣领拽开，脖子上果然缠着一道白布，上面还渗出血迹。常玉儿惊呼一声，抓住了爹爹的手，紧张地看着他。

常四老爹语气倒还平静："饶他是老狐狸，也被我这一手弄得不知所措。他还想和我谈条件，一会儿说人是县衙抓的，要放很麻烦；一会儿又说闹盐的事儿与此事无关，不能混为一谈。我不管这些，咬定了不肯松口。后来他见我油盐不进，实在没有办法，这才一五一十都答应了下来。我让他签了字据，又找来赌局的人把中奖的彩票找出来注销，又将那些赌金算了算账，除去赌场的佣金，其余都还给了泰裕丰，这一来就费了时间。最后到了半夜时分，我才到县衙门具结，领出了黑塔。"

常四老爹三言两语把事情交代清楚，旁人听得可是惊心动魄。古平原禁不住在心里想："这可真应了那句话'卤水点豆腐，一物降一物'。王天贵虽然老奸巨猾，奈何碰上常四老爹'你有千条妙计，我有一定之规'，就是要拿一条性命来换三个条件，王天贵也是没咒念。这次的事哪怕是自己出马，也不可能有更好的结果了，看来真是冥冥中自有天意。"

他在这边想着，常玉儿与老爹骨肉相连，眼见那伤口血迹灿然，听着听着眼泪可就都进了出来。

刘黑塔低着头，把牙咬得咯咯直响，脸上肌肉扭曲，双眼冒火。

古平原见状想了想，走到刘黑塔面前，缓缓道："刘兄弟，老爹对你并无一语责备，不过我倒是有几句话想对你说。"

刘黑塔不说话，也没有抬头。

古平原知道他听着，也就自顾自地说下去："自古父母为了子女，别说钱财，命也可以不要，这些都是心甘情愿的事情。但是做子女的如果不懂得报答，那就是猪狗不如。"

刘黑塔一听这话猛地抬起头，看样子是要急了。

古平原也不理他，抢着说道："要是刘兄弟你觉得报答老爹就是去把那王天贵打一顿，甚至杀了了事，那你就大错特错了。老爹心里想的是安安稳稳过日子，你让老爹过上安生日子，就是报答了。要是像这样平地起风雷，就算你给老爹出了气，也不能算是孝顺。"

常玉儿很是感激古平原，这些话按理说应该是常四老爹来讲，可是老爹嘴拙说不出，要是点不透这个道理，刘黑塔过几天好了伤疤忘了痛，非又闯祸不可。

刘黑塔听着古平原的教训，面色渐渐平静下来，代之以悔恨愧疚。末了，往常四老爹面前一跪："爹，儿子不该吃酒闹事，儿子错了，请爹责罚。"

"唉，起来起来，你身上还带着伤呢。"这么多年了，常四老爹还是第一次看见性子倔强的刘黑塔当着外人面前认错，不禁也是老泪纵横。

古平原见他们父子落泪，少不得又想到自家，不由得黯然神伤。

"东家，我来了！"张广发在书房门外道。

"进来。"

书房里李万堂聚精会神地看着墙上新挂上的一幅地图，听见张广发的脚步，并未回身。

过了老半天，李万堂才转过身，问了一句："前面诸位店铺掌柜议得怎么样了？"

张广发站起身毕恭毕敬地回话："大家都很焦急，京里这一乱，各自的买卖都受了不小的影响，再加上军捐又提了两成，都在叫苦。"

李万堂脸色平静如常："只不过是暂时的麻烦罢了。我所担心的并不是这些。

你对此事怎么看？"

"小人愚钝，不过我觉得咱们京商赚钱的秘诀，向来都是与朝廷和官府搞好关系，所谓'近水楼台先得月'。这一条是其他商帮无论如何也比不了的，也是京商的根本。只是眼下这一场大乱局，把我们多年喂饱的红顶子官员几乎掀了个遍，有许多做得顺风顺水的生意一下子断了头。官府不再承认我们的专卖专买之权，这才是最大的危机。"

李万堂静静地看着他，等着他往下说。

张广发品不出滋味，也不知自己说的是对是错，只得继续道："直隶热河的驻军军服专卖权已然被官府收回，内务府的头儿也换了，听说狮子大开口，皇差的事儿一时半会儿不容易办下来……"

张广发还要接着往下说，李万堂一摆手止住他："这些都要慢慢想办法，水磨功夫下到，银子使到，一定能办成。但在此之前我们必须要开一处钱源，来维持对朝廷上下大笔的开销。"

"可是最能赚钱的几处买卖都出了问题，不要说入账，每个月还要往里搭不少银子。我看不如先把几个铺子歇业，再卖掉几个，伙计也辞退一些。"张广发思量着。

李万堂面无表情："你做生意已是大有长进，可还是参不透上乘的道理。"他见张广发依旧不解其意，轻轻吐了三个字："大顺号。"

张广发也是做生意的老手，李万堂这一点拨，他立时明白了过来。大顺号是西便门关厢有名的一家货栈，生意红火，就是因为一时周转不灵，关了几天铺面，辞了两个伙计，结果被生意对手趁机大造谣言，说他家要倒铺，债主堵门，货东抽货。几天的工夫，偌大的一家货栈竟然就这么真的倒了下来。

"您是说京商就像是老虎生了病，不倒下来谁也不敢靠近。可一旦露出颓相，别的商帮就会如狼群一样扑上来。关了铺子，辞了伙计，到时候只有死得更快？"听了张广发的话，李万堂点了点头。

生意不好却又不能关铺子辞伙计，张广发一时还琢磨不透这独特的生意经。但对李万堂的信赖已是多年的习惯，立刻说道："这样一来，钱源的事情就更难办了。"

"有个一举两得的法子。"李万堂抬手指了指墙上的地图。

"这是山西的省图。可是山西一向被晋商控制，我们在那边几乎没有生意。"张广发困惑道。

李万堂不答反问："要论能生财，天下最好的生意是什么？"

张广发没有一丝犹豫，立时答道："官靠开矿，商靠银号，偏门则是赌场。"

"朝廷严令商人不得开矿，赌场嘛，不足以支撑京商。"

"那就只有银号了。"张广发插了一句，此时他已经若明若暗地猜出李万堂看山西省地图的目的。

北票号，南钱庄，尤其是山西票号，自清初以来，将北五省的银钱生意牢牢抓在手里，根本不容外人插足。去年洋人入侵京城，户部官员逃得无影无踪，"四大恒"钱庄也关门歇业，这又给了山西票号可乘之机。结果各省解来的税银、军捐、厘金全都要经由山西票号中转汇账，再报到户部，无形之中山西票号成了大清朝的户部银库。这笔钱的数目大得不得了，光每日生出的利钱就是一笔巨数。

"如果坐视不理，时日久了山西票号必然成为庞然大物，到时候只怕京商也难抵挡。"李万堂目中显示出一丝罕见的担忧。

"难道我们不能把这笔生意拿过来？我们占了京城的地利之便，比山西要有利得多。"张广发想为东家分忧。

李万堂坐下，把玩着一把紫砂小壶，轻轻弹了弹，又取出雪白的绢子拂拭，随口说道："这些日子我结交上了新任的户部尚书宝鋆。据他说，咸丰爷当日有旨，说山西票号维持官银有功，指定山西票号来负责地方与国库的交接。先帝刚刚龙驭上宾，生前下的所有旨意，做臣子的都不能奏请更张，否则就有'大不敬'之嫌。"

张广发不以为然："可是先帝最重要的一道旨却没人理睬，踩在脚下如同烂帛。"他指的当然是顾命大臣被诛戮一事。

"不要提这件事了，一个好的商人应该学会审时度势。谁在高位谁就是我们必须结交的人，再说宝大人也不是什么忙都没帮。"李万堂说到最后一句，忽地降低了声调。

张广发跟着他不是一天两天了，立时趋前静听。

"宝大人说，先皇指定由'山西'票号来做这大生意，咱们都得遵旨不是，就连晋商也不能抗旨不遵哪！"

张广发先是不解其意，后来听李万堂将"山西"两个字咬得极重，细一琢磨眼里不由得放出光来。

"东家是说甭管是哪家商帮，只要在山西开了票号，就都可以分上一杯羹？"

"不只是一杯羹，山西票号难道就不能变成李家票号吗？"李万堂此言一出，才看得出来他身为京商首领的霸气。

张广发听得汗毛一竖，明知此事难如登天，却又不禁大是兴奋："那您说的一举两得……"

"围魏救赵。"李万堂轻轻挥了挥手。

与其等着晋商来京城争利，不如抢先一步到山西去搅个天翻地覆。张广发已经彻底明白了东家的计策，换成别人此时自保还来不及，但李万堂却要在这个时候与晋商打一场恶战，正应了兵法上的"攻其不备，出其不意"。若论胆气之豪，下手之狠，也真就只有"李半城"了，只有他才能想出这样的主意。

"您真是算无遗策。不过……"张广发转脸又想起一事，"想要在山西开票号，先要到当地同业公会办担保，后到山西的藩司衙门领照帖，还要选址建号聘掌柜招伙计，全办下来费时至少半年。这还不说，几百年来从没有外地人到当地开办票号，同业公会十有八九不会给担保，那后面的一切都无从谈起。"他越想越难，脸色暗了下来。

他说的这些，李万堂听了稳如泰山："这些我都想到了，而且解决的办法你也已经给我带来了。"

"我？"张广发大惑不解。

"还记得你从密云带回来的那对主仆吗？"

"您是说那个叫苏紫轩的人？听说您命李安将她们安置在了西城。"张广发始终不知道苏紫轩主仆的来历，他觉得李安可能知道一些，只是几次侧面打听，都没有结果。

不过李万堂此番也毫无告诉他的意思，只是说："你去见她，将为难之处说给她听，她一定有办法。"

张广发带着一肚子的疑问走了，第二日一早他又来到会馆，见了李万堂的面就兴奋地说："东家，您真是神机妙算，那苏紫轩手里居然有一家山西票号，还愿意拿出来给我们用。"

李万堂像是早已料到了，丝毫不露声色，问道："那她又要什么？"

张广发心想原来东家早就知道此举必有代价，便说："她只说要和我们一起去山西，还要用这家票号入股，一开始要一半。后来我争了争，最后定下她三我七，不过这还要东家同意，签字画押才算成契。"

"答应她！"李万堂毫不犹豫，接下来却说了一句让张广发听不懂的话，"快刀也须磨上三磨。"

接着，李万堂便做了安排，要张广发立时准备出发去山西，从京城李家开的钱庄里带几个好手过去接管那家票号。这边李万堂命人筹出银子立刻请镖局押运赴晋，等银子一到就要大张旗鼓地打响头一炮。

张广发与李万堂在房中细细谋划了一上午，出来时已是晌午。张广发走到前庭大戏台处，正赶上隆德饽饽铺的苗掌柜奉母过寿，借会馆的戏台请堂会。因为不是什么大买卖家，请的也不是名角，来的人不多，偌大的座席显得稀稀拉拉。

苗掌柜本来就觉得有些失面子，看到张广发便如同捞到了救命的稻草，李家的大掌柜如能入席，则可以一敌百，这面子足够找回来了。他虽然殷勤备至，奈何张广发一肚子心事，还要急着准备去山西的事情，正推让间，李钦走了进来，一见便乐了，对苗掌柜道："张大叔是大忙人，我来入席，你就放他去吧。"

李家大公子肯赏面子，苗掌柜笑得眼睛都开了花，忙不迭地让了前座，奉上上好的香片果盘。李钦落座前把张广发扯到一边，笑道："这次我给你解了围。下个月瑞蚨祥的二少纳妾，也是堂会，说好了我带人去捧场，你可得还我这个情。"

张广发连连摆手："下个月我就到山西了。"

"山西？干吗去？"

"哦……"张广发稍一迟疑，李钦指着他——

"有事儿瞒我是不是？"

"买卖上的事儿，你问老爷去。"

"我不去。"李钦一听他爹就感到头痛，"你要是不来，那我就去找苏紫轩了。"

"她也去山西。"张广发脑子里千头万绪，不知不觉就说走了嘴。

李钦一听就急了："什么什么，她也去山西，这到底怎么回事儿啊？"

"少爷你可别喊！"张广发恨不得拿东西堵他的嘴，"这是机密大事，可不敢漏出风声去。"

"……是吗，好吧，你不说我也就不问了。"李钦转了转眼珠。

张广发刚松了一口气，李钦一句话差点没让他背过气去。

"不过去山西得算上我一个！"

西城的一所四合院小宅里，苏紫轩在房中，此时身边并无外人。早起沐浴后，她换上一身素净的白衣，赤着一双小巧玲珑的玉足坐在绣墩上，四喜给她梳着头，二人正在聊天。

"那个李钦可真讨厌，三天两头跑过来，也不嫌烦得慌。小姐你要是再不给他脸色看，我替你赶他出去。"四喜鼓起腮帮。

苏紫轩手中拿着一枝窖养的牡丹，轻拨着花瓣，闭上眼暗嗅那花香，随口答道："他和他爹不和，将来也许能用得上，所以先别得罪他。"

"嗯，好吧，算便宜了他。对了，小姐，我已经嘱咐厨房，打今儿起您茹素，一点荤腥都不沾的。"

"前几日就是如此了，只是防着人起疑，今儿才说罢了。"苏紫轩眼中闪过一抹哀色。

四喜觉出了，赶忙换个话题："小姐，你说那个京商的掌柜，怎么会知道我们手里有一家山西票号能帮上他的忙。"

苏紫轩淡淡一笑："他才没那么大本事呢，必是李万堂的主意。当初我当他面说的那本账册，上面所有的银钱往来都是通过那家山西的票号。他必是想到外人的票号无法用来做这种机密事，所以那票号一定在我名下。"

"那小姐你干吗要和他们去山西？"四喜一双大眼睛眨巴眨巴。

苏紫轩慢悠悠地说："京城眼下戒备森严，京商又失了元气，一时也难以利用。晋商富甲天下，又恰好负责国库的转接，所以我要去寻个机会，看看能不能……"她用雪白的贝齿咬了咬唇，忽地将花枝折断，却转过头看向四喜。

"小姐，你别动嘛，头发都乱了。"

苏紫轩没有理会她的话，认真问道："四喜，我要做的事情极险，被抓住了凌迟有余，你要是不愿意陪着我也是人之常情。"她边说边走到桌前，背对着四喜将桂花酒倒了一杯。右手看似去执杯，实则将捏着的拇指和食指一松，将方才从胭脂匣底下的一个暗格中捏出的一撮红末倒入酒里，随后轻轻晃动酒杯，转过身来。

"我知道你在保定府还有亲人，我送你一千两银票，足够衣食无忧。喝了这杯临别酒，你就去投奔他们吧。"

"小姐你说什么话，我怎么能离开你呢？"四喜冷不防听到这话，顿时呆了，眼睛大张着，泪花显现，"我爹娘死了，当初就是他们这几个'亲人'卖了我，如今我还去让他们再卖一次？我只认小姐，只有你对我好，我是死也不离开的，刀山火海也跟着你呢。"说着小嘴一扁，伤心地哭了起来。

苏紫轩盯了她良久，这才打开房门，泼了那杯酒，回转身笑道："瞧你，这点小事就哭吗？既是不愿走，那便留下来好了，谁说一定要撵你了？"

四喜破涕为笑，又闹着要给小姐梳个好看的样式，苏紫轩也笑着依了她。只苦了庭院里那窝蚂蚁，整整一窝都死得绝了种。

"闹盐"一事过后，古平原的身体也养得差不多了。他静极思动，原想出去走走，但虑及自己的流犯身份，以及那一次差点被巡城士兵抓住的遭遇，还是不想多抛头露面。好在常家宅子够大，后面有一个花园，被李嫂打理得十分雅致，倒有不少可观之景，古平原就在此处整日消磨时光。

这一天，古平原正在大厅等常四老爹与刘黑塔，觉得自己也是时候该告辞返乡了。他听见门外有人叫门，知道是常四老爹从盐场回来了，就走上前去应门。正好常玉儿也赶来开门，二人双手各执门闩一端，四目一对，常玉儿红了脸，不言声将手一放，抽身就向后屋走去。

古平原望着她的背影，摇了摇头，心中不解，常四老爹的这个独生女儿，时常与自己在宅中相遇，但自从那次将自己引到闺房之后，她却很少再与自己说话。看她与其他人都有说有笑，对自己却如此冷淡，难不成那件亵衣的事情真的得罪了她？

门一开，常四老爹与刘黑塔走了进来。刘黑塔身子壮，在大狱受的拷打没伤到筋骨，早就好了。常四老爹脖颈上的伤更是皮肉伤，结了痂也就没事了。不过今日不同往日，这爷俩好像是闹了什么别扭，常四老爹气哼哼地往屋中一坐，端起茶来一饮而尽。刘黑塔黑着脸站在立柱旁，也不看老爹，只是不言声。

李嫂见状失笑道："哟，这可真是太阳打西边出来，你们爷俩这该不是置气呢吧？"

"怎么不是！"常四老爹余怒未歇，一指刘黑塔："你这小子胆大包天了是不是，你要是敢去，看我不打断你的腿。"

李嫂一听这话，知道老爹动了真火，赶忙跑到后屋去把常玉儿请了来解劝。

这边刘黑塔倔头倔脑道："有什么了不起，不就是玩命嘛。"

"好哇，看来真得打断你的腿，至少还能保住你的小命。"常四老爹火往上撞，几步赶过来，抄起顶门棍就要揍刘黑塔。古平原在一旁，怎么能让他真下手，立时拦住老爹。

这时候常玉儿也到了，伸手夺过爹手里的棍子，真是又好气又好笑："爹，您都多大岁数了，再说大哥都多大了，您怎么能还像小时候那样说打就打呢。"

"多大我也打得。"常四老爹气得胡子都撅起来了，"我辛辛苦苦把你们拉扯大，他可倒好，要去玩命！唉！"常四老爹一声叹，重又坐回到椅子里。

"有道是富贵险中求，不冒冒险哪来的财路？虽说打发了那伙闹盐的，可现在家里一点积蓄都没了。我听说陈赖子正找我们盐场的那几个债主，要收他们手里的欠条，来抽我们的本金。到时候还不是一样傻眼。莫不如乘着这么个好机会，赚上一大笔，省得受陈赖子的气。"刘黑塔并不服气，一只手叉着腰大声道来。

"听听，他还一堆的道理。"常四老爹心知干儿子说得没错，只是他要做的事太过凶险，说什么也不能答应。

"大哥。"常玉儿埋怨地叫了一声，转回头向着爹笑道，"女儿这可是听糊涂了，难不成大哥要去干什么犯法的事？"

"唉！我懒得说，反正不是什么好事。"

"犯什么法，做买卖也犯法？爹不说，我来说！"刘黑塔巴不得妹子站在自己这边，抢着要把事情说清楚。

这事发生在三日前，消息传自太原府。从蒙古来了几位客商，找到省城最大的"悬济堂"药铺，说是要大宗地进货。药铺自然巴结，大掌柜亲自出迎，奉茶一问，却原来只要一味药，便是山西特产的"岢岚五加皮"。五加皮就是杨树根，要最细的那一截才有药效，主治痈肿疔毒，消水肿心腹气胀，该药以岢岚县所产的最为奇效，不过这种药论药效不如延胡索，又不能种植，所以当地的药农采集量很少。

这味药悬济堂自然有，只是一年下来进货量不过五百斤而已。这几位客商一张口要一万五千斤的货，把大掌柜的也吓了一跳，盘算一下，通省城搜罗搜罗也不到他们要货量的一成。这一万五千斤的生意着实诱人，大掌柜连夜派人到岢岚县进货，又向同行拆借，好不容易凑足了数量，但蒙古客商的一个要求却让这笔生意几乎泡汤。

"莫非有什么无理的要求？"古平原听得入神，见刘黑塔说得口干，给他递上一碗水，顺口问道。

要求其实并不无理，只是要送货上门而已，并且要一个月内送到。大宗买卖历来可以送货上门，像如此巨额的生意，甚至可以免费送货。但就是这个要求，大掌柜却无法满足，双方就僵在此处，怎么也谈不拢。

"那是为何，眼看货已备齐，送过去就是一笔好买卖，为何不送？"古平原不解。

常四老爹开口了，说得又急又快，倒像是为他劝阻刘黑塔辩解似的。"古老弟，你不是本地人，自然不知内情。"

内情是前来买货的客商来自漠北蒙古，也就是俗称的柯尔克蒙古，要求送货的地方在柯尔克蒙古草原的北面，靠近恰克图的盟旗所在地巴彦勒格，那里是柯尔克蒙古人最大的聚居地。

"按照路程来说，从太原到巴彦勒格，驼队走上一个月的时间是足够了。可是现在漠南蒙古与漠北蒙古的军队为了争夺一大片丰美的水草地正在交战，整个草原打得是狼烟四起。漠南蒙古与漠北蒙古的王爷都是朝廷封的，眼下朝廷也不知要偏向哪一头，正在左右为难，仗还不知要打多久。要送货去漠北蒙古，就一定要经过漠南蒙古的地盘，到时候还不是羊入虎口。"常四老爹三言两语把事情解释得很清楚了。

"难道不可绕路而行？"古平原对晋蒙之间的地理不熟悉，故此有这一问。要解释也很容易，从山西出发，如果要绕过漠南蒙古到达漠北，要么走甘肃新疆一线，要么过直隶奉天黑龙江，俱是万里之遥，别说一个月，就是一季也到不了。

古平原一听就明白了，但有一点：为何刘黑塔明知不能成事，还非要前往不可？

只因有一条险道！

在贺兰山旁，经过传说中的铁木真陵，之后会有一条枯水河。涉河而过走上一天的路程，便可来到一处草场。

"其实是墓场。"常四老爹说，"要想不被漠南的军队发现，唯有穿过这处草场，问题是这草场里处处都是无底的泥沼，每走几步便是一个杀人的陷阱。尽管人人都知道从这条路到漠北是最近的，还不用到杀虎口缴税，可是没有几个商队有胆子从此走。最起码自我记事起，山西商人就当没有这条路一样。"

"想来在那里陷了不少人？"

"何止，你出门去问问，凡是家里有走西口的，祖上都有人死在'黑水沼'。"

"哦，原来是叫黑水沼，听这名字就是大凶之地。"

"半点不错，古老弟，你想想看，我怎么能让黑塔去冒这个险。"

但黑水沼也并不是有去无回之地，沼泽里其实还是有路可以穿行而过，问题是这路总是变来变去，今年在这里，明年可能又跑到别的地方去了，就是最有经验的向导也摸不清路数，只能一步步去蹚。运气好的就能蹚过去，但大部分都一失足遭了灭顶之灾，连个囫囵尸首也寻不回。

古平原边听边作计较，此刻心里已经有了打算。他这几日也替常四老爹盘算过，知道常家的灾厄还不算完全过去，主要就在当初常四老爹盘盐场时借的那一千两银子上。要是陈赖子真的把这几笔借债都转买过来，眨眼间就又成了常家的大债主，到时候还是会逼着常家腾房子。放印子钱的都心黑手辣，看样子陈赖子要使的正是这一招。而常家要想不受胁迫，只有趁早将那一千两还上，眼下就是个好机会。

"老爹，这笔买卖要是做成了能赚多少？"若是少，自然不值得拿命去搏。

"听说悬济堂去收药的时候，已经有人漏了风声，所以药农扳价，原本应该是一千五百两银子的药最后花了两千五百两才买到手。"

"运费呢？"

"现在就是差在运费上。这笔买卖要是不运，根本就不能成交。若是运，哪个敢去走黑水沼？听说现在悬济堂的大掌柜急得团团乱转，运费肯出到一千两，可还是无人敢去。至于蒙古人那边的出价，那是人家的秘密，谁肯轻易泄露。"

"我懂了。"古平原眼前一亮，"蒙古人出的一定是天价，否则悬济堂绝不会任由药农扳价，也不会把运费出到千两。老爹，我想去趟太原城。"

"你去太原城做什么？"

"知己知彼方能百战百胜，这么大的买卖，不能只由悬济堂一口出价。我想去会会那帮蒙古人，摸摸他们的实底，咱们既然要卖命，就要卖得值回票价。"

常四老爹品了品他话里的意思，眉毛一扬："古老弟，你要做这趟玩命的买卖？"

"不，我是替常老爹做，赚了钱还了债，就可以不受那陈赖子的气了。"

常玉儿在一旁听了半晌，眼里流露出感激的神情。刘黑塔更是激动不已："古大哥，你真够义气，我真是服了你了。"

常四老爹止住干儿子，严肃地说："古老弟，这可不行。你我虽然不算是深交，可是我能看出你这个人古道热肠。问题是这是我家的事，怎可让你去涉险。真要去做，也是我这把老骨头去蹚路，反正也年纪大了，死不足惜了。"

古平原早知他有这么一说，干脆就打开天窗说亮话："如说我全是为了常家就肯把条性命押上，也不尽然，我还有我的打算。老爹知道我的身世，既然考学不成又革了功名，此番回乡如果双手空空，非但不能帮助家里，只怕还要拖累老母弟妹。所以我要做这笔买卖，既是帮老爹筹得还债之银，也要帮自己赚上一笔，将来带回家乡。不管做什么，也算是有点本钱。"

这么一说，常四老爹方才释然，人家有人家的打算。但也正因为这样，常四老爹对古平原更是刮目相看。普通人刚刚脱困出难，哪里还有闲心去想将来，更别提还要为家中打算。古平原却是走一步想三步，心思细密不说，胆子也大，三言两语之间，就敢把一条命豁出去，不由得人不佩服。

他这样想，一旁的常玉儿与刘黑塔也都是如此想，刘黑塔先就嚷了起来："古大哥，这一趟谁都拦不住我了，我非和你一道去不可。"

古平原笑而不答，看向常四老爹。

常四老爹再想想，一跺脚："好，你就随着古老弟去吧，有他在，我也放心。"

古平原心头大喜，他也知道刘黑塔在道上肯定是个好帮手，听老爹吐口，自然大喜过望。

既然只有一月之期，那就事不宜迟。古平原、常四老爹与刘黑塔当天就上路奔往太原府。常玉儿与李嫂给他们，特别是古、刘二人打点好了行囊。临行之际，常玉儿嘱咐父亲和大哥一路小心，末了走到古平原面前，低着头，用细若蚊蝇的声音说道："你……千万保重身体，一定要回来。"

短短两句话，常玉儿吞吞吐吐半天才说完，脸已经红到脖颈，之后，她扭转身快步走到门后，不再出来。

大门外的几个人面面相觑，特别是古平原第一次听常玉儿对自己讲话，那语气竟然仿佛是妻子在嘱咐临行的丈夫，真正是丈二和尚摸不着头脑。饶是他聪明，也听了个张口结舌，不知如何应对。

但此时也没时间深究，几个人打马如飞，直奔几百里外的太原府而去。

他们快出县城门的时候，泰裕丰的王大掌柜刚好从店里往外走，见三人骑马出城而去，便是一愣。他前些日子被一根筋的常四老爹气个半死，等常四老爹走了，人也放了，他才一拍大腿："我怎么犯这份糊涂，常四死了，剩下他女儿一个不是更好对付吗？"不过人已经放了，再怎么后悔也是徒呼奈何，为此他是接连好几天都怏然不乐。

现在看常家人打马出城，王天贵皱起眉头眼珠转了转，点手唤过身边的小厮："去找陈赖子，让他打听打听常家的人去干什么。必要的时候一路追过去，打听明白回来告诉我。"

"是！"

古平原几个人并不知道行藏被人看了去，跑了两天，总算赶在第二日天黑前进了太原城。

刘黑塔前些日子刚刚来过省城，不过现在这里已经大不一样了，处处张灯结彩，绫绡串鼓，红街彩市，不是过年，却比过年还要热闹。不消说，这就是在为同治爷登基大庆做准备了，用的自然是"常记"的那一批杂货。

"你看怎么样？"常四老爹马鞭一指，问干儿子，言下之意就是这批货装点了整个太原府，如是待价而沽，就不只是三百两而已。

刘黑塔却不明白老爹的用意，只是不住赞叹："上回来省城，到处都像是和尚庙，这回好看多了。"

常四老爹摇摇头，不去理他，转而对古平原说："古老弟，我们是先找家客栈住下，还是先去悬济堂看看？那家药店大得很，就在巡抚衙门的隔街上。"

古平原想了一下："这样吧，我们定一家客栈，就让刘兄弟把行李送过去，我与老爹直接去悬济堂。"

"如此甚好。"常四老爹嘱咐了干儿子几句，将行李卸下来交与刘黑塔，然后与古平原并骑前往悬济堂。

他们来得正好，悬济堂的门口此时热闹极了，一群身穿羊皮坎肩，脚踩"蹬破天"皮靴的汉子正将药铺的大门围了个水泄不通，而那大门已然紧闭。

"都是驼队的领房。"常四老爹一眼就认了出来。"领房"这个词对古平原倒是陌生，常四老爹解释道："领房就是我们山西商人走西口的领队人，其实就是路途上实际的头领，沿路上行止吃喝都要听领房的话。当然领房赚的钱也要比商队里普通的驼夫多好几倍，可是一旦驼队因为引路的缘故出了事，他的干系也是甚大，甚至要倾家荡产来赔。"

"看样子，他们围在悬济堂外，也是因为蒙古的那笔买卖。"

"那是自然，这笔脚钱拿到手，也就不必再吃走西口的苦了。"

古平原吐了口气，下马来到悬济堂门口，抱了抱拳："各位，请让让。我要进去见大掌柜的。"

谁肯给他让？有个戴翻毛帽子的矮个子斜睨了他一眼："你这人不是本地的吧？这几天买药从后门走，前门叫咱们爷们占了。"

"哦。我还真是从外地来的。请教了，这前门为何不开？"

"你问得着吗？算了，告诉你也无妨。有批蒙古人来买药，说是要运到漠北去，咱们都是来打听看他们到底出的什么价。可这人被大掌柜的藏起来了，谁也见不到啊。"

原来这些领房都与古平原一样，怕大掌柜私自压价，想来探个实底。古平原心里明白，现在大掌柜与这伙子领房是"麻秆打狼——两头害怕"。大掌柜怕被人探了实底，来个狮子大张口。而领房则是怕大掌柜心黑，吞了驼队的脚钱。

想明白这一节，古平原心里有了底，扬声大叫："开门，开门，敢走黑水沼的主儿来了。"

他这么一叫，人群无不侧目，也就自然而然地闪开了一条路。古平原走上前去，扣住门环，啪、啪、啪连拍三声，口里喊的还是方才那句话。

身后的这群领房都愣住了，先是互相小声询问，很快就按捺不住，也高声叫了起来。

"小子，你是哪儿来的？敢和我们领房抢生意。"

"哎，你不是常四吗，你领来的这小子是干吗的？脸这么生，没见过啊。"

"是不是胡闹啊？"

众人七嘴八舌，有几个火气大的撸胳膊挽袖子就要上来质问古平原。古平原不慌不忙，转回身抱了抱拳："各位三老四少，我只问大家一句话，要是我让开，你们谁能现在就应承了这笔买卖，要是有，我现在就让。"

几十个领房你看看我，我看看你，顿时鸦雀无声。

古平原笑了笑，又拱拱手："既然如此，不管我是本地人，还是外来户，总得容我进去问问吧。"

话说到此，悬济堂里已经有人应门，一个年长的伙计将门打开一条缝，冲着古平原问了一句："你敢走黑水沼？"

古平原点点头，与常四老爹一前一后进了药铺，门一关，领房人又鼓噪起来。

药铺里冷冷清清，没有人来买药。大厅与后院都堆满了打好包的药材，看样子就是蒙古客商点名要买的五加皮了。

伙计将古平原让到客厅，奉茶之后道："请问贵客怎么称呼，我好去回禀大掌柜。"

"我姓古，名叫古平原。这位是太谷县盐场的常老板。"

"原来是古老板和常老板，请稍坐，我去请大掌柜。"

其实大掌柜早已经知道了，不多时便从堂后走出。经营药材的人没有胖子，大多身材较瘦，悬济堂的大掌柜也不例外，生就苦瓜脸，穿一件天青长衫，一出来便点头道："古老板、常老板，鄙人悬济堂武掌柜。还望多多指教。"

古平原起身回礼："好说，好说。"

"恕我冒昧。"武掌柜打量了一下面前的两个人，不易察觉地皱了皱眉，"方才听伙计说您二位要走黑水沼，可是就我看，你们不像是领房，这……"

古平原不待他把长声拖完，就开口道："武掌柜有眼光，我们的确不是领房，也从没走过西口。"

武掌柜脸一沉："这不是开玩笑吗？莫非是耍戏我武某人不成。"

"岂敢。不过我有一言，不知当讲不当讲。"

"……"

"您看大门外，那么多领房，有的已经年过半百，大概西口走过不下百遍，可是有谁敢喊一嗓子'敢走黑水沼'。没有吧？既然如此，领房又有什么用？"

武掌柜吸了口气："你的意思是？"

"请让我与蒙古人见一面，之后我自有道理。至于脚钱，大掌柜说给一千两，那就是这个数了，我绝不再加。"

"嗯。"古平原不加脚钱的这句话，明显打动了武掌柜，"你有驼队？"

"没有，我还是要用门外这些人。"

"那你有把握让他们不再加脚钱？"

"有。"

"你要见蒙古人……"武掌柜一手扶额，显见得心中委决不下。

"请大掌柜想想，要是这批药材运不出去，这笔买卖就砸了，到时候一万五千斤的药材怎么处理？"古平原不失时机地加了一句。

"别说了，就让你见见蒙古来的客商。"武掌柜打定主意，吩咐一声让伙计去后院请人。

眼见伙计走向后院，武掌柜叹了口气："听古老板讲话，就知道是个心里有谱的人。我也不瞒你说，这笔生意我现在后悔极了。"

"这笔买卖做成了能赚不少，怎么说个悔字？"常四老爹一直没开口，见古平原目的达到，一直紧绷着的心总算有些放下，这才插了句话。

"当初这些蒙古人来买药的时候，我就少问了一句话。总以为就算要运，也必是绕路而运。谁承想货进好了，他们却说要以一个月为期运到，又不给定金，只说货到交钱，当时真如同霹雳一般。这批药材是加价进的货，即使是不加价，这许多五加皮也无处去销，只能眼睁睁烂在手里。到时候东家不但要辞了我，恐怕还要叫我通赔，弄得我这些日子茶饭不思，一想起来就头痛。"

"这么说，这笔买卖对武掌柜来说咬手得很？"

"就是这么句话。"

古平原点了点头，见伙计陪着几个蒙古人进来，便知道是买药的客商到了。

这伙蒙古客商为首的那人，长着一张方脸，下颔却是尖的，他双眉斜立，显得面目阴沉。这人进来就好大不耐烦，用一口流利的汉话道："武掌柜，你总是避着不见面，难道不发货了吗？要是这样我们可回去了。"

"巴图老爷，您别急，这不是运货的人到了嘛。所以请您出来商谈几句，看看把货运到什么地方。"

巴图上一眼下一眼打量了古平原半天，挑了挑眉问道："你就是驼队的领房？"

他打量古平原的时候，古平原也在看他，见问答道："是。这趟货由我来运。"

"那你知道要用多长时间运到？"

"发货之日起一个月为期。"

"既然这样，你有把握吗？要是过了期，我可不收货。"

"没问题，走过黑水沼到漠北，二十天就够了。"

"哈哈哈。"巴图一阵大笑，"敢走黑水沼，是条汉子。既然这样，你按时将货送到巴彦勒格以西十五里的一个名叫乌克朵的小城里。我带人先回去，到时会在那里接货。"

"货款怎么付？"

"货到付现银。"

"多少？"

听古平原问到这一句，武掌柜对着巴图使了个眼色，巴图却看也没看便实话实说道："足锭纹银六千两。"

"恕我再问一句，这批药材运到漠北是要做什么用？"

"哼。"巴图大为不满，"我说你这个领房怎么这么多事。譬如说你们山西商人来我们草原买牛，我们会问这牛运回去是杀了吃肉，还是耕地种田吗？"

"巴图老爷您息怒，他也是好奇心重，没有别的意思。"武掌柜生怕得罪了蒙古客商，忙赔不是，一面回身埋怨道："古老板，问那么多干什么，货运到收银子不就是了嘛。"

古平原笑了笑没言语，等巴图一干人走了，武掌柜送至门外。常四老爹在古平原身后悄悄说道："我瞧着这人不大地道，我以前也和蒙古客商打过不少交道，没一个像他那样说话支支吾吾。"

"但这笔买卖倒是不假。"古平原也小声说道。正因为真，所以期限很严格，要按期送到。如果别有内情，又或者是有意行骗，那倒是不妨放缓些日子，以免到手的大鱼跑了。所以古平原敢肯定，这笔买卖确实是不假。

待武掌柜转回屋，古平原已经气定神闲准备了一番话说。

武掌柜先开了口，苦笑道："古老板，这下子我的底可是被你探得一清二楚了。"

古平原一抬手："武掌柜，还像我方才说的那样，脚钱就是一千两，绝不再加。"

武掌柜明显并不相信："既然这样，古老板盯的是哪一份银子呢？"

"我方才算了一下，蒙古人出价六千两，去掉脚钱一千两，还剩五千两。而武掌柜进货用了两千五百两，等于是对半的利，难怪武掌柜对这笔买卖如此上心。"

药材生意，除了人参之外，难得能有两成的利润，两千五百两即使是对悬济堂这样省城数一数二的大药铺来说，也是不菲的利润。武掌柜要是做成了这笔生意，年终分红利，东家自然不会亏待他。

古平原接着道："既然武掌柜觉得这笔生意咬手，何妨少担点风险。"

"你这话是……"

"我买下你手中五千斤的药材，但我不拿现银出来，如果货物平安运到，利润你我三七开。"

"也就是说这笔买卖，你入三成的干股，只分红。"武掌柜沉吟道。

"对。"

"那要是赔了呢？比如说车队陷在黑水沼。"武掌柜紧盯一句。

常四老爹答话了："简单。我在太谷有老宅、有盐场，加在一起足够赔你那五千斤的药材。"

武掌柜沉思片刻，一指桌上的文房四宝："立字据。"

找来中保，常四老爹按了手印，将随身带来的房契与武掌柜过目无误之后，武掌柜也按上了手印。

"接下来就要去找外面那些领房了。"古平原松了口气。

武掌柜却紧锁眉头："这些人可不好对付，在门外已经围了四五天了，又想吃羊，又怕惹一身膻。"

"不要紧，我出去说两句话，他们自然会跟我一起走。"古平原极有把握地向外走去。

武掌柜与常四老爹对视一眼，也紧紧跟了出去。常四老爹知道这班领房的厉害，生怕古平原吃亏。武掌柜则是一半担心，一半好奇，不晓得古平原会使出什么手段来降服这一班号称天难收、地难管的驼夫头子。

等出了门口一看，古平原已经站在门外的大石狮的底座上，一手抓住狮头，另一只手在空中招了一招。其实不必他招手，在场的领房人自然而然围拢了过来。

"各位三老四少，有件事和大家说一声，这一趟跑漠北的活计我古某人已经担了下来。但是我没有驼队，不知哪位肯与我走这一趟？"

一句话说出来，人群顿时炸了锅，众人先是齐刷刷将眼光投向武掌柜，见他没有异议，知道古平原说的是真话。顿时七嘴八舌，说什么的都有，但总是以风凉话居多。

"这小子莫不是失心疯了，我们领房都不敢走的黑水沼，他敢走？"

"我看，大概武掌柜也是急疯了，找了个毛头小子来押货。"

"这一趟悬济堂肯定是赔大发了。"

古平原不动声色。足有一刻钟之后，待人群稍稍安静下来，他才道："各位，说句老实话，我对走西口的路不熟。我想请教各位一句，要是这一趟不走黑水沼，而是从别的地方绕道去漠北，一千两银子你们肯走吗？"

"废话，要是不走黑水沼，一支驼队二百两银子就去得。"人群中有人喊道，众领房一致点头，看来这是个众人认可的公价。

"我明白了，这与路途远近无关。之所以走黑水沼一千两银子都没人肯去，全是因为路上凶险，要冒生命危险。"古平原故作恍然大悟的样子。

"你到底是真不懂还是假不懂，别在这儿装蒜。黑水沼是出了名的吃人不吐骨头，要是黄土大道，还轮得到你来抢食？"有个性子急躁的领房高叫起来。

古平原笑了笑："那我还要问一句，如果这一趟即使是走黑水沼，也能保证平平安安就能把一千两银子赚到手，你们肯去吗？"

他三说两说，把大家伙都说糊涂了。连常四老爹、武掌柜在内，人人都交换着疑惑的眼神，反而没人肯出声了。

等了一会儿，一位看起来年纪最长的领房人开了口："后生子，你就别卖关子了，到底你有什么好办法，也说出来让我们大家都听一听。难道说你知道什么万无一失的路线不成？"

听老领房这么一问，人人都屏住呼吸，等着古平原回答。

古平原拱了拱手："老人家，我哪里有什么万无一失的路线，不过我却有万无一失的法子。"

古平原的办法一说出来，所有人都惊得呆了。原来古平原提出驼队一进入黑水沼，就由他走在十丈之前。一旦古平原陷进泥沼，驼队就可以不用前进，直接原路后退返回太原府，而脚钱照付。

"当然，要是货没运到，就不能找武掌柜要脚钱。不过这笔一千两银子的脚钱，太谷县的常四老爹会给你们的。"

这真是万无一失的办法，照这个办法，驼队一点风险也不用冒。无论是顺利走出黑水沼，还是原路返回太原城，都能拿到巨额的脚钱。只是这方法也太过匪夷所思，古平原说完半晌，才有人试探地问："那你的意思是，如果你陷进泥沼，驼队就可以不必前进了？"

"对，也不必救我，大家只管向后转，安全地撤出来也就是了。"古平原说得斩钉截铁。

古平原之所以如此做，其实不全是胆子大。他打小就听人说过，雍正年间徽州大粮商胡贯三顶着洪水给灾民运粮的事。徽人行商以智计为先，但从来也不乏置之死地而后生的行为。原因就在于坦途大道上竞争者必多，利则必少，而险地则刚好相反，人少利多。至于是得不偿失还是得偿所愿，正是考验一个商人眼光的时候，该冒的风险就一定不要犹豫。

这下众人是真的听懂了，这个外乡人才是真的要来玩命，而且是货真价实，一点退路都不给自己留。

谁也没想到古平原会出这么绝的一个主意。众人哗然一声，议论纷纷，自然都是在说古平原。武掌柜好不容易才回过神，偏一偏头，问向常四老爹："这年轻人是什么来路？"

常四老爹早就听呆了，咽了口唾沫，张张嘴，想说却又没说出口。

这时就听古平原又大声道："诸位，有道是'胆小不得将军做'，古某这一次命是豁出去了，谁敢和我一起去？"

走西口的汉子最服的就是拿命不当命的人，越是狠角色，越能得到大家的信服。方才一大群领房人没一个正眼看古平原，可现在不同了，他们纷纷走上来拍古平原的肩，对他的胆大妄为表示赞赏。

现在古平原已经发愁究竟要带哪个领房的驼队走了，他把这个难题留给常四老爹。自己将武掌柜叫到一边："大掌柜，请问柜上可有懂医术的伙计？"

"怎么没有？悬济堂的伙计个个都略通医道，就是称得上精通的也有几个。"

"那好，麻烦你荐一个通蒙语的随我一起走。"

这在武掌柜不是难事，他很痛快就答应了古平原的要求。然而他进去找人，却半天都没出来，古平原心中起疑，走进铺内，就听武掌柜在骂人。

"养你们这帮人是干什么用的？关键时候都是废物点心，胆子比耗子还小。"

就听一个伙计强辩道："掌柜的，我真的是腿脚不好。"有开头的，众伙计纷纷诉苦。

"我娘有病，不能远离。"

"我爷爷病了大半年了，就是这两天的事儿了。"

"你们……"武掌柜气得说不出话。

"要不让乔松年去吧，他来了柜上也快两年了，蒙古也去过两回，那边的话说得不赖。"

"乔松年？"武掌柜认真考虑了一下，这个姓乔的伙计现下并不在此，而是到街里收账去了。

"他行！"

"没问题。"

"药材上懂，蒙语也通，就是他吧。"众伙计又是一番七嘴八舌。

武掌柜冷笑一声："平日把人家贬得一钱不值，说什么清高、不合群、故作深沉，现在又捧上天，你以为我不知道你们怎么想的？"

一句话把众伙计都说闭了嘴，但是武掌柜思来想去还是叹了一声："行了，就派他去吧。"

古平原在悬济堂外说的一番话，被从太谷随后赶至的陈赖子一字不差听在耳朵里，他快马加鞭回报给王大掌柜。

"常四请了这样的能人？"王大掌柜颇有些不能相信。

陈赖子跟在他身后亦步亦趋："照小的看，那姓古的不像是常四的伙计，两个人倒像是搭伙做买卖。"

"你以前听说过这姓古的吗？"

"他不是本地人。听大车队的伙计说，常四是从在关外将他带回来的。"

"关外？"王大掌柜沉吟片刻，忽地一击掌，"关外哪有什么正经的买卖人，除了当兵的就是流犯。难道说……那姓古的是个偷跑出来的流犯？"

陈赖子吓了一跳："不能吧，常四出了名的下雨都怕砸脑袋，他敢私带流犯入关？"

"何止掉脑袋，是杀头抄家的罪名。"王大掌柜眼里放光，"这事宁可信其有，不可信其无。你去一趟关外，查查这个姓古的底。如果真是流犯，常家的老宅一分钱都不用花，就能拿到手。"

"我……"时近冬天，陈赖子还真不想跑到唾地立冰的关外去遭罪。

王大掌柜脸一沉，随即和缓下来："你放心，常家的宅子到手后，你那一份我加倍。"

"是，小的先谢谢王大老爷赏。"陈赖子本性最是贪钱，立时笑容满面，"我这就去，您就等信儿吧。"

王大掌柜满意地点点头，见陈赖子退了出去，拿起桌上的一块面点心，用手使劲一握，松手时，点心已经碎成了粉末。

驼队的人一年四季行李包裹都是打好卷捆在驼背上，说一声走，立时就可以拔脚，巧的是悬济堂的药材也是打好了包只等装，几乎是一夜之间驼队就已经准备好了。

　　一万五千斤的货仅凭一支驼队是无论如何不够的，这就显见了常四老爹的办事老到。他雇了两支驼队，自然有两个领房，一个是本地公认经验最是丰富的老齐头，另一个却还是学满出师不过一年的年轻领房，孙二领房。

　　刘黑塔嫌那年轻人没经验，常四老爹道："你懂什么，驼队在一起走，说是两支其实是一支。若是两个领房都是老资格，到时候各执己见，驼队难免要起争执。现在这样一老一少，老的有经验，少的有精力，才是最好的搭配。"

　　古平原听了暗自点头，觉得常四老爹的用人之道十分可取，用句俗话来说就是"一山不能容二虎"，如此安排甚是妥当。

　　常四老爹走到古平原面前："古老弟，你真是好角色，现在整个太原城都传遍了，说是有个外乡人胆大包天，要带头去闯黑水沼。"

　　古平原平素也没觉得自己的胆子有多大，倒是这一次全凭一股血气之勇，出了个大彩，不仅自己面上有光，连带常家的名号也打响了，心里也是有几分得意。但是他心里这样想，嘴上却不能露出来："大概就是因为我是外乡人，不晓得这黑水沼的可怕才敢去闯一闯，但愿到了那里不要出丑露乖才好。"

　　"我要说的正是这个。"常四老爹正容说道，"古老弟，真要是到了黑水沼，能过则过，过不去就算了，不值得把一条命搭在里面。能交到你这样的好朋友，盐场和老宅也不算什么，权当已经没了。"

　　古平原面上表示感谢老爹的心意，心里却是打定主意。人家话自然是要这么说，可是自己不能半吊子，这一次便是刀山油锅也要闯过去，不然就索性躺在黑水沼里睡个饱。

　　二人正在说话，就听前面市集中忽然传来争执的声音，常四老爹望了望，皱眉道："好像是咱们驼队的人。"

　　古平原这时候最怕的就是意外，于是抬腿来到事发之地，一问才知道，事情不大，驼队有个伙计打算在集上杂货铺买一套骆驼搭具，货看好了，付账的时候人家却不肯收他的五两银票。

"银票是真的，凭什么不收？"那伙计十分的不服气。

"你这是钱庄票，不是票号票。"

"四大恒不也是钱庄？"伙计紧跟一句，自认为占了全理。

"那不一样，人家是鼎鼎有名的字号，你这张'阜康'的票子谁认得？"货主不为所动。

"我认得，我来跟你换。"旁边有人接话，说着还真拿出五两银子换了那伙计手中的一张银票。

"老王。"边上有认识的人出言提醒，"'阜康'这名字生得很，你不要被骗了。"

"不要乱讲，这是财神票，你们懂什么？"那叫老王的人斜了一眼，把银票捏在手上抖了一抖。

"财神票"这个名字立时引起了人们的兴趣，而那老王也乐于给大家解释解释，免得让人以为自己是"痴生"，山西话也就是笨蛋的意思。

据老王说，他刚刚从南边回来，"阜康"这家字号虽然创立时间不长，在江浙一带已经很吃得开了，它的大老板名叫胡雪岩，眼下有个"财神"的绰号，在吴越一带的商界可说是无人不晓。

"财神岂能乱叫，你说的这个胡雪岩刚开钱庄不久，难不成就富甲天下？"有人自然要提这样的疑问。

但其实这个绰号是得来有据的。据说"阜康"开业的第一年除夕，按惯例是商家迎财神的日子。胡雪岩一位姓张的好友约了几个同城的富户去给他堆花献宝，也就是把大额的银两在除夕夜存入钱庄，图的是个好兆头。钱庄这一天歇业，伙计都放假回家，只有胡雪岩说好了在钱庄等候。这几个人来到"阜康"却是敲门不应，姓张的熟门熟路，于是径直推门而入。门一推开可不得了，几个人都是大吃了一惊。就见满厅灯火辉煌耀目，文财神陶朱公正坐在正厅，几个人吓得倒头便拜，耳边却听胡雪岩诧异惊问，再一抬头，面前坐的哪是财神，分明是胡雪岩胡大老板。

"你们说说看，要是一人眼花也就罢了，何至于好几个人都眼花，又都看到了财神真身，所以立马就传开了，都说这胡雪岩是财神转世，谁和他做生意，谁就要交一步好运。"老王绘声绘色这一讲，把周围人都听呆了。他又得意道：

"所以这张'阜康'的票子真正是'财神票'，即便留着不花用，带着身上也是好的。"

这一解说众人方才明白，那换了银票的小伙计脸上禁不住显出懊恼的神色，走驼队的人没有不迷信的，更何况是要走黑水沼，靠的就是运气，却又放走了财神，岂不是大不吉利。

古平原一直在旁静观，此时踏前一步，冲着老王拱了拱手道："朋友，这张财神票让给我可好。"

老王当然不肯，古平原却肯出一倍的价钱，而且加了一句"这翻番的钱是财神送你的，要是不要，你老兄就不怕财神生气？"这句话一出口，老王不让也得让了。

常四老爹凑前仔细看了看古平原手里的银票，笑了笑道："古老弟是读书人，想不到也……"

下面的话常四老爹没说，古平原自然心知肚明，却是笑笑不响。他的盘算其实很简单，这次驼队能不能走下来，信心很是重要，自己拿回财神票，对于整个驼队的士气是个振奋。至于"财神"一说，古平原自己也是个心有七窍的人，哪会不知道这是那位胡雪岩自己装神弄鬼，借以为"阜康"造势？再一想，却也不得不佩服这姓胡的手段，因为这样的事情即使有人猜到真相也无法拆穿，升斗小民更是宁信其有，可以说是一着绝妙好棋。

"和这样的人做生意，想必是一件很有趣的事。"古平原把"财神票"认真叠起来放入衣袋中。

这时有个驼队的伙计来了。

"常老板，这边有位姑娘找您。"

"找我？"常四老爹一皱眉，举目望去便是一愣，"玉儿，你怎么来了？"

常玉儿雇了一辆马车，不答常四老爹的话，只是吩咐着车老板将车上之物卸了下来。常四老爹一看更是诧异，常玉儿带了两个包裹和一口小箱子。

"玉儿，我们应带之物都备齐了，你就不用再……"

"爹，这是我的应带之物。"常玉儿穿着锦青的素色短袄，配一条玄色夹裤，略施粉黛，将头发梳成一条又黑又粗的长辫儿，辫梢儿扎着一根红绳，上有珠花，看上去很是利落。

"啊？！"三个人听了都是大吃一惊。

"爹，我也要跟着驼队一起走。"常玉儿声音不大，语气却十分的坚决。

"不行，我不同意，你一个女儿家，怎么能走长路，何况还是这么危险的路！"常四老爹几乎是喊了出来。刘黑塔与古平原也是下意识地直摇头。

常玉儿却是不愠不火："爹，您听我说。"她一指刘黑塔，"就大哥那个脾气，万一在路上发作起来，除了爹之外，只有女儿能镇住他。这次的事情对家里来说非同小可，可不能再像上次那样弄出乱子来。"

"哎。"刘黑塔一听急了，"妹子你怎么拿我说事啊？"

常玉儿脸上微微一红，其实她只说了一半的理由，担心刘黑塔闹事不假，可是自从古平原从家里走了之后，她就坐立不安，常玉儿在心里面其实已经将自己当成古平原的人了。眼见他要冒这么大的危险，实在是放心不下，思前想后这才决定找这么个借口一同跟着去。

要说对付刘黑塔，连常四老爹都不如常玉儿，她抿嘴一笑，借机掩盖脸上的羞色："若说是路上危险，有大哥在，还卫护不了我吗？"

刘黑塔一听又乐了："那是，谁敢碰我妹妹，老子拧了他的脑袋！"

常四老爹狠狠一瞪他，还是那句话："不行！"

常玉儿轻轻一扯爹，把他叫到一旁，轻声说："上次出关的事是大哥去的，这次又加上古……古老板。说来说去是为了我们常家的事情，难道常家就不出个人吗？"

"那也该我去！"常四老爹辩解道。

"陈赖子和王天贵还在觊觎我们家的老宅，上次的情形您赶大车回来时也看到了。要是再来那么一出，家里没有个出面应对的人怎么行？所以您得留下。"常玉儿路上就把说辞都备好了，此时左一个理由、右一个说法，常四老爹实在招架不住。

"可你一个女儿家……"

"爹，花木兰都能代父出征，我也不比她差啊。您别忘了，从小儿您把我当男孩子养，还教过我骑马呢，再说我也会几句蒙语，兴许关键时刻能派上用场。"

"唉！"说到这儿，常四老爹彻底没词了，长叹一声算是应允了。古平原大跌眼镜，没想到这次过五关斩六将，还真要带上个皇嫂，只觉得肩上担子又重了三分。

太原城几乎天天都有驼队出发去走西口，唯有这一次大大不同，前来送行的人从城门排出去足足有三里地，这里面看热闹的居多。等到了城外的三多亭，武掌柜请了一个戏班子，平地唱了一出"得胜归"，博个大大的好彩头，众人拱手相别。

驼队行出没有十里，迎面来了几匹马，还有一辆马车。驼慢马快，彼此一错，古平原打眼一看，顿时大吃一惊，险些从骆驼上跳下来。

马上坐的不是旁人，正是张广发还有李钦。他们也看见了古平原，目光中也满是错愕，但却没有收缰，几匹马依旧飞快地奔着太原府方向而去。

古平原几乎就要催着骆驼去追，但刚起了这个念头，就强逼着自己忍了下来。他不是不知轻重的人，自己要是一催骆驼跑了，驼队非散了不可。想了想只得咬牙忍了，心中却落下一个大大的疑问。

走黑水沼，要先渡黄河。山西境内有名的壶口瀑布，是观黄河的天下第一景，然而要渡黄河，却非远远避开那里不可。驼队沿着黄河往上游走了七天，拣了一处滩多浪平的渡口，将整个驼队运了过去。

这是第一道关，按照老齐头的说法，如果天气好，一直到黑水沼都不会再有什么险隘。可是驼队偏偏碰上了麻烦，走到晋蒙交界处的枯水河时，大家才惊觉，这条已经十余年没有涨水的河流，却因为今年雨水大，发起了水。

正因为这条河平素牵马可过，所以河上并没有渡船。眼看着对岸就是康庄大道，偏偏就过不去，驼队的人急得火上房一般，却是无法可想。只能在岸边搭起帐篷，等待水落。

一连三天，水只见涨不见落，刘黑塔主张牵着骆驼强行过河，老齐头连连摇头："胡闹，骆驼倒是识些水性，可是这批货却是泡不得水，药材见了水，不都糟蹋了吗？"

"齐老爷子说得在理，保药材是第一要务，否则就算驼队过去了，也无济于事。"古平原毕竟在行商一事上经验不足，干脆就全盘向领房请教，"照老爷子看，我们下一步是应该等，还是另谋他策？"

"若在平时，我就说等，等它十天半个月，秋汛过去进了枯水期，还怕水不落下来？可是这一趟，唉，时辰不等人啊。"

"那是自然，那帮蒙古人不是说了吗，晚到一天，也不收货。"刘黑塔一捶大腿。

驼队匆匆赶路，为的就是这刻不容缓的一月期限。古平原仔细计算过，黑水沼的确是一条最近的路，从他们出发之日起，若是一刻不耽误，甚至还能抢出几天的时间。这也是他敢在枯水河边一等就是三天的原因，但现在看起来，真的是等不得了。

"这样的事，我从前也遇到过一回。"老齐头缓缓开口，"那还是我年轻的时候，刚刚当上领房，驼队也是急着要渡河，偏赶上浪急打翻了几条渡船，没人肯渡我们。我当时也是年少气盛，一定要赌这口气，于是带着长绳只身游过险流，在两岸搭起一座绳桥。驼手们骑着骆驼，手握绳桥，虽然被冲走了几个，但是大部分人都渡了过来。"

刘黑塔眨眨眼睛："看不出齐老爷子你年轻的时候还挺生猛。"他又转向古平原："古大哥，要我说咱也有样学样，学上一回如何？这次兄弟我下河去搭绳桥。"

老齐头摆摆手："不行啊，那一次我们运的是铜器，不怕水淹。可这次的货见不得水。"

"不！"听了老齐头的话，古平原一直在低头沉思，这时他站了起来，"不见得就不行，我们可以变通一下。"

"变通？"帐篷里的人不解，齐声问道。

古平原也不加解释，一掀布门走出帐篷，在河边走了几步之后停下来，观察观察水势，然后看看两岸青山，笑了笑："好，就是这样。"

众人都跟着他走了出来，听他这样说，彼此看了看，还是不解其意。

古平原先唤过来一名伙计，交代道："你立刻骑马去附近的镇上，去买长绳，至少要二十丈长，没有就让他们现接，一定要结实。"

伙计领命而去，老齐头走几步来到古平原身侧，试探地问："古老板，你还是要搭绳桥，那恐怕货物要损失一半以上。"

"不。这一次我要搭个天梯。"

古平原的主意是受老齐头的经历启发，他要在两边的山上各找一棵大树，一头高，一头低，将绳子拴在岸两边，利用高低差，将打好包的货物滑过去。这称得上是奇思妙想了，旁人听了都恍然叫好，唯有老齐头脸色变了一变，虽然也说了声"好"字，却显得十分勉强。

古平原看在眼里，心里头一转便知道是怎么回事了。按道理说，这样的好主意，如果不是由经验丰富的领房想出来，那便是无能的表现，甚至重一点可说是失职。现在虽然还没有人意识到这一点，但过后一定会有人说闲话，搞不好老齐头就裁了。

古平原做事最能为人着想，一念及此半分也没有犹豫。进到帐篷里取出一瓶驱寒的汾酒，满上两杯，一杯递给老齐头，自己端了一杯，环顾众人，朗声道："大家听好了，我这个主意全是照搬照抄齐老爷子的故事。今天要不是有他老人家在，咱们这趟就算是砸在这儿了。我代表大家敬老爷子一杯。"

众人又是一阵叫好，老齐头至此脸色已经缓了过来，"花花轿子人抬人"，他是在驼道上混了一辈子的人，人情世故见得老了，立时就明白了古平原的用意。心下感激，面上却不露出来，只将一杯酒吃尽。借着将杯子递还给古平原的当口，低声说了一句："多谢古老板给我老头子捧场。"

话说到这一句，交情就已经有了，古平原也不必再多说什么，只笑着点点头。

办法是有了，待到晌午时分，绳子也买了回来，这时候就看刘黑塔的了。只见他脱去上衣、裤子，只留一条底裤，露出一身黝黑的腱子肉，腰里扎一条两寸宽的牛皮板带，板带上拴着绳子的一头。

古平原不放心，还要再嘱咐两句，刘黑塔豪气干云，听也不听，捧着一坛酒大步来到河边，咕嘟咕嘟连喝几大口，然后将坛子高举过头，双手一较力，"哗啦"一声坛子粉碎，酒浆顺着头顶流淌下来。此时天气已经甚凉，虽是正午也须用烈酒暖身，否则万一在水里抽筋，就是神仙也难救。

一切准备停当，刘黑塔晃晃大脑袋，一个猛子扎到了河里。他的水性的确是很好，潜在水里的时候多，露出头的时候少，只见绳子在急速地向河里钻。但也正是这样，众人才更加捏了一把汗，尤其是刘黑塔潜到水里不见的当口，围在岸上观看的驼队伙计们鸦雀无声，直到刘黑塔露出水面换气，这才大声为他鼓劲喝彩。

"这条河可比我当初渡的那一条要宽，而且水势也急。"老齐头手搭凉棚向河里望，嘴里不停地说道。

所有人中最心急的还属古平原和常玉儿，刘黑塔要是出了事，他们俩回去没法向常四老爹交代。可此时急也没办法，只能呆呆看着。眨眼间刘黑塔就到了河中央，这里有几个大旋涡，看上去就很是危险。古平原方要拢音提醒，就见刘黑塔浮在水面的身子骤然一沉，竟然就此消失不见。

古平原急得连连跺脚，常玉儿原本在人群后看着，此时也紧走几步到河边，焦急地张望。众人也顾不得许多了，连声呼唤，只盼刘黑塔能露出脑袋答应一声。正在大家心焦之际，就听河对岸水面一声响，刘黑塔双脚踩水，从水里蹿了出来，两只手已经搭上了岸边的岩石。

这下子驼队伙计们欢声雷动，刘黑塔回头向对岸高举双手，咧着大嘴笑得甚是开心。古平原这才明白，原来他这是故炫绝技，潜到河底摸着石头过了河。要说这也真是艺高人胆大，河底暗流湍急，要是一个不稳被暗流撞到尖石上，就是十个刘黑塔也没命了。

古平原苦笑一声，按下后怕的心，指挥着伙计们系绳子、运货物。这边又分出人手，搭着绳子过河去帮刘黑塔的忙。一直忙到月上梢头，所有的人、骆驼和货物才都平平安安地到了对面岸上。这时大家都已经饥肠辘辘，疲惫不堪。老齐头和年轻领房领着一帮人搭帐篷，生火做饭。

古平原来到刘黑塔身边，一拳捣在他的肩上，眼里却是笑意："方才我还真以为你沉到底了呢。"

刘黑塔这才有些不好意思："让古大哥你担心了。我就是图个好玩，其实这水根本就不在我眼里，我三岁的时候就能潜在水里抓鱼了。"

"那下回也不许你这样。"常玉儿走过来，拿出"钦差"的身份，她刚刚也是吓得不轻。

"想不到你水性这么好，倒叫我白担心了。"别看古家村外就是新安江，古平原却是半点也不通水性。他的授业恩师谨守孔孟之道，从小就告诉他"身体发肤受之父母，不可损伤"，因此凡是危险的地方都不许古平原去。古平原想起老师的话，又想到此番一行何止"发肤"，压根就是拿性命去赌，不由得有些感慨。

"古大哥，你在想什么？"刘黑塔见他出神，直接问道。

"哦。"古平原笑了笑，"没什么，我在想小时候的事。对了，刘兄弟，你是老爹的螟蛉义子，怎么没跟了老爹的姓？"

一句话问得刘黑塔敛了笑容："这就是老爹厚道。我七岁那年，汾河发大水，我家的村子整个被冲了。爹娘只来得及把我丢到一个木架子上，就被水冲走了。等我醒过来，就已经躺在常家的炕上了。后来听邻居说，当时上游冲下来东西，别人都挑值钱的捡，只有老爹看我还有口气，就把我抱回了家。"

常玉儿对这段往事知道得比谁都清楚，此时在一旁静静地听着。刘黑塔说到此便沉默了下来。古平原知道他在感伤前事，也不来催他，刘黑塔过了一会儿又道："别人都笑老爹傻，正好膝下无子，捡了个儿子却又不叫他改姓。只有老爹私下对我说，不能让老刘家绝了后嗣，所以坚决不许我改姓。"

　　古平原大是动容，叹道："常老爹虽是商人，行事却比那些饱读诗书之辈更具侠烈之风。"

　　"哼！商人怎么了？"老齐头不知什么时候来到他们身边，听见古平原这话，冷笑一声，"我记得去年夏县蝗灾，官府要我们驼队商会捐钱，大家一想都是乡里乡亲，大大小小的驼队一共凑了四百两银子。后来一打听，这笔钱到了夏县统共就剩下了不到四十两，其余的都被那帮狗官一层层扒了皮贪了污。要说那群当官的哪个不是读书人，却心地龌龊得连我们这帮下三滥的脚夫都不愿与之为伍。"

　　古平原闻言一震，只觉得老齐头的话与自己恩师的话，在心里撞来撞去，一时竟不知哪个才是金玉良言。要说他被流配这许多年，眼里看的，耳里听的，早就知道当今之世圣人之言根本就是镜花水月，此刻被老齐头一语揭破，竟隐隐觉得自己当初被革了功名也不是一件坏事。

　　"老齐头，话别说得那么糙，古大哥也是读书人，我看和那些当官的不一样。"刘黑塔粗中有细，见古平原变了颜色，担心他心里难过，故此用话解劝。

　　"别说当官的了，就是咱们山西的那些缙绅老爷，不也都是与官府一个鼻孔出气，那些书都读到狗肚子里了。"老齐头方才也喝了几杯暖身，此刻酒一上头，也顾不得看别人的脸色，只图说个痛快。

　　"我看这话说得也不错。"常玉儿一直没说话，此时开口道，"那王天贵身上听说也有捐来的功名，太谷的县太老爷更是进士出身，还不是沆瀣一气，心黑如墨，专拣着和我们这些升斗小民过不去。"

　　"仗义每多屠狗辈，负心都是状元郎。"古平原背着手念了几句诗，眼见天边云开月明，不知为何竟心情大好起来，对着面前的大河一声长笑。身后的刘、齐二人面面相觑，暗想这位读书人发了什么诗性，却不知从这时起，古平原已经不再是读书人了。

没有"对的"玩法，
就用"我的"玩法

　　刘黑塔此前只是听闻黑水沼如何如何险，这番算是见识到了厉害。摸了摸大脑袋，又看看依旧在前面探路的古平原，不由得咋舌道："我的娘啊，古大哥走了这半天还能在上面待着，运气可真是不错。"

　　老齐头频频点头："你这话，我早就想说了。你看他一步步走得实，其实分分钟都可能没命。但是既然走到现在都没事，还真是鸿运当头，搞不好咱们驼队跟着他就能闯出去。"

过河之后，再往前走不到三天，便可到往黑水沼去的最后一个市镇——高头营。驼队事先算好了时间，天刚擦黑的时候来到镇上，打算好好休整一夜，备好粮草和水，天明就出发。

　　这个镇子除了老齐头之外谁都没来过，不过就连老齐头牵着头驼在镇中央走，也是一边走一边大皱眉头。

　　这镇子实在是破，举目望去就没有一间房子是好的，不是门扉少了半片，就是屋顶漏了半边。镇子南头直通北面的一条大道上冷冷清清，不见一个人影，偶尔有几条野狗闪出来，见了人也不躲，反倒是龇着牙，眼里直放光。

　　驼队里只有常玉儿骑着一匹小黑马，她看着地上打的"鬼旋风"，心里有些害怕，往刘黑塔那匹骆驼边上靠靠，低声说："大哥，这地方怎么看起来让人心里发慌呢？"

　　刘黑塔满不在乎地一咧嘴："放心吧，不过就是个破镇子罢了。你是少出门，要是经过灾荒的地界，整个县城人都跑光了，比这吓人。"

　　老齐头也回过头说道："常姑娘不用怕，这里本是通往黑水沼的必经之路。自从没有商队再来闯黑水沼后，也就渐渐破败了。我担心的是，镇上的那家客栈可别也歇了业，那咱们就连补给都没处淘弄去。"

　　话音刚落，古平原一指前面。

　　"那不是客栈的灯笼吗？"

　　果然，两个大红灯笼在初昏的夜色中格外醒目，左面灯笼上写着"朋自远方"，右边的是"不亦乐乎"。来到近前，早有伙计听见驼队的蹄声迎了出来，古平原看看客栈的招牌。

　　"一道客栈！"

　　"对了，就是一道客栈。往前去只有一条道。"这伙计可够凶的，完全不像别家店里那点头哈腰、满脸带笑的店小二，而是板着个脸，活像驼队众人欠他二百吊钱似的。老齐头问他两句，他答一句，问他一句，他答半句。

"哟，几位客官可别见怪，我们当家的就是这脾气，他哪儿懂得招呼客人啊。他原来是个厨子，这不，客栈实在是不赚钱，伙计都走了，这才让他跑出来替几位牵骆驼。"刚走进当院，从房里迎出来一个浓妆艳抹的马脸女子，一听这话就是个问一句答十句的主儿。

老齐头抛下那汉子，问那婆娘："我怎么记得这客栈是老两口开着呢？"

"您说的那都是哪年哪月的事儿了？这店啊，是我们夫妻俩盘下来的，原想着给路过的商队提供个方便不是，可是爷们偏偏不往这边来。你们要是晚来一个月，搞不好这店就彻底歇了。"

"那倒是我们来着了，还没请教内掌柜的贵姓？"

"我姓施，那边是我当家的，姓董。"

常玉儿听得一乐，敢情这越丑越作怪的女人叫"董施氏"，可真应了那句"东施效颦"了。

"东施"瞥了一眼常玉儿，见是个俏灵灵的大姑娘，知道把自己比下去了，心下就先有三分不喜。她不理常玉儿，拿眼睛一扫驼队，就看到了一身书卷气的古平原，连忙凑过来道："看这位大概是老板吧，怎么称呼啊？"

"哦，我姓古。"古平原受不了她身上那股浓浓的香粉味，往后略退半步，"驼队要备粮草，人要带干粮清水，我们要在这里住上一夜，明早出发。"

"知道了，都有都有，我让我们当家的去办，明儿一早就备好，准误不了事。""东施"笑吟吟道，有意无意靠近了骆驼，伸手去摸货袋。

"哎，这是咱们带的货，碰不得。"刘黑塔看这一批货看得极严，用马鞭一拨那女人的手。

"东施"讪笑着点点头："那我去给各位准备吃食，少陪了。当家的，你来安排几位住下，别忘了烧热水伺候着。"说完转身走进里屋。

这客栈不大，伙计们挤一挤，三五个住一间房，连堆杂物的房间都腾了出来，这才够住。古平原与刘黑塔，老齐头与孙二领房各自一间，轮到常玉儿时，"东施"跑了出来。

"大妹子，那些大男人睡来睡去的床铺哪是姑娘家睡的。干脆到我房里睡，我们两口子睡到客房去。"

常玉儿本就嫌房间不干净，想着掌柜的房间说什么也要比客房好些，忙不迭地应了下来。她同意，众人自然也就没有二话。

等全都安顿好了，再吃完饭，天色就已经大黑了，有那贪睡的伙计甚至已经打起了鼾声。"东施"的丈夫也就是那姓董的厨子进到客房，一见老婆就皱起眉头，埋怨道："你怎么想的，让我连夜去备草料，这明明来了财神爷，怎么不借机多留他们两天？"

"财神爷？你别做梦了。几份草料，几个店钱就叫财神爷了？真是眼皮子浅。""东施"白了他一眼。

"你不是又想……他们人可不少，这事儿可做不得！"董厨子一愣，旋即压低了声音。

这家店其实是半白半黑，"东施"两口子逮到落单的肥羊从来没放过。只是古平原他们是一大帮的驼队，人多势众，董厨子担心羊没吃到，反倒崩了牙。

"猪脑子，这驼队有什么好下手的。隔老远就闻得出来，带的都是药材，就是弄到了，怎么脱手？"

董厨子糊涂了："那……那你是想要……"

"你不是总合计着不想在这儿小打小闹，想投奔一百里外黑鸦岭的廖魔王吗？"

"这事儿我说了好长时间了，你不是不同意嘛。"

"那是因为没有好的见面礼，上了山难道当小喽啰去？老娘可不干。"

她见丈夫还没明白，指点着说道："你看这伙人里面不是有个小浪蹄子？长得别说还真水灵。廖魔王三个月前死了老婆，现在什么都不缺，就缺个如花似玉的压寨夫人。"

董厨子恍然大悟，翘起大拇指："老婆，真有你的，这招行。不过咱们怎么把人带出去呢？"

"说你是猪脑子，你还真是比猪还笨。""东施"一指楼下，"你以为我为什么把她安排到离大门最近的房间？我方才已经把那窗插弄松了，等夜深人静，你翻进去，用蒙汗药把人一蒙，神不知鬼不觉。这破客栈咱们也不要了，带上细软银子，套上马车直奔黑鸦岭。不用多，只要半个时辰之内没人发现，那就万事大吉。"

"好！"董厨子歪着嘴一笑。

驼队众人赶了将近十天的路了，好不容易有个安稳地方落脚，个个睡得是顺心畅意。按惯例，驼队不管住在什么地方，都会安排人守夜，可是董厨子用了两瓶好酒将守前院的伙计诱到后厨灌倒。如此一来，前门便是畅通无阻了。至于在后院看着药材的伙计，哪里想到前院会出这样的乱子。

三更天刚过，"东施"两口子就蹑手蹑脚套好了车，把大门的门闩卸下来。都准备好了，这才把常玉儿那间房的窗户撬开，董厨子一扳窗框，身子一纵轻轻落下，人就进了屋里。

常玉儿几日劳顿，也是累了，卧在床上香甜安睡，丝毫没发觉屋里进来了恶徒。董厨子借着月光一看，这姑娘眉清目秀、双颊带晕，真是个睡美人。他心里想，把她献给廖魔王去折腾真是可惜了，不过立了这份大功，我非弄个副寨主当不可。

他心里做着副寨主的美梦，从怀里拿出撒了蒙汗药的布巾。刚想动手，忽然又想到，这把人一扛出去，就在那婆娘的眼皮底下了，这么漂亮的人儿连碰都没碰过岂不可惜？想到这儿，他又动了色心，大着胆子将手从被子里伸进去，奔着常玉儿的胸前就摸来。

这是他色迷心窍糊涂了，其实他先把常玉儿蒙倒了，再怎么胡来，常玉儿也是无可奈何。不过他没这么做，直接就霸王硬上弓，手一伸进被窝，常玉儿就是睡得再实也不会没有感觉，一睁眼发现一道黑影弯腰站在窗前，顿时吓得魂都飞了。

"啊！"常玉儿刚喊了半声，董厨子反应也不慢，一见姑娘醒了，抬手就把蒙汗巾捂在她的口鼻上。常玉儿伸手去扳却哪里扳得动，没一会儿就身子瘫软昏了过去。

"你怎么把她弄醒了？""东施"从窗口伸头进来不满道。

"行了，行了，你就别说了，赶紧把人弄出去。"董厨子把常玉儿用大被一卷，两口子一递一抬，就要把常玉儿装上马车。

这真应了"东施"那句话，只要马车赶出镇，驼队的人即便发觉了，再想追也无异于痴人说梦，因为压根儿就不知道往哪个方向去追。就算报官也没有用，当地的官吏讳匪如畏虎，不可能为百姓出头去攻山剿匪。更何况依着常玉儿的性格，肯定不甘受辱，非把一条命送到黑鸦岭不可。

就在这千钧一发的关头，也真合着常玉儿命不该绝，偏偏来了一个救星。

古平原这些天就没有睡过一天安生觉，包括这个晚上也是如此。他始终在琢磨着能不能过黑水沼，一天没看见黑水沼，他就一天睡不实。所以尽管隔床的刘黑塔呼噜打得震天响，古平原仍是迷迷糊糊一梦三醒地打着盹。

常玉儿的那半声喊，别人都没听见，只有古平原隐隐约约地听见了，一来他没睡实，二来常玉儿的房间就在他这间房的楼下。他听见了之后，原想着大门前有伙计守夜，不会发生什么事情。但紧接着又想到楼下的常玉儿，觉得有些不放心，便悄悄起身，推开房门向下看去。

这家客栈的二层小楼，一条过道都露在外面，连着一间间的房间，所以古平原从过道的栏杆往下望，整个前院都在眼里。借着一盏昏暗的风灯，他只看了一眼，就发觉事情不对。说时迟那时快，常玉儿的半个身子已经被抬到了车上，要是人一上车，打马飞奔，能不能撵上可就不好说了。

也就真亏了是古平原看见了，换成别人非大呼小叫不可，等把人都招呼起来，再跑下楼，马车早就没影了。古平原有机变之才，眼光一扫看见旁边有两个风炉，炉上是让客人自己烧热水用的熟铜水壶，他伸手就抄起一个，往楼下那匹套着马车的马身上砸去。

目标不小，想要砸上并不难。连水壶带里面的水加在一起也有十几斤的分量。马顿时就惊了，一尥蹶子，董厨子吓得赶紧上前去拽缰绳。

就这么会儿工夫，古平原回身把刘黑塔叫醒了，说是叫，其实古平原用拨油灯的签子狠狠扎了他一下，刘黑塔睡得再实也受不了。

"哎，哎，怎么回事？"刘黑塔一疼，翻身坐了起来。

"这是黑店，有人在院子里要劫你妹妹！"古平原用最短的话把事情交代清楚，说完转身就往楼下跑，边跑边喊："来贼了，都起来！"

刘黑塔虽是浑人，但最护着家人，一听这话睡意全无。光着膀子，拽出九节链子鞭，楼梯都不走，三两步就从房中迈到走道，瞪眼一瞧，大喊一声："王八羔子！"直接从二楼蹦到当院。古平原跑下来的时候，他都已经在院子里了。

马惊得并不厉害，董厨子几把就摁了下来，可是已经来不及了。驼队的人虽然后知后觉，可是也都醒了，纷纷从房间里出来。再加上当院的这个黑大个子，手里还拿着家伙。董厨子知道大势已去，飞身上马，"东施"也很机灵，把常玉儿往地上一甩，自己往车厢里一钻，大叫一声："快跑！"

车轱辘一转，马车往前门冲去，刘黑塔向前一步，抢着鞭子就往马车上揍，打是打上了。把滚布的木头车厢打塌了半截，可就是差了一点儿，没打到"东施"，把那开黑店的两口子吓出一身冷汗。等刘黑塔再想抢第二鞭，马车已经疾驰而去，鞭长莫及了。

刘黑塔怒吼着想要牵骆驼去追，闻声赶过来的老齐头把他拦住了。

"穷寇莫追，穷寇莫追，赶紧看看你妹妹去吧！"

常玉儿没什么大碍，她出门在外，当然不能穿着亵衣入睡，不过那也不是能让外人看的衣物。古平原见伙计越聚越多，把自己身上的外衣脱下来，遮住常玉儿。老齐头看出是中了蒙汗药，往她脸上淋了点冷水，没一会儿常玉儿悠悠转醒。

等弄清楚是什么事后，一半是惊吓一半是羞臊，常玉儿"哇"的一声哭了出来。

"行了，行了，都去做事，把货装上，这地方不能久留，驼队马上出发。"老齐头经验老到，派人找到了在后厨醉酒的伙计，清点一遍人数和货物，知道没有损失。可也担心董厨子带人回来报复，决定即刻就上路。

"这两个王八蛋劫我妹子做什么？"刘黑塔瞪着眼问。他把常玉儿送回房，就守在房门口，动也不动。

古平原也沉着脸："谁知道他们打的什么主意，许是想贩卖人口吧。"

"要不是古老板机警，这常姑娘可就……"孙二领房见过被拐的妇女，不是被卖到青楼，就是被卖给粗汉子当老婆，境况都是惨不堪言。

刘黑塔也是越想越后怕，真要是把常玉儿弄丢了，回去常四老爹非疯了不可，自己也甭活了。想到这儿，他"扑通"一声给古平原跪下了。

"古大哥，真多亏你了，我给你磕头。"

古平原赶紧扶住："别，别，兄弟，你这么说可就是太见外了。我不过就是碰巧赶上了，要不是你呼噜打得响，我睡不着，也救不得常姑娘。"一句话把大家绷着的脸都说笑了。

可古平原脸上的笑容一闪即逝，他问老齐头："齐老爷子，驼队出门在外，要是有人犯了规矩该怎么办？"

老齐头捻着短须道："看犯的什么事，吃里爬外那是大忌，要断指逐出商队，轻易也没人敢犯这一条。至于赌博、嫖娼、打架闹事，视情节轻重，重的也要赶出驼队，轻的要扣脚钱。"

"那喝酒误事呢？"古平原这一问大家才知道他指的是什么。

"唉，这次的事情，全看古老板要如何责罚了。我虽是领房，可是这一次出驼队有货东跟着，我不能全权做主。"老齐头知道那个伙计家里的事情，明知道喝酒误事，险些让货东出了危险，这是大过，追究起来要赶出驼队，可是不忍心明说，只好把事情抛给古平原。

"把他带过来。"古平原要在驼队出发前了结这件事，让人把喝醉酒的伙计弄醒。

那伙计二十不到，这还是第一次跟着驼队去蒙古，想不到闯下这么大的祸，吓得身子抖得如同筛糠。

"你的职责是在前门守夜，却喝酒误事，犯了驼队的规矩，知错吗？"古平原没想到这伙计年纪如此之轻，与自己的弟弟相仿，心头不由得也是一软。

"是是是，我知道错了，我再也不敢了，求……求古老板饶了我这一次。"小伙计嘴巴直打结。

"老爷子，按规矩应该怎么办？"古平原这一问，老齐头不能不答。

"按规矩，玩忽职守，危害货东者，应逐出驼队。"

众伙计听了都是一惊。驼队在外面闯荡，时刻会有危险，靠的就是规矩才能逢山开路、遇水搭桥。一旦有哪个人因为坏了规矩被赶出驼队，通省都不会有第二个驼队敢用他，其人就等于是在驼队这行生意里被除名了。

"不，不！"犯了事的伙计脸"刷"地如同白纸，跪爬半步抱住老齐头的大腿，"齐领房，您不是不知道我家里有多难，我那瞎了眼的老娘把那间老房当了才给我置办的出门行装，就等我拿脚钱回去。我这要是被撵回去，我娘得气死！我求求您了，齐领房，您就饶我这一回吧！"这么大的小伙子哭得是涕泪横流。

"小高子。"老齐头叫着他的名字，"不是我不饶你，一来这一次出驼队有货东跟着，往哪儿走怎么走听我的，可除此之外，凡事要听货东的吩咐。二来你险些坑害了人家货东家的姑娘，你叫我怎么给你求情，嗯？"

说罢他把脸转向古平原："古老板，您看该怎么办就怎么办吧，按他犯的事儿，处罚得再重也不为过。"

众人都将目光投向古平原，古平原蹙眉沉思了片刻，其实按他的本心，不忍处置这个伙计。一则怜他家贫有老母，二则古平原是读书人本性，难闻哀鸣之声。

不过古平原也知道，此刻不整肃驼队的纪律，则人人都可以引这小伙计为例，认为犯了错可以侥幸蒙混过去。此去蒙古还有艰难路途要走，若是人心涣散，搞不好比走黑水沼还要危险。

"都说读书人心肠软弱，一旦得势却极易残民以逞，比屠夫还要凶狠，如果能将这份硬心肠用到正道上，比如经商，也未尝不是好事。"这是古平原在枯水河畔与大家一番交谈后得来的心得，想到这里古平原逼着自己硬起心肠，低沉着声音问道："你既然知错，我也不再教训你，不过有过必惩，否则难以服众。我只问你一句话，是认罚还是认打？"

小高子抬起头，怔怔地看着古平原。

古平原也不用他问，直截了当地说："认罚，就按驼队的规矩把你赶出去。"

他话还没说完，小高子已经在拼命地摇头。

"至于认打嘛，用骆驼鞭抽你十鞭，以儆效尤。你自己选吧。"

"我，我认打，认打。"

"小高子，你可想好了，这十鞭不是那么好挨的。"孙二领房在旁提醒道。骆驼鞭不是寻常的软鞭，而是用十年以上的老藤条泡在桐油里整整一年制成，韧性十足。平时驱赶骆驼只要轻轻往骆驼身上甩一下，就足以让它蹬开四蹄，若是狠狠一鞭下去，连骆驼这样的庞然大物都要痛得发疯。

"我想好了，我不能被逐出驼队的，宁可被打死。"小高子看样儿是下了决心。

"好。这是你自己选的，今后若是因为挨打而对驼队心怀怨恨，对领房口出怨言，可休怪古某不客气。"古平原板着脸道，说罢吩咐一声，"把他绑在那边的大杨树上。"

上来两个人把小高子抹肩拢背捆上，两只手往树上一抱，在前面用麻绳系住手腕，扯去上衣，露出光脊背。

刘黑塔走过来怒冲冲就要下手，古平原叫了一声"慢"。他到底还是心存怜悯，知道刘黑塔正在气头上，手又重，怕把小高子打坏了。

古平原从刘黑塔手里夺过骆驼鞭，往孙二领房手里默默一塞。老齐头上前拍了拍孙二领房的肩，几个人彼此心照不宣。

孙二领房也明白小高子是咎由自取，何况是他自己选的认打不认罚，所以拿过鞭子也没太犹豫，虽没使上十分劲儿，七八分总是有的，"啪"的一鞭子抽在小高子的后背上。

就听小高子"嗷"的一身惨叫，听得围观的驼队众人心下都是一激灵，有几个平素喜欢嘻嘻哈哈，不太听从驼队纪律的人更是心里直打鼓。那骆驼皮比人皮厚十倍，打上尚且忍受不住，何况是人。只见小高子后背绽开一条细长的口子，顿时血流如注，敢情这一鞭抽下去，整条鞭子都陷到了肉里。

古平原也吃了一惊，没想到这玩意打人这么狠。等打到第五鞭的时候小高子嘶喊的声音已经不是人声了。古平原与老齐头对视了一眼，老齐头点点头，走前一步回身对古平原道："古老板，这也够他受的了，就请你看在我老头子的面子上，饶他五鞭吧。"

"嗯……"古平原假意一皱眉。老齐头回身喝道："你们看着干什么，还不上来求情。"

"古老板，你就饶了小高子吧。"

"古老板，我替你看着他，保证这小子不敢再动一滴酒！"众人围上来这么七嘴八舌一求情，古平原吐了一口大气。

"好吧，把他解下来。"

等小高子二次跪在地上，要不是左右有人架着，他几乎支撑不住就要瘫倒。

"你听着，这五鞭不是免了，而是齐老爷子和众人求情，我暂且记下。要是你再犯规矩，不但要撵出驼队，而且剩下的几鞭也要打完。"古平原板着脸道。

"小高子不敢再犯错了。"小高子也真行，缓了一缓，咬着牙跪直身答道。

"好，既然是这样，那我也就既往不咎。"说着，古平原望向刘黑塔，常玉儿险些吃了大亏，刘黑塔气愤难平，要是一路上找小高子的麻烦那可不妙。

刘黑塔是直肠肠，见小高子被打得如此之惨，气早就消了。他走前两步，把小高子扶起来。

"你这小子，嗯，这么着吧，我也爱喝酒，等把货运到了，钱到了手，我请你喝，到时候非把你灌醉不可。"

"哎。"小高子忍着痛答道，众人这才松了一口气。

古平原见事情已然解决，便吩咐人找金创药给小高子抹上，将其余的事情都交给老齐头和孙二领房，自己和刘黑塔进了常玉儿的那间房。

一进来就见常玉儿已穿戴整齐，手搭在膝上，坐在床边面向着桌上的小油灯，怔怔地出神。

刘黑塔性子粗，也不知道该怎么开口安慰妹妹，他暗地里捅了古平原一下。古平原只得开口道："常姑娘，驼队要出发了，此去还有大半途路，想必危险更是不少，你一个女儿家跟着驼队实在是多有不便，不如我派两个伙计送你回去，你看如何？"

"哎，古大哥说得对啊，我看也是，妹子，你就回去吧。"刘黑塔不住点头称是。

常玉儿的性子是外柔内刚，此时已经镇静下来。见他二人为自己担心，站起身竟勉强笑了一笑。

"大哥，你不用为我担心，今后我加意小心就是了。再说这一次歹人不是也没有得逞吗，有大哥在我还怕什么？"

刘黑塔摆了摆手，这件事他可不敢居功："妹子，这一次的事情真亏了古大哥了。要不是他及时发觉，把马弄惊，把我们都叫醒了，马车一出大院，那真是撵都没处撵，大哥我这时候就非自杀不可。"

刘黑塔说一句，常玉儿的脸就白一分，她这时才知道方才的情形有多凶险。想到若不是古平原及时阻止，自己此刻的境遇必然不堪，常玉儿心里真是又后怕又感激。

屋里一时沉默起来，过了不多时，刘黑塔从窗户看出去，见驼队已经整装待发了，他一拍脑袋。

"咳咳，妹子、古老板，我先出去一下啊。"说完，他转身就出了门。

刘黑塔一走，古平原觉得自己也不方便留下来，便道："常姑娘，既是你不愿回去，那就整理整理行囊，我们也要出发了。"说着，他也要转身离开。

"古大哥。"常玉儿的声音虽小，古平原却一下愣住了，在他的印象里，常玉儿还是第一次称呼自己为"古大哥"。

"哦，常姑娘，还有事吗？"古平原半回身问。

常玉儿从床上拿起古平原方才披在自己身上的外衣，轻轻递了过来。

"风寒露重，你要是病了，驼队可怎么办呢？"

"多谢常姑娘。"古平原接过衣服，点点头便出去了。身后常玉儿用温柔的目光看着他的背影，声音低得只有自己才能听到："谢我什么，我该谢谢你呢。"

伙计们牵好各自的骆驼，老齐头领头，孙二领房押尾，这一次古平原特意把常玉儿的那匹马放了队伍中间，自己也牵着骆驼跟在一旁。

等走出去四五里地，常玉儿前后望望，忽道："咦，我大哥呢？"

出发时的忙乱让古平原把刘黑塔这茬给忘了，此时常玉儿一提醒，他仔细一看，是啊，刘黑塔呢？古平原心里一着急，额上的汗就出来了，他最怕的就是刘黑塔心里憋着气，骑骆驼去撵"东施"两口子。

"着火了。"突然不止一个伙计指着身后大坡镇的方向大叫道。

这时正是凌晨前的黑夜，远处过火一望可见，而且那火势越烧越旺，转眼间火头就卷了半边天，映得人人脸上红通通的。

"哎，那不是刘老板吗？"驼队一时都看住了，等有伙计反应过来叫着，大家都发现刘黑塔骑着匹骆驼从后面追了上来。

刘黑塔来到近前，勒住骆驼，未出声先笑，咧着大嘴得意扬扬道："古大哥，你猜我干吗去了？"

古平原是又好气又好笑，这还用猜？他略有些无奈地摇了摇头："也罢，这种黑店留着也是祸害，烧了也好。"

从高头营出发，向前直走便是一道道的山梁，驼队便在山梁之中穿行。如此又走了足足三天，穿过号称"天兵守城"的犊牿山，突然豁然开朗，一大片草甸子横亘在前方，无边无际。这里有北方的狼山与大青山挡住寒气，又有地热温泉，因此中原虽然已入冬天，此地却仿佛刚入初秋。

驼队伙计都在欢呼雀跃，刘黑塔也长啸一声："嘿嘿，总算是走出来了，这几天抬头就是那一小条天，差点没把我憋煞。"

古平原也觉得胸臆为之一宽，只有老齐头脸上没有半点笑容，反而叹了口气："再往前面走不远，就到黑水沼了。"

"齐老爷子，给咱们讲讲这黑水沼吧。"驼队的伙计，包括那年轻的孙二领房在内，都没有到过黑水沼，对这传闻中的"鬼沼"半是恐惧，半是好奇。

老齐头拔了一根草茎在嘴里细细地嚼着，眼神逐渐迷离起来，半晌才开口："恰克图这地方你们一定不陌生，那是我们晋商与蒙古、俄国进行货物交易的重镇。无论是南方的茶叶、木材，还是本地的草药、粮食，都要经过杀虎口运向漠北，奔的就是恰克图。"

山西驼队常年走的就是这一条线路，驼队众人自是熟悉。但走这条线路有几大弊端，一是路途遥远，没有河道水运，全凭车马骆驼，路上损耗极重；二是漠南蒙古的几个王爷私设了关卡收取厘金，盘剥甚重；第三点也是最让走西口的商人头痛的，就是这条路上匪患猖獗，杀人越货相当狠毒，近年来商队不带上十几个走镖的好汉就无法成行，这也是极重的一笔负担。

有了这三重，走西口的道上可说是洒满山西商人的血汗。但是放着现成的一条近路却无人能走，或者说无人敢走，这条路就是黑水沼。这片由长茅草甸子形成的沼泽，方圆百里，只要走过去，就是一条坦途直通恰克图，比之走杀虎口那条路近了至少十天，而且路上太平，又无税关。可就是因为有黑水沼拦在其中，好端端的一条路，百年来竟然成了天堑绝壁。

"真的就找不到一条路穿过去？"古平原始终不信，方圆一百里，难道就没有一条路不成。

路倒是有，只是年年变，甚至月月变，有时竟然一天之内就会消失。"走这泥沼没有技巧，全凭运气。有时你觉得脚底下稀软，却偏偏就能踩过去。有时明明看着像结实的硬地，其实只是被太阳晒干的一层泥壳，一脚陷下去，九头牛都拽不上来。"老齐头对这泥沼知之甚详，一番话说得周围几个年轻伙计脸色发青。

"老爷子莫非走过这条路？"古平原灵机一动，问道。

"走过，当年跟着我一位本家叔叔来过这儿，不过那一次也没走通。当年驼队只走了一里地就陷了三匹骆驼，还搭上一个伙计，就知难而退返了回来。"

"要是有大木板子铺上几十里就好了。"刘黑塔突发奇想。

老齐头嗤笑一声："有什么用，费钱费力不说，不到一个月就沤烂了。而且人能踩过去，搭了货的骆驼一踩，木板不就折了吗？要我说这黑水沼就是阎王爷放在这儿专门拿来收人的，一陷进去直接就到了阴曹地府，连棺材板都省了。"

"老齐头，你别说得这么吓人，好端端的大太阳天，被你一说怎么阴风阵阵了。"刘黑塔打了个冷战。

"走着瞧吧。"老齐头淡淡道，又转向古平原，"古老板，按规矩，走黑水沼要先祭水鬼，一应的祭品我都带着。"

古平原其实不大信鬼神之说，但他也知道走远道的商队有很多规矩忌讳，如果不祭水鬼，恐怕没有一个伙计能安心上路。于是点头应允，等走到离黑水沼不远的一处空场，便将这桩差使派给了老齐头。

老齐头一脸的庄重，先向常玉儿道了个歉，请她远远避开。驼队上祭的时候有妇女在场多有不便，恐怕冲撞了什么神仙鬼道。接着指挥伙计卸下两个箱子当祭桌，铺开一领白布，上面摆上香炉、瓜果、三牲，唯独不见祭台上常见的水酒，都说水鬼中有不少是因为贪杯失足才落了水，所以极恨杯中物，故此祭桌上不见酒。

等到物品排放整齐，老齐头转回身来，请古平原上第一炷香，古平原坚辞推让。老齐头却守着规矩不肯越权，古平原只得敛容整衣，恭恭敬敬地上了头香。接下来是刘黑塔，他算是这趟驼队的二东家，然后是老齐头、孙二领房，之后伙计们按在驼队中的分工高低依次上了香。

老齐头最后紧闭双目，念诵告词："脚踏实地心不慌，南天门里闯一闯。水鬼祭毕应退避，一心一意走天光。"念完之后，两个力大的伙计兜着白布将祭品一股脑倒在了黑水沼里。

古平原倒是没听老齐头在念叨什么，他仔细地看眼前的黑水沼，从表面上看确实看不出有什么凶险。只是泥地上的茅草长得比岸边茂密，而且泥沼里除了草，连一株小树也看不到。沼里不时冒上几个泡泡，倒像是里面有什么活物在吐气。

就在古平原放眼打量黑水沼的时候，从旁边的小路上走来一名年纪与老齐头相仿的老农，肩上背着一担子的草，腰上挎了把短镰，看来是打草的当地人。

这老农一见眼前这阵势，就是一愣。老齐头连忙迎了上去，笑呵呵道："老哥，身子骨还好？"

"哦，还好，托福了。"老农有些明白过来了，试探地问，"你们这是要过黑水沼？"

"是，还望老哥指教，从什么地方过牢靠一些？"老齐头要问的就是这句话。

"这个嘛……"老农抽了抽嘴角，沉吟着不作声。

老齐头见状赶紧从口袋里掏出十个制钱塞在老农手里："这点小钱请老哥喝茶。"

"哎哟哟。"老农慌了手脚，连忙推让着，开口道，"不是我拿着不说，我先问问，你们……你们这是打哪儿来啊？"

"我们是太原府的商队，要赶到漠北去。"

"怪不得，我看你们也不像附近县城的商队，要是附近的商人，也不会今年来闯黑水沼。"

古平原听出了老农话里有话，赶上来作了一揖："老人家，请问'今年'怎么了？"

老农见古平原文质彬彬，仪表不凡，慌忙回了个礼："今年不是雨水大嘛。往年这黑水沼虽然难走，可是要是不怕死，还能试着闯一闯。今年就不一样了，原本只是烂泥塘，现在成了烂泥泡子，压根没地方落脚。"他指了指前面不远处："就说这沼泽边上吧，往年踩上去顶多忽悠一下。今年可倒好，一脚没脚面，二脚没脚腕，三脚就没腿肚子，谁有天大的胆子敢往里走啊。"

谁也没想到黑水沼如今是这般情形，岂止是难上加难，分明就是势比登天。众伙计眼中都不由自主地露出了惊惧之色，还是老齐头经验老到，等老农走了，对愣在一旁的古平原说："古老板，这些乡下人有时候一辈子都走不出村头的二里地，他的话也不必全信。咱们再往前走走看，说不定就有转机。"

但老农说的话是对的。

驼队沿着沼泽边走了两个时辰，所见到的除了烂泥就是稀汤，果真是无处下脚。眼见天黑，老齐头只得让人牵住骆驼，就地搭帐篷。

这一晚，驼队上下人人心事重重，都是茶饭不香，闷头大睡的倒是有不少。大家也看出来了，明天一早驼队何去何从就要有决定，还是原路返回的可能大，反正天塌下来有货东和领房顶着，伙计们乐得睡觉休息。

古平原也躺在帐篷里，但他当然不是在睡觉，而是闭着眼考虑下一步怎么办。这一带的地势他向老齐头请教之后完全明白了，再沿着沼泽往前走就是太行山的支脉，山高壁陡无路可攀。就算有路，带着驼队也过不去。若是反过来走，就是奔着甘肃那边去了，更不靠谱。时间上首先来不及，再说甘肃的马匪出了名的凶残，无人护镖，无异于送羊入虎口。

想来想去，只剩下走黑水沼这一条路，但贸然走进去等于是送死。"有没有万全之策呢？"古平原想得头痛，不自觉地出了声。

"哪有什么万全之策。"老齐头与刘黑塔联袂而入，原来他们在帐篷外已经半天了，听到古平原自言自语，这才进来。

古平原连忙起身让座，倒了杯热茶请老齐头喝。老齐头喝了一口，将杯子放在一边，诚恳地说："这十几日下来，你这个人我是知道了，当得好朋友。也正因如此，我有句话要讲。"

刘黑塔在一旁也说："老齐头这番话对我讲过了，我觉得挺在理，古大哥你也听听。"

"老前辈的话自然要听。"古平原的脸上是那种诚意聆听的神色。

"好,那我就倚老卖老了。"老齐头正了正身子,"古老板,这一次的买卖说句实话,利润的确是大,对悬济堂、驼队、古老板和太谷的常老板来说都是如此。但究竟值不值得拿命去拼,还请古老板三思。我老齐头在商队混了一辈子,发财的、破产的见了无数,到最后还是一条命最重要。俗话说'留得青山在,不怕没柴烧'。眼下这个形势想必古老板也明白,硬是要走黑水沼,那就是去送命,不可能有什么好结果。到时候古老板没了命,驼队也得灰溜溜回去。与其那样,倒不如古老板不要冒这个险,大家一起回太原。"

古平原无言地摇了摇头。老齐头又道:"我知道古老板是担心损失,损失大家都担一些。我可以代表驼队说话,这一趟我们只要从太原到黑水沼的行脚钱,平常多少就是多少,至于说那一千两,就当没听过好了。总不成明知走不过去,还要硬逼着古老板在前面探路吧。"

"老齐头,你真够意思。"刘黑塔一挑大拇指。

"朋友嘛。骆驼心齐才能走大漠,人要是心不齐,只想着自己发财,岂不是比畜生还不如。"

古平原此刻心乱如麻,站起身拱拱手:"老爷子,你的好意我全都明白,只是我这一趟身上担的干系太大,且容我想一想。"

刘黑塔还要劝,老齐头老于世故,知道古平原一时难以决定,就摆了摆手:"让古老板一个人静一静吧,我想我说的话他会明白的。"他一挑布帘,回头加了一句:"人算不如天算,老天爷不帮着,那就别想着和天斗了。"

古平原重又坐下,品着老齐头的话,仔细想着这里面的出入。

若说驼队向后转回太原自然是简单,但悬济堂的武掌柜就被自己坑了,一万多斤的药材,肯定要烂在手里,到头来逃不脱解雇赔累的命运。

常四老爹这边更惨,当初说好了要付驼队的脚钱,何况还欠着别人的债,到时候偌大一把年纪无家可归,衣食无着,带着一双儿女又该如何是好?

还有驼队,原本欢天喜地出了太原,现在灰头土脸回去,就成了全城的笑柄,哪个会听你解释。老齐头简直是用一辈子的声誉来换自己的性命,这份盛情也叫人难以消受。

最后说到自己,倘若一咬牙,什么都不顾,自然是可以一走了之,回徽州就罢了。甚至此刻暗夜无人,抽身便走,就当没来过山西这一趟,也不认得什么常四老爹、武掌柜。只是今后午夜梦回，想起这一茬事，不免要一辈子内愧于心，那样子做人想想也着实没有什么味道。

思来想去都还是要走黑水沼，但眼前就是一条死路。古平原不是一条道走到黑的莽汉，他反复思量如何能够死中得活，直想到天已三更，还是半点办法也想不出。

他缓一缓神，发觉蜡烛不知什么时候已经灭了，自己却没有半点察觉，不禁哑然失笑。取来一根新蜡点上，发现在燃尽的蜡烛旁边都是被燎了半边翅膀的飞虫，不禁暗自叹了一声，难不成自己明日就是那扑火的飞蛾？

他没睡，旁边帐篷里的常玉儿更是枯坐不眠。她隔着帐篷一直望着古平原这边的烛火，等到蜡烛熄灭，她才感到眼睛发酸，竟是怔怔地也不知出了多长时间的神。常玉儿的心思连她自己都想不明白，要说从家里的事情考虑，她当然希望古平原能闯出一条路，这样常家就有救了。可要是从女儿家的心思来说，古平原这条命是她用自己的清白身子救的，她半点也不愿意让古平原去冒风险。就这么思来想去，常玉儿也是听了一夜的风啸没合眼。

这一夜，连一向沾枕头就睡的刘黑塔也是辗转难眠，他性子虽粗，却不是没心没肺的人，知道老爹的身家性命都在驼队身上，心里也在暗自做着盘算。常四老爹对自己有养育之恩，因此明天古平原不去走黑水沼可以，自己却不能不走，拼了这条性命，也要探一条路出来。要真是老天爷不开眼，自己几脚就陷了进去，那就当用条命来谢老爹好了。他这样一想，心里倒好受许多，临到天光之际，终于迷迷糊糊地睡着了。

就在刚刚要进入梦乡之时，刘黑塔只觉得有人在晃自己，边晃还边喊："刘老板，醒一醒，出事了！"

刘黑塔心里一翻个儿，本来就没有睡熟，立时一骨碌身爬了起来。睁眼看时，老齐头和孙二领房都在，两人都是一样的表情，仿佛活见了鬼一般瞪着自己。

不待刘黑塔开口问，老齐头先说道："古老板不见了。"

刘黑塔心头一凛，好半晌才艰难地问道："跑了？"

只是他不愿做此猜测，其实跑了也平常，性命交关的事情，又是如此左右为难。有道是"千古艰难唯一死"，每到这种关头，一走了之的事情屡见不鲜。

出乎意料的是，老齐头摇了摇头。递过一张纸片，纸片上墨迹未干，显见得是草草而就，其上半行半草写了一首七言："燕雀一生草头钻，老死炕席也无端。都云人力不胜天，今日偏闯鬼门关。"

这首诗写得甚是直白，刘黑塔也看得明白，失声道："古大哥去闯黑水沼了！"

老齐头脸色无比凝重，用手指点了点那张纸的下端。刘黑塔这才注意到下面还有一行小楷，写着："驼队跟着蜡烛走，烛灭人死可回头。"

刘黑塔猛一掀帐篷门，人已经冲了出去，大踏步跑到沼泽边上。这时已是晨曦，岸边起了一层薄雾，透过雾气，能看见沼泽的深处，隐隐约约亮着一点火光，不用说那自然是古平原在等候。

"古大哥，古大哥，你先回来，咱们再商量。"刘黑塔急得跳着脚大喊大叫，见古平原始终不理，他便要往黑水沼里冲。

老齐头一把拉住他："慢着，刘老板，以现在的情形，你要是也进到沼泽里，驼队怎么办？你要拿个主意。我虽是领房，可你是货东，古老板不在，一切听你做主，驼队进还是不进黑水沼？"

"进！进！"刘黑塔急得声都岔了音，"古大哥都敢拿一条命去拼，难道咱们是孬种？你老齐头可别忘了，他是外乡人，别叫人家看了咱们山西爷们的笑话。"

"好嘞，就是这么一句话！伙计们，收拾东西进黑水沼！"老齐头再不多言，招呼着伙计们将货物搬上驼背，赶着骆驼进了黑水沼。刘黑塔百忙之中，还嘱咐常玉儿一定要跟在最后面。

等到一进黑水沼，立时有一股寒气从地底冒了出来，人人都打了个冷战。走在沼泽里脚下就像没有根一样，每一步都晃晃悠悠，如同走在大雪地里，更要费尽全力才能将腿拔出来。就连骆驼都感觉到此处的危险，摇着脑袋不愿前进，赶驼的伙计费了九牛二虎之力，又是抽又是引，这才让骆驼挪步。

驼队本来是老齐头打头阵，现在刘黑塔硬抢了一匹骆驼走在最前面，老齐头只得跟在他身后。大家都是第一次进黑水沼，就连经验老到的老齐头也心神不宁，边走边念叨："这活见鬼的路，难为古老板敢一个人走出这么远。"

"还用你说？"刘黑塔头也没回，他一再喊古平原，可是古平原理都不理。见驼队进了沼泽，他也开始往前走。沼泽里跑不得，跳不得，人人的速度都是一样，古平原不停步，驼队与他之间的距离就永远是那么长。刘黑塔喊了一阵，见古平原不答应，只得收声，对老齐头说："我现在是一百二十个佩服他，别看人生得文弱，这颗胆子可真是比天都大。"

"还是太冒失了些，就是硬要走也可以大家商量一下。"老齐头说道。

"还商量什么，你老齐头也说过，走这泥路没技巧，只看运气。也就是说要么闭上眼睛走到黑，要么背上包裹走回头，想来想去，还不是没有办法只能硬闯。所以照我说，古大哥就是横下一条心非走不可，那就不用和任何人商量，反正一条命是自己的，自己也做得了主。"

"他这是受人之托，忠人之事。年轻人，真是难得，难得。"老齐头捋着胡子不住点头。

古平原留下的字条上说要驼队跟着烛光走，等到天光大亮，他在十余丈外的身影已经可以看得很清楚，自然就不用什么蜡烛了。刘黑塔几次想要加速赶上去，无奈这烂泥沼就像绊脚索，一步也快不得，气得他破口大骂不止。

老齐头倒是一点儿不敢忘了自己的职责，始终在看手上的指南针。见古平原的位置偏了，就发声提醒，驼队此时已经成了一条直线，队伍拖得极长，随着古平原慢慢一直向北而去。

走到日近正午，太阳直射下来，泥沼被烤得四处冒泡，沿着地面起了一层霾。老齐头怕有瘴气，招呼伙计们取出随身带的避瘴丸含在嘴里。古平原走在前头，身上的包裹里倒是准备齐全，药品、食、水都带上了。

这时已经来到沼泽最深处，草也渐渐少了，一眼望去四面八方都是泥水，看得人心里发焦。有匹提前发情的骆驼脾气暴躁，走着走着，竟然猛地一挣摆脱了牵驼的伙计，往斜刺里一钻。

那个小伙计大惊，赶了几步要追上去。老齐头听到后面喧哗，回头看去也是大惊，连忙喊道："别追，千万别追。"

照驼队规矩，失了骆驼丢了货物要赔。小伙计听见了老齐头的话，一犹豫，见骆驼在泥沼里也跑不快，只在自己身前几步的距离，不追实在不甘心，就大着胆子又往前趟了几步。

老齐头急得直拍腿，连声喊："把他拽回来。"

人人都听见了这句话，可人人手里都牵着匹骆驼，就是有心去帮忙，也不敢松缰绳。

就在大家都愣神的一刹那，落跑的骆驼忽然四蹄一软，接着身子一栽，才一眨眼就已经陷进了一大半的身子在泥沼里。

跟上来的小伙计许是急迷了心，竟然还要用手去拉，等到他回过味来，泥浆已经没了腰。他吓得大叫救命，可此时谁敢上去救他，再说也根本没有时间救。就听得小伙计惨叫声不断，不到一袋烟的工夫，骆驼先沉了下去，在泥浆里带出一个旋涡，把那小伙计连头带脚卷了进去。再过一会儿，泥浆平伏，上面一丝痕迹都没有，沼泽里又是安安静静，仿佛这一桩大惨事从来没有发生过一般。

驼队里的每一个人都真真切切地看见了这一幕，顿时呆若木鸡一般，傻痴痴地瞪着方才吞噬了一人一驼的那处泥沼，看起来那里与现在驼队走的路并无半点不同，谁又能想到下面竟然藏着杀人的陷阱。

老齐头愣了半晌，浩然一叹："这都是命里该着，没法子的事啊。"

刘黑塔此前只是听闻黑水沼如何如何险，这番算是见识到了厉害。摸了摸大脑袋，又看看依旧在前面探路的古平原，不由得咋舌道："我的娘啊，古大哥走了这半天还能在上面待着，运气可真是不错。"

老齐头频频点头："你这话，我早就想说了。你看他一步步走得实，其实分分钟都可能没命。但是既然走到现在都没事，还真是鸿运当头，搞不好咱们驼队跟着他就能闯出去。"

"既然这样还等什么？大家伙走！"刘黑塔一挥手。

驼队中要是有人丧命，按规矩要么带上尸身，要么立地起个冢，可是现在这种情形两样方法都用不上，唯有等待将来回太原再报凶信了。

经过这一番眼见的危险，驼队中的每一个伙计都意识到杀身之祸就在身边。方才尚有人隔着骆驼唠些闲话，而现在意识到自己的处境也是大大不妙，整个驼队除了骆驼粗粗的喘气声之外，竟变得鸦雀无声。人人注目身前的脚印，唯恐行差踏错惹来大祸。

古平原回头之间，对身后的这桩惨祸也是遥遥相见，但他亦是无可奈何。若说不曾暗暗心惊那是自欺欺人，但事到如今万无打退堂鼓的道理，就算明知下一步是万丈深渊也要迈下去。

走黑水沼绝不能停下脚步，即使现在无事的地面，一两个时辰一过，说不定就是无底洞，因此非一口气走上一天一夜不能休息。老齐头深知这个道理，打叠起精神，向后面吼道："爷们都加把劲，脚底下紧上一步，都跟上了！"

其实不用他说，大家都已经十二分地倍加小心，就这样脚步赶脚步，一直从天晌午走到日薄西山，前面的古平原忽然不动了。

一开始刘黑塔与老齐头两个人还未发觉，一旦走近发觉了，两个人的反应截然不同。

刘黑塔是大喜，他认为古平原必是走在前面看见了黑水沼的尽头，因此停住了脚步，故而喜极大叫："古大哥，是不是咱们快走出去了？"

老齐头却知绝无此理，他虽然没有走过黑水沼，但按路程及脚程推断，非到明日天亮，驼队看不到沼泽的边际。所以他想的是另外一回事，也扬声大叫道：

"古老板，莫非是陷住了？"

古平原既没有回头，也没有回音。老齐头经验老到，一看就知道自己所料不差，只怕古平原此时已经紧张得两耳不闻，一心只想脱身之法。

看样子陷得不深，而且踩上的也不是眨眼就没顶的稀泥泡子，这就还有救。老齐头命驼队停下，自己双手拢在一起，大声指挥："古老板，听我的。甭管是哪条腿陷住了，先弯着膝盖慢慢躺下来。"

刘黑塔恐怕古平原听不清楚，老齐头喊一句，他就扯着嗓门跟着喊一句，如此一来，连最后的驼队伙计都知道在前探路的古老板陷在了泥中，看得见的目不转睛盯着，后面看不见的屏住呼吸心里不住念佛。

古平原依言而做，慢慢躺倒在泥地上。老齐头又道："古老板，接下来才是关键。你身子其他地方都不要用劲，陷住哪儿了，就在哪处使劲，一点一点往上抽，应该是能拔出来。"

刘黑塔跟着喊完这一句，双手一拍，大吼道："费那个劲干吗？我过去把古大哥拽出来。"说着就要往前走。老齐头一伸手拦住，"慢着。你拽？你的劲再大有三头牛的劲大吗？我听人说过，以前有个人也是这般陷了进去，商队卸了三辆牛车，用三头牛往外拔，结果你猜怎么着？好端端的大活人，拔出来的时候两条腿已经留在了黑水沼里，简直就是五马分尸。"

刘黑塔倒吸一口凉气，看着眼前已经逐渐昏暗的沼泽地，喃喃道："鬼……鬼沼！"

"对喽。"老齐头见劝住了刘黑塔，就不再理他，扬声又道："古老板，你莫心急，也急不得，只能一点一点来。"

古平原始终一言不发，却能看出他实实在在是按照老齐头的指点在努力脱难。此时驼队寂静无声，没有一人不是心急如焚，因为整个驼队的命运可说就握在古平原一人手中。

"到底怎么样了？"常玉儿的声音在刘黑塔身旁响起，他一回头见妹子正骑着马往古平原的方向看去。

刘黑塔唬了一跳："妹子，我不是让你走在最后面吗，你怎么跑前面来了，快回去，危……危险。"

常玉儿何尝不知道危险，而且她也知道，当着这么多的人，对古平原表示出如此关切有失女子的矜持，可是实在是顾不得了，心里面急得如同火烧，要不是怕匆匆行事反倒误事，她就把马催到古平原身边。所以不管刘黑塔怎么说，常玉儿坚决不往后退，刘黑塔也没办法。

刘黑塔是这些人中性子最急的一个，等不多时，见古平原那边毫无进展，摩拳擦掌想要过去帮忙，直到老齐头提出了极严重的警告："去不得，一去古老板的命就送掉了。"他这才作罢，但仍是摇晃着大脑袋，眼睛瞪得犹如铜铃一般，一眨不眨看着。

其实看也无用，小半个时辰过去，古平原只不过将一条陷下去没了膝盖的腿拔出来半寸，几丈之外的人哪里能够看清。但就是这半寸，已经过了性命交关的关口，此后就越来越好办了。直到暮色低垂得几乎看不清古平原的身影，终于见他身子一滚，向旁边滚出去几米，算是脱了险地。

至此人人都松了一口大气，刘黑塔抹抹额上的汗水，老齐头止不住地拍着胸口，常玉儿一闭眼流下泪来，心里都是一句话："古平原真是命大！"

老齐头刚待招呼，就见古平原双手在被陷住的那条腿上揉捏了几下，身子一挺站了起来，拿出火镰，打亮明烛，向后方的驼队看了看，辨了一眼方向之后又向前方艰难地走去。

"这……这可不成。"刘黑塔方才心中已经决定，接下来的道路要由自己来探，见古平原依旧前行，他急赶上去想要拦阻，自己却先被老齐头拦住了。

"算了吧，古老板这是铁了心要走出黑水沼。你去换他，他也一定不肯，不如就成全了他的心愿。"

刘黑塔想了想，知道老齐头说得不假，也只能默然作罢。

前方烛光不灭，驼队就可随着光亮继续走下去。从太阳落山的酉时走到月落星沉的寅时。天边刚刚见白，沼泽里突然起了一阵大雾，随着雾气升起，不多时前方古平原的蜡烛忽然无声无息地灭了。

这下子不由得驼队不紧张，老齐头、刘黑塔张口大叫，古平原却是一声回应都没有。

"难道又陷住了？"刘黑塔饶是胆大，此时也不敢乱闯，只急得是抓耳挠腮。

"不应该啊，除非是遇上了传说中的'鬼打泡'，否则怎么会一声都没叫出来。"老齐头虽然办法多，但是在浓雾中也只能停下脚步。挂在骆驼颈上的"气死风灯"最多能照出一丈多远，再往前谁也不知道是什么状况。

"怎么办？"等了半天，刘黑塔终于忍不住问了。

他问得容易，老齐头想答上一句却是不易，因为责任太重。脚下是凶地，眼前又看不清楚，实在是个进退两难的境地，老齐头心中也是发慌，若是古平原已经遭难，说明十丈之内必有大凶险。驼队已经走了一天一夜，势难再回。若是硬着头皮往前走，辨不清方向不说，古平原的遇难之处恐怕也就是大家的葬身之地。

"你倒是说话啊。"刘黑塔又催促道。

老齐头心一横："走吧，刀篙笆一撞，撞开就活，撞不开就认命吧。"

没想到话音刚落，前方的烛火竟然奇迹般又亮了起来，老齐头如同看见救星，生恐烛火又灭，大吼一声带着驼队就往前赶。

刘黑塔拉着骆驼走在最前，走出去大概五六丈远，忽然觉得脚下不对，身子一栽就倒了下去。

老齐头在后面看得明白，大惊失色，正一怔神间，刘黑塔竟又一个鲤鱼打挺蹦了起来。他不只是蹦起来，而且还大叫道："成了，成了，走出来了。"

老齐头一怔，但随即明白过来，刘黑塔这一天一夜在烂泥塘里走，偶一遇硬实的平地竟然立足不稳。

"驼队走出了黑水沼。"这句话从前方的领队传到最后一匹骆驼，几乎是一瞬间的事儿，驼队霎时震动起来。此时走在前面的十几匹骆驼已经上了岸，但后面的驼队还长，老齐头经验老到，知道后方的驼队还不能大意，亲自赶到后面去压阵。直到最后一匹骆驼也上了岸，这才算大功告成，闯出了这几十年没人敢走的黑水沼。

"老天爷保佑。""佛祖保佑。"岸边大大小小数十个伙计跪地感谢上天，老齐头与刘黑塔兴奋劲儿一过，不约而同想到一个问题："古平原呢？"

此时烛火尚在，就在前方不远处有个土坡，刘、齐两人带着伙计赶过去，就见古平原跪伏在地，手上死死捏着最后那支快要烧残的白烛，身子在不住地打颤。

刘黑塔扑过去紧紧抱住古平原："古大哥，咱们闯出来了，闯出来了！"

古平原双目模糊，边笑边点头，已是哽咽得说不出一个字来。身边的伙计围拢过来，将他从刘黑塔手里夺下，高高抛到空中，又稳稳接住，人人脸上都是劫后重生般的喜悦。常玉儿在岸边远远看着一身是泥疲惫不堪的古平原，眼里蕴满了泪水。

驼队这一闯出黑水沼，就等于是抢出了整整十天的时间，老齐头拍胸脯保证，往后再无难走的路。经过一日夜的折磨，驼队上下困顿不堪，于是便在岸边就地休整。

这天晚上，黑水沼畔篝火映天，伙计们将骆驼赶到营地的四周打桩系好，借骆驼来挡风。除了值夜的伙计外，人人都围坐在篝火旁。本来商队在外轻易不得饮酒，但今晚老齐头做主暂时废了这个规矩。

"今晚上大家都痛痛快快地喝几杯，一来是庆贺驼队走出了黑水沼，二来是为古老板压惊。这一次真是九死一生，全靠了古老板胆大心细。来，我敬古老板一杯。"老齐头向坐在身边的古平原举杯示意。

古平原连忙起身离座，走到众人中间，高高端起酒杯。

"多谢齐老爷子夸奖。不过这一次能顺利走出来，不只是我，还是全驼队老少的功劳。正如齐老爷子说的，走黑水沼全凭运气。我这一次误打误撞，如果不是大家伙信得过我，也不能建功。我借齐老爷子这杯酒，敬全驼队的兄弟。"

说着古平原一仰脖，干干脆脆一杯酒见底。众人哄然叫好，也纷纷饮了此杯。

接着古平原又满上杯，脸色却是一变，将声音略放低了些："我这第二杯酒，敬留在黑水沼里的那位兄弟，愿他在天之灵安息。"说着转向刘黑塔，"兄弟，将来回到太原城给我提个醒，这一趟甭管我得了多少银子，要拿出两成来分给那位兄弟的家里。"

刘黑塔答应一声。驼队里的伙计相互看看，交换着眼神，惊异之情溢于言表。走西口的驼队伙计一条命本不值钱，像这样人死身灭，除了一副棺材板和十两银子的安家费，其余再得多少完全看这个人在驼队中的人缘，靠大家"凑份子"而已。现在"大老板"出手如此大方，真是闻所未闻，也就是这样一个举动，使得古平原彻彻底底收服了整个驼队的心。

刘黑塔不习惯场面如此凝重，咧着大嘴道："古大哥，我看你平时极是稳重，怎么这一次连商量都不商量，冒冒失失就往泥潭里闯，难不成有什么把握？"

这句话其实人人想问，所以大家都静下来听古平原如何作答。古平原稍有些无奈地笑了笑："把握倒是没有，靠山嘛，算是有一个。"

刘黑塔瞪大眼睛："喔，什么靠山？"

古平原往上面指了指，刘黑塔顺着他手指的方向看去，却只见满天星斗，搔了搔头道："古大哥你就别卖关子了。"

古平原道："我的这个靠山，就是老天爷。昨儿一早，我拿着蜡烛到黑水沼边上，心中起了个愿。"

"哈。"刘黑塔打趣一句，"古大哥是读书人，怎么也信神信鬼？"

"别打岔。"孙二领房想学学如何走黑水沼，听得是聚精会神。

206

古平原笑笑道："我对自己说，如果走出一百步后这烛火还没有被风吹灭，那么不管千难万险，我也一定走下去。要是烛火灭了，那么就是老天爷示警，到了那时候……"

古平原没往下说，大家自然心头雪亮，要是老天爷不帮忙，就是有天大的本事也得陷在这吃人不吐骨头的沼泽里。

"古老板真是贵人，能得天之佑，我们这趟买卖想必是有惊无险了。"老齐头捻着几根狗油胡不住地点头。

"其实我这么做，倒是想起了关外的一段往事。"走出了黑水沼，古平原心头一块大石落地，今夜谈兴正浓。

这件事，还是流放关外时，听营口参茸行的商人说的。长白山产最好的野山参，越是偏僻无人的山旮旯儿，越能寻到"七两为参，八两为宝"的宝参。但是荒山野岭自然危险丛生，别的不说，一头大熊就能灭了一队采参客，再加上雪崩和山洪，老参客身上几乎没有不带残疾的。

就在这一年的初冬，一队采参客在靠近朝鲜磨石砬子的一块悬崖底下发现了一枝大叶参。后来据在场的一个参客说："我一眼看见那参，心上就怦怦地跳开了。那叶那果，打眼一瞅，地下的参娃子少说也有七八两。"

瞅是瞅见了，也真是忒馋人，可就是没人敢去挖。不为别的，那参上面有一颗大石头被前几日的雪崩推到悬崖边上，摇摇晃晃，时刻都会砸下来。挖一棵参，必须刨大坑，才能保证一根须子不断、完好无损地将参取出，少说也要三天工夫。可上面那块石头被风一吹都摇摇欲坠，真要是掉下来，连人带参都得砸成饼。

最后还是年轻后生不怕死，那后生轻手轻脚给人参拴了红线，然后站起来双手撑腰大喊一声。声音大极了，山谷回音如同雷鸣，参上那颗大石也被震得晃了三晃，可就是没掉下来。于是年轻后生开始刨坑挖参，别的采参客在几丈开外看着，硬是不敢过去帮他。

说来也巧，三天之后那后生捧着一枝硕大的人参美滋滋地走了回来。人一离开，那颗石头就掉了下来，将地面砸出半人高的深坑。

年轻后生用命赌来的这枝参足有八两半，在营口参茸行卖了三千两银子，算是发了一笔大财。事后有人问那后生当初为何要喊那一声，后生答道："要是俺没那发财命，趁早就让石头滚下来把俺砸死，也省得担惊受怕。既然石头没落下来，那就是老天爷把参许给了俺，那三天，俺是一点儿都没害怕。"

古平原讲完这件事，端起酒杯喝了一口："事不同理同，我走这黑水沼，也是一点儿都没害怕。"

"古老板的这段故事讲得有意思。俗话说'富贵险中求'，敢豁出一条命去，就是神仙也得让三分。"老齐头陪了一杯。

伙计们交头接耳，显然古平原讲的故事与他自己的现身说法给整个驼队不小的触动。

古平原正与老齐头说话，一眼瞥到常玉儿站在篝火的远处看向自己，他告了个便，起身走向常玉儿。常玉儿原本只是想静静地看着古平原，没想到他却过来了，心里不知怎么有些发慌，一转身进了帐篷。古平原望着她的背影摇了摇头，他原本觉得女人走黑水沼比男人更加不易，想安慰她几句，现在看她掉头就走，实在琢磨不透她的心思。

这天晚上大家喝喝谈谈，直到深宵方才尽兴而散，各自回到帐篷去休息。

第七章

坏交易的背后，
永远有一笔更大的交易

　　古平原这些天一直在琢磨如何反败为胜。人到了这个时候，往往是一些隐藏最深的记忆会突然之间冒出来。古平原就是如此，他在客栈的时候，看到一个伙计摔碎了壶盖被掌柜的呵斥，其中一句"没了壶盖要这壶有什么用"一下子点醒了他，让他想起当年徽州商界一件广为人知的事情。

第二天天光大亮，古平原昨晚吃酒吃得多了，宿醉未醒还在头疼，但因为惦记着驼队，他挣扎着起身。掀开帐篷门一看，先就大吃一惊。

　　只见外面三步一岗，五步一哨，一夜之间驼队大营竟然变了军营。

　　他的帐篷前也有两个军卒在守卫，见古平原出来，将手中长枪一横，意思是不许他随便走动。古平原上下一打量，见这两个军卒身上的号衣是蒙古打扮。自己又不会说蒙语，只没奈何处，就听得隔壁帐篷那儿刘黑塔瓮声瓮气地大叫起来："活见鬼了，你们是哪儿的军队，咱们这是买卖，又没造反，怎么就不让挪窝儿？"

　　古平原连忙高声叫道："黑塔兄弟，不要鲁莽，等我来跟他们说。"

　　"慢着，慢着。"老齐头从左边连跑带颠赶了过来，一边拿袖子擦汗，一边连连摆手。

　　古平原心中一宽，老齐头走惯了西口，惯与蒙古人打交道，有他在就一切都好办。

　　果然，老齐头一张口就道："古老板，莫惊莫惊，是好事情。"

　　军队上门围住了驼队，怎么看都不像是好事。可是古平原并没有问，他知道老齐头这样说自然是有道理，且听下去就是了。

　　"我方才向领兵的佐领大人问过了，他们是漠北蒙古柯尔克王爷的部下，那位买咱们货的巴图老爷让他们来护卫我们的驼队，好尽快赶到漠北。"

　　"原来是这样，那再好不过。齐老爷子，请你去与他们的头儿说说，我请各位弟兄先吃喝一顿，犒劳犒劳大家。"

　　军队的佐领就跟在老齐头后面，他也懂几句汉话，听了古平原的话，走上来生硬地说道："你们的饭，我们不吃，你们的驼队，快快地上路。"

　　"是，是。"古平原连忙点头答应。

　　等那个佐领满意地转身走后，老齐头凑上来道："古老板，我怎么闻着这事有点味儿不对啊？"

"你是说……"

"你看这军队的架势哪像是来护送，分明就是押解。刚刚那个佐领还说，一路上要少休息，快赶路。还有一句话最可疑，他在讲到那位巴图老爷时，既不说他请军队来护送，也不说他雇军队，用了一个'派'字，你说说这不是大有问题吗？"

"这么说那位巴图老爷大有来头啊。"古平原的眉头也皱了起来。

"这且不管，我看现在就只能听这帮兵大爷的，赶紧上路，否则惹恼了他们可不是玩的。"

"是，那就请齐老爷子给大家说说，一是安抚大家别害怕，二是要大家抓紧赶路，千万不要节外生枝。"

老齐头领命而去，古平原点手唤过刘黑塔："兄弟，你那火暴脾气这几天可得收敛着点。这些兵大爷不讲理，手里又有家伙，咱不和他们硬碰硬。"

刘黑塔眼睛一瞪："怎么地，他有家伙我没有？"说着摸了摸腰里缠着的九节钢鞭。

"嗨，话不是这么说，咱们是商人，出门是求财不是求气，和气生财嘛。"

刘黑塔摸摸大脑袋，有些不好意思地笑了："古大哥，你这话从前老爹也说过，可我这人没心没肺，一着急就忘了。"

他又压低声音："可是古大哥你也别大意，我看这些军队不是好来路，一个个的忒横。"

古平原不动声色地点点头："你放心。既来之则安之，他们要是敢放坏，我自有办法。"

话虽然如此说，等到一上路，就连驼队里最迟钝的伙计也感觉出这股军队的来意绝不只是保护驼队这么简单。从黑水沼一路往巴彦勒格边上的乌克朵城走，很快就靠上了当年铁木真会盟的斡难河。游牧部落亦是依水而居，一路走来着实有几个大市镇，然而军队的佐领却严令驼队众人不得靠近市镇，一应的物品补给均由驼队出钱交给军卒去办。

这就不成道理了，即便是押解犯人，也要送犯人打尖住店，绝没有将犯人与世隔绝的做法。也正是因为蒙古军队行事诡异，驼队中很快便起了种种的传言，闹得是人心惶惶。

"古大哥，你说这帮蒙古人葫芦里卖的是什么药？"刘黑塔扯上老齐头，一起钻到古平原的帐篷里来议事。

古平原沉吟半晌，转而问老齐头："我是第一回走西口，以前有这规矩吗？"

老齐头叼着旱烟袋，狠狠地吐了一口烟："没有，别说你没见过，我走了一辈子的西口，也没碰上这么怪的事。"

古平原想了想，又道："咱们懂蒙语的伙计不少，这几日可弄明白了这股军队的来历？"

老齐头还是摇头："他们的军纪很严，除了那个佐领还有军需官之外，其余的士兵就像哑巴一样，问也问不出话来。不过好在明日就到乌克朵了，不怕到那里不给咱们一个交代。"

"我怎么觉得这么走下去，比在黑水沼里闯还悬呢？"刘黑塔一拨愣脑袋。

古平原也深有同感，不仅如此，而且他已起了极深的警惕之心。这就是他的过人之处，每逢危险来临，心中总是能有预感。古平原心下做好了防范，只等到了乌克朵再随机应变。

乌克朵是漠北蒙古恰克图盟旗最大市镇巴彦勒格的一座卫城。因为巴彦勒格是柯尔克王爷的驻地，因此在东南西北四个角都筑有卫城，里面驻防军队，存有军粮，以便在形势危急的时候拱卫王城。

乌克朵位于巴彦勒格的西南郊，四面筑有土墙，墙里面就是军营。有军营的地方自然也会有饭馆、烟馆、妓院、客栈和货栈，为兵大爷提供吃喝玩乐的地方，所以乌克朵虽然地方不大，却很是热闹。

这队蒙古兵将古平原一行送到城里一家不大不小的客栈，驼队伙计在孙二领房的带领下从侧门入马号，拴骆驼卸货。古平原则带着老齐头和刘黑塔，从客栈正门走了进去。

"古老板，你好守时，佩服佩服。"随着一声生硬的汉语，巴图一挑帘子迎了出来。

古平原迅速地与老齐头交换了一下眼色，彼此都是出乎意料的眼神。之前古平原与老齐头商议的时候都认为，这位巴图老爷行事如此出人意表，只怕就算是到了乌克朵，也不能顺利地完成交易。没想到驼队还没到，巴图就已经在客栈迎候了，看样子对这笔买卖很是上心。

古平原没时间多想，上前一步，拱手笑道："巴图老爷，让您久候了，真是过意不去。"

"哪里，哪里，古老板能带着驼队从黑水沼走出来，我是非常的佩服。来来，请屋里坐，酒席我已经备好了，专为你们接风洗尘。还有，你们这驼队人不少，这家客栈你们住下，就没有几间空房了，所以我做主替你们把客栈包下了，也好休息。"

这又是一个没想到，当初在太原城见巴图时，只觉得他阴沉傲慢，如今却殷勤备至。"莫非是鸿门宴？"古平原心里加了十二分的小心，脸上笑容却不减。等进了客栈的大堂，才知道自己是太过小心了，原来所谓的接风洗尘，是在大堂之中摆上整整十桌酒席，驼队伙计人人有份。

在这样的大庭广众之下，自然不会动什么手脚。驼队已经吃了许多天的干馍与风干肉，此刻大家一闻到菜香简直是个个馋涎欲滴。伙计们大吃大喝，不时还过到古平原这一桌来敬酒，古平原向老齐头和刘黑塔示意，要他们帮自己挡酒，自己则将全部心力放在对付巴图身上。

这一晚的酒宴上，巴图对这笔买卖只字未提，对古平原的旁敲侧击、各种打听，他也借酒盖脸乱以他语。后来他实在躲不过去了，竟然提议叫局，找来长兴客栈边上桃花居的几个当红姑娘，自己左拥右抱，实际上是在装聋作哑。常玉儿避席不出，但在房中却听得直皱眉头，瞅着个机会让客栈的伙计把刘黑塔叫了进来。

"妹子，你怎么不出去吃点？"刘黑塔已喝得醉意朦胧。

"大哥，你糊涂了，这种场面我怎么能出去！"常玉儿心里的不高兴都写在脸上，刘黑塔却是浑然不觉，还端着酒杯嘿嘿傻笑。

常玉儿把他手里的酒杯抢下来："第一，从现在开始你一杯都不能喝，我来这儿就是管着你别贪杯误事。第二，外面那几个、那几个……"常玉儿大姑娘家，明知道外面那几个莺声浪语的女人是做什么的，可哪儿好意思说出来，憋了半晌道，"总之你连碰都不许碰一下，不然小心我回家告诉爹。"

"嗯？"刘黑塔晃晃大脑袋，"我不碰倒是简单，可你看那巴图直把女人往古大哥怀里推。"

常玉儿真正生气就是气在这儿，她在房里早就听见外面巴图在大声谈笑，不停地要姑娘们给古老板敬酒。

"这你别管，古大哥是正经人儿，才不会做那龌龊事儿呢。"常玉儿与其说是给刘黑塔听，还不如说是在宽慰自己的心。

等到酒过三巡又三巡，巴图提出，驼队远来需要休息，他要告辞了，明天一早再来。古平原想一想，天色已晚，没有硬要留人的道理，于是起身相送，到了客栈之外，看着巴图的马车扬尘而去。

"这巴图不是个正经买卖人。"古平原一回屋，老齐头就皱着眉头说，"那几个婊子我已经打发回去了。咱们山西商人有规矩，出外行商绝不能碰女色。蒙古商人都知道咱的这个规矩，也都敬重。可是这个巴图居然主动招妓，说明他根本就没和山西商人打过交道，又或者不把商场上的规矩放在眼里。"

"我也看出来了，他的眼角带着股子邪气，可见心术不正。这且不管它，反正他自己说明天要来，我们争取明天完成这笔交易，到时候银货两清，也就是了。"

"古老板，不是我老头子说句丧气话，只怕这笔交易没那么简单。"

"喔，老爷子在担心什么？"

"很多，最有可能的是巴图会压价。他既然不是正经买卖人，只怕也不会把'诚信'二字放在心上。"

刘黑塔听到这儿一瞪眼："他敢，老子把他脑袋拧下来。"

古平原脸色阴晴不定，几番思量之后重重地喘了一口气："我决定了，真要是那样，我们也得认了。本来就是翻倍的暴利，大不了少赚两成，关键是一定要把交易完成了。"

第二天一大早，巴图果然如约而来，古、齐、刘三人将他请到天字号的大客房里。奉茶寒暄之后，巴图开门见山："古老板，既然你们千里迢迢地来了，我也就不耽误时间了，这是银票，你点收一下，然后我到楼下去验货取货，这笔买卖就算成了。"

谁也没想到他会如此痛快，见巴图递过来一张银票，老齐头连忙伸手接过，一边说着："应该先验货，后付钱，您这也太信得过我们了。"一边将银票转手递给古平原。

古平原接过银票展开，不看则已，一看之下笑容顿时凝在脸上。齐、刘二人不解，刚探头要看，古平原已经迅速将银票折好，向巴图递了回去，嘴上说道："巴图老爷，您弄错了吧，这货已经送到了，怎么还付定钱呢。"

巴图紧盯着古平原的眼睛，脸上是莫测高深的笑容，他轻轻地摇了摇头："不，这就是全款。"

古平原脸色顿时变了，笑容全无，正色道："这张银票巴图老爷没拿错？这可只有五十两。"

"没错，我只出五十两。"巴图的语气一点开玩笑的意思都没有，说得郑重其事。

想过巴图会压价，但谁也想不到他会压得这么狠！

五十两！当初在太原城约好的价码是六千两，这连百分之一都不到，要按这个价成交，武掌柜知道了就得跳河自杀。

古平原这时候已经知道，自己和驼队掉到了人家事先就编好的一张大网里，老齐头经多见广，尽管同样脸色煞白，但却一言不发。刘黑塔就不同了，他"噌"的一下就跳了起来，张口就叫道："好你个兔崽子，跟爷们玩阴的，这货，老子不卖了。"

巴图不理他，只对着古平原说话："古老板，这生意场上的事情瞬息万变，我也是有不得已的苦衷。货款我是带来了，你到底收是不收？"

古平原冷冷道："对不住，这个价我没法卖给你。"

"那好。"巴图干脆地站起身，"什么时候想卖了，只管告诉客栈老板一声，让他来找我。我就先告辞了。"说完话，头也不回径直带着两个从人走出了客栈大门。

客房里一片死寂，驼队的三个领头人如同木雕一般坐着。直到桌上马奶茶的热气散尽，老齐头才艰涩地开了口："唉，中了人家的套子了！"

刘黑塔一直在看古平原，等着他说话，这会儿也憋不住了："什么套子？咱不卖就完事了呗。"

老齐头苦笑一声没言语，刘黑塔大睁双眼："怎么，我说得不对？"

古平原也觉得嘴里又苦又涩，摇了摇头："兄弟，你也跟着常四老爹做了这么长时间的买卖了，难道不知道'货到地头死'这句话？咱们的货现在是千辛万苦到了蒙古，一句'不卖'，就这么拉回去，驼队的脚钱怎么办，药材拉回太原怎么处理？老爹抵押的宅子又该如何？这些你都想过没有？"

"我，我，我……"刘黑塔被问得张口结舌，怔了半晌颓然坐下，抱着大脑袋不说话了。

"我看，这一次除了认栽，没别的办法了。他奶奶的，老子跑西口这么多年，头一次碰上放坏水的蒙古人。"老齐头气急败坏之下大骂起来，"唉，真是钱迷心窍，这世上哪儿有这么好的买卖！"说着，他左右开弓，抡圆了给了自己两个大嘴巴。

"老爷子，别这样，咱们慢慢想办法。"古平原连忙拦住。

"办法？古老板，你是聪明人，这个坑是早就挖好了的，就等驼队千里迢迢赶来往下跳。现在人家有兵没钱。咱们是讲理讲不了，打官司打不了，你说还能怎么办？唉，我光想着给我那两孙儿赚些娶媳妇盖房子的钱，真是人越老越贪，活该，活该！"老齐头不住声地骂自己。

"其实，我早就想到这里面有事。"古平原此时已经冷静了下来，"只是没想到这巴图手段如此毒辣，竟然要我们血本无归。齐老爷子，听我的，现在事情还没到不可收拾的地步，咱们不能自乱阵脚，一定要想出死中求活的法子来。"

说是这么说，一时之间谁又能够起死回生？连着好几天，三个人坐困愁城，怕驼队伙计得知后闹事，还不敢将此事泄露出去，整天聚在古平原的房间里，商议来商议去，也没商议出个好办法。

"我呸，这不等于是坐了监狱吗？"等到第四日头上，刘黑塔怒气冲冲走了进来。

老齐头懒得开口，古平原皱眉问道："怎么了？"

"还是那群兵，堵着大门死活不让我出去！"

"你出去干什么，还想像砸王天贵票号那样闯一回祸？"常玉儿也走了进来。这件事古平原要求其他两个人把驼队上下都要瞒住，可瞒得了别人，瞒不住常玉儿。常玉儿很聪明，与刘黑塔又是从小一起长大，大哥脸上不对劲，她一眼就看出来，三问两问刘黑塔扛不住就全说了。

常玉儿知道之后吃惊非小，她虽然聪明，可是对做生意的事情也并不内行，所以她也没有好主意，只能不时过来宽宽众人的心。今天一来就听到刘黑塔要出去，忍不住出言警告。

"我现在哪有心思闯祸，不过就是出去透口气罢了。"

"怪呀！"古平原忽然来了这么一句，几个人都不约而同看向他。

"你们说，巴图到底为什么要派军队看住我们呢？"这两天，古平原的面前一直放着一包五加皮，他不时拿起一枝来琢磨，这时他把药材放在桌上，眼睛直盯着门外。

"那还用问，怕我们跑了呗。"刘黑塔不以为然地说。

"齐老爷子看呢？"古平原问道。

"我看……是这个理儿吧？"老齐头犹犹豫豫地说道。

"不见得。我总觉得这里面有古怪，可又说不上来。"常玉儿沉吟着。

"这里面一定有鬼，我来说给你们听。"古平原这一说，几个人都凑了过来，"你们想，五加皮是冷门药材难以脱手，这批货如果我们不卖了，就这么拉回太原，那么算上驼队的脚钱，武掌柜高价进货的差价，这些都加在一起，恐怕还不如把药直接倒到斡难河里合算。"

"对，拉回太原肯定赔得更多。"老齐头点了点头。

"那就是了，明知道我们肯定是不会把货拉走，巴图怕什么？又为什么一定要把我们看得死死的？"古平原这一问，几个人面面相觑，不知如何作答。

"除非……"常玉儿心念急转，"除非他不是怕我们出去，而是怕有人进来！"

"对了，就是这么回事！"古平原一拍巴掌，"我们都想岔了，以为门外的兵是看住我们不让我们擅自离开，其实他们更是在看住外面的人，不让他们进来。"

"那又是为什么？"刘黑塔听了个稀里糊涂，迫不及待要问个清楚。

"我问你，巴图为什么要高价买五加皮这种药材？"

"不知道。"

"只怕他不让外人进来，就是怕我们'知道'。"

老齐头听出门道了："依古老板的意思，我们这批药材对巴图来说有厚利可图？"

古平原重重点了点头："问题是一日不弄清这批药材究竟有什么用，一日就无法抓住巴图的痛脚，只能被他牵着鼻子走。知己知彼方能百战百胜，可现在我们两眼一抹黑，别说赢了，就是输也会输个稀里糊涂。"

几个人一时又沉默起来，这几日人人看得清楚，这客栈是巴图早就安排好的。从掌柜到伙计是要什么给送什么，可就是不多言不多语，问十句答不到半句，想从客栈中人的嘴里挖点什么出来，看样子是不可能了。

古平原想了又想，暗中下了决心，可没和别人说，只是对老齐头道："驼队里应用的药材都有吧。"

"有，驼队走远道，难免有伙计生病，常备的药材都有。这一次你不是带了个懂蒙语的药铺伙计吗，叫什么乔松年的，我把这些药都交给他保管了。"

"唉，这几天我也有点昏沉沉的，请老爷子把他叫进来，给我配服药吧。"

"好，好，我这就去叫他。"老齐头起身去叫人，常家兄妹见古平原身子不舒服，也都起身让他静养。常玉儿犹豫再三才开口道："古大哥，办法都是人想出来的，你也不要太急，还是身子要紧。"

这位常姑娘对自己一会儿冷一会儿热，古平原也不知该说什么才好，只得点点头表示听见了。

常玉儿在门外见那药铺伙计乔松年进了房间，她毕竟放心不下，左右看看无人，站在门口假装拂拭身上的灰尘，侧耳听着。

就听屋里两个人说话，声音不大难以听清。常玉儿正在着急，忽然乔松年把声音拔高了："那可不行。这应了十八反哪！"

常玉儿一愣，"十八反"就是不懂医理药理的人也都听过。因为只要是人就都进过药铺，那"本草明言十八反，半蒌贝蔹及攻乌。藻戟遂芫俱战草，诸参辛芍叛藜芦"的歌诀就贴在每家药铺的墙上，提醒配药的伙计千万不能将药性相反的药混入一个方中，否则轻则药力无用，重则中毒身亡。通天下的药铺无不以"十八反"为大忌，一旦配错了药，也就等于是砸了自家的招牌。

怎么扯上"十八反"了？常玉儿心里纳闷，可偏偏屋里两个人的声音又小了下去，她干着急也没办法。待听见伙计的脚步声往门边来，只得闪身避开。

看乔松年要下楼，常玉儿终于忍不住轻声叫住了他。

"请等一下。"

乔松年这个人确是像悬济堂的武掌柜所说，有些不合群，一路行来并不与其他人打交道，歇下来便拿本医书来看，所以从未与常玉儿说过话。听她叫自己便是一愣："哦，是常姑娘啊，有事吗？"

"请问，古老板身子如何？"

乔松年听见这一问，面色顿时古怪起来，吞吞吐吐道："这……可能……大概是……我也说不太清。"

"那你这是要去给他配药？"

"是。"

这就不对了，病都没弄清楚就配药？常玉儿看向乔松年，乔松年被她看得浑身不自在，讪笑了两声："没什么事，我先下去配药了。"

看着这药铺伙计下楼，常玉儿不自觉地咬紧了下唇。

"怎么了？"刘黑塔从后面走了过来。

"没怎么。"常玉儿怔了一会儿，无言地摇摇头，却掩不住眼中的忧色。

这一天夜里，古平原果然病了。而且这场病来势汹汹，发作起来，把古平原弄得上吐下泻，发起高烧，折腾了大半宿，人已经委顿不堪。

"你们这些混账王八蛋，老子要出去请大夫！"老齐头看拖不得了，天一亮就要刘黑塔出去找大夫，可把门的士兵还是不让出去。刘黑塔气得三尸神暴跳，要不是常玉儿拦着，他就要拽链子鞭往外闯了。这个时候，客栈老板过来了，对着士卒耳语两句，然后回身对驼队众人点头哈腰。

"几位，稍等我一下，我去给你们请大夫。"说完他一溜烟地跑没影了。

"嗯，病了？"客栈老板可不是先去找大夫，而是来到巴图家里禀告此事，巴图听了之后有些将信将疑。

"的的确确是病了，而且是急病，要是再不请大夫来治，只怕人就要不行了。"开客栈的都不愿意有人死在自家的店里，嫌晦气不说，对生意也有影响，所以客栈老板把古平原的病情又夸大了三分。

"那好吧。"既是病得要死那就肯定不是装的，巴图点了点头，"你去给他找个大夫来看看吧。"

客栈老板请的也的确是位好大夫，这人叫萨都喇，也算是巴彦勒格的名医了。等他一进古平原的房门，古平原勉强着开口让众人出去。常玉儿走在最后，见人都出去了，她又轻又快地关上房门，自己闪身避到花架后面。屋里的两人一个只看病人，另一个病体支离，竟是谁也没有发觉花架后还有个人藏着。

"烦请让我搭一搭脉。"萨都喇读的是汉文医书，与一般蒙古大夫不同，身上有些儒医的气质，对汉人也很有好感。

"不必了。"古平原声音微弱，语气却是不容置疑。

不必了？屋里的两个人一在明处一在暗处都当自己听错了。这叫什么话。请了大夫来，病重得起不来床，却不让号脉，古平原是不是病糊涂了？

"这病我自己能看，不劳烦先生费心。"古平原见萨都喇愣住了，接着解释道。

大概天底下的大夫最不爱听的就是这句话了。萨都喇把脸一沉："既是自己能看，又为何要请我来，莫非是要笑于我？"

古平原说一句话要喘息半天，他摸索着从枕下拿出个纸包，打开来往萨都喇面前一推。

萨都喇眨了眨眼睛，好半天才弄明白是怎么回事，眼前这可不是个京丝足纹的五十两大元宝吗？

"你这是……"萨都喇出一次诊是五钱银子，这五十两银子差不多是他半年的诊金，他不由得怔怔地望着古平原。

"不瞒萨大夫说，我这病是自找的，为的就是见您一面。"古平原艰难地说。

"见我？"萨都喇大惑不解。花架后面的常玉儿却捂着嘴险些惊呼出来，她不必多想就记起了昨晚古平原与乔松年的对话，再想想古平原这一夜病得半死不活的惨状，常玉儿紧咬着下唇，眼泪止不住如珠玉一样落下。

等她稍微平缓一下心绪，就听古平原已经对萨都喇说到了后面："事情经过就是如此，若是弄不懂那巴图要这五加皮做何用处，我就是死也难闭眼。还望萨大夫能给我指条明路，这五十两银子就权当是给您的酬金。"

他见萨都喇半晌不语，便又道："俗话说'医者父母心'，我想无论蒙汉都是如此，还求萨大夫成全。"

一句"医者父母心"打动了萨都喇，他不答古平原的问话，却反问了一句："你可知道那巴图的来头？"

"这……不瞒您说，实在是不知道。"

"哧。"萨都喇笑了，脸上忽起讥诮之色，却并非是对古平原所发，"汉人后生，你也不必问了，反正在这蒙古地界，你是斗不过他的。听我一句劝，收了那五十两银子赶紧回山西，还能留住条命。否则惹恼了那巴图，你们驼队都要死无葬身之地。"

警告如此严重，古平原心里也是一沉。怔怔地没了言语，而萨都喇则已经把那锭元宝往古平原身前推回，起身道："无功不受禄，既是你能看病，我也就不久留了。告辞！"

"萨大夫，您留步，我还有话说！"古平原心里着急却起不得身，强撑着想把萨都喇叫回来，却哪还来得及。

萨都喇几步来到门口就要开门，就在这时候，从花架后面转出一个人，二话不说就给萨都喇跪下了。

萨都喇冷不防吓了一跳，仔细一看竟是个女人，更是吃惊。

"哟，姑娘你……"萨都喇知道汉人男女授受不亲，也不敢伸手去搀，挖挲着手不知如何是好。

常玉儿仰头注视着萨都喇，一脸恳求之色："萨大夫，方才古老板说的话您也都听见了。这一次的生意实实在在是牵着许多人的身家性命，收了五十两银子简单，可回去不知有多少人要家破人亡，这其中也包括我家。萨大夫，您是救人性命的医生，我求求您，就给我们指条明路吧！"

古平原没想到常玉儿会藏在屋里，知道自己"得病"的事儿已被她知晓，看她这样求着，心里也不好受，却又燃起一丝希望，双手挂在床边，定定地看着萨都喇。

萨都喇愣了半晌，长长叹了口气，开口道："好吧，姑娘你先站起来。"

古、常二人听萨都喇允了，心里都是大喜过望。常玉儿连忙起身，请萨都喇回来坐下，又倒香茶奉上。

萨都喇想了半晌，说道："其实不是我不说，实在是为你们好。汉人有句话叫'胳膊拧不过大腿'，实在是很有道理。你们把事情弄清又能怎样？"

古平原问道："照您这么说，那巴图是大有来头了？"

"他是柯尔克王府的大管家。"

萨都喇轻描淡写一句话，古、常二人都吓了一大跳。

"您是说，这漠北草原的主人，方圆千里手握生杀大权的柯尔克王爷？"常玉儿虽然是第一次来蒙古，可山西与蒙古通商已有百年，平素街传巷闻，对蒙古的事情也知道不少。柯尔克王爷在漠北比大清皇帝还要位高权重，牧民们见了朝廷的官吏可以不理不睬，可见到王爷府里的一条狗都要躬身避开。

"正是。王府的大管家那是何等威势，你们怎么可能斗得过他呢？"

古平原只觉得心头的大石百上加斤，眉毛拧成一团，沉思片刻才道："那我就不明白了，他以王府大管家之尊，千里迢迢到山西去买药材，又是为了什么？"

问到这一句，萨都喇面有难色，好不容易才下了决心，压低了声音道："所谓救人救到底，我就与你们说了吧。不过你们千万不能传出去，否则大家都有杀身之祸。"

古、常二人对视一眼，同时点了点头。

刘黑塔等人在房门外等得正不耐烦，就听门一响，萨都喇从房里走了出来，半步跨出，回头又大声说了一句："这病要避风静养，几天之内都不能起床。"说完把门带上。

　　"萨大夫，这……这古老板的病怎么样了？"老齐头是真急了，驼队摊上这么桩倒霉事儿，偏偏能做主的货东又病了，自己身上的责任可着实不轻，就盼着古平原赶紧好起来。

　　萨都喇把脸一沉："别都围在病人房前，刚才我说的话你们不是也听到了？"说着他有意无意地往客栈老板那边看了一眼，"他病得很重，这几日要静养，派个人端茶送水就够了。床前要打起屏风，以免被风吹到。方子我已经开好了放在屋里，你们一会儿照方抓药就是了。"

　　"是，是。"老齐头和刘黑塔都是心情焦躁，等送走了大夫，二人互相看了一眼，一前一后进了古平原的房间。

　　两人一进来又都一愣，怎么常玉儿在屋里啊？

　　常玉儿也不解释，关了房门，然后一指椅子："古大哥有话要说，你们先坐吧。"

　　古平原这时候病情稍缓，也有了些精神。见老齐头与刘黑塔神色慌张，便安慰道："我这病是吃了细辛配藜芦，应了十八反，对症下药解了毒性就会好，你们不用太过着急。"

　　老齐头与刘黑塔原本只是焦急，听完古平原的话，却变成了丈二和尚摸不着头脑，常玉儿见古平原说话辛苦，在旁接道："古大哥是想找个蒙古大夫来打听消息，不得已出此下策。自己服下了十八反的药剂，害了一场病。"

　　老齐头这才恍然大悟："古老板，你这可真是把命都豁出去了，那十八反的药岂是轻易吃得的？"

　　古平原勉强笑了笑："我们之所以此前束手无策，就是因为不了解内情。何况伙计配药也斟酌了剂量，还要不了我这条命，只是受些罪罢了。"

　　刘黑塔张着嘴，半晌才道："古大哥，咱们可说好了，下回再有这事儿，非得我来不可，我身子壮再多吃几剂也不要紧。"

常玉儿插口道："先别说这些，那萨大夫说的话可都是救命的消息。"

老齐头忙点头："对，对。他到底说什么了？"

等常玉儿把萨都喇的话一转述，老齐头和刘黑塔面面相觑，许久都作声不得。

原来巴图之所以要不远千里来山西买药，完全是奉了柯尔克王爷的命令。就在四个月之前，漠北蒙古与漠南蒙古刚刚兵戎相见，从漠北蒙古的北方边界突然起了一场瘟疫。这瘟疫一开始只传染牛马，后来竟然逐渐传染到了牧民身上，而且只要得了病，就很难医治。

前线兵事紧，后方又起了瘟疫，且有蔓延之势。柯尔克王爷忧心如焚。为免打击士气，他下令严格封锁瘟疫的消息，所以即使是与蒙古来往密切的山西商人，也均不知道漠北竟然出了这样一件大事。

消息封锁住了，接下来就要延请名医扑灭瘟疫。一开始用蒙古大夫，治了一阵后发觉很不得力，于是又转到中原秘密寻医。碰巧就有一个医道世家的子弟要巴结王爷，献上了一张祖传的"千金方"，一验之下奇效如神。王爷自是大喜，不过这方子上八味药材，有一味必须要全数到山西进货，这味药就是古平原运来的岢岚五加皮。

"王爷给了巴图大管家一万两银子，要他火速到山西采办药材，所以他才找到了太原最大的悬济堂。"

话说到这儿，老齐头全明白了："他只买了六千两的药，敢情这小子吞了四千两还嫌不够，还要把一万两全都吞下，心可真是黑到了极点。"

"错了，他是要吞九千九百五十两，还有五十两是给咱们的。"古平原微微一牵嘴角。

"古大哥，亏你还笑得出来，我都要气炸了。"刘黑塔哪儿受得了这个气，一怒之下蹦了起来，直趋门口，"我去王爷府找柯尔克王爷告状去！"

"萨大夫说，王爷在几百里外指挥作战，根本就不在巴彦勒格。巴图必是回到蒙古知道王爷前往前线督战，这才大着胆子行此贪狠之事。"古平原一句话止住了刘黑塔。

"古老板，我倒是有个疑问，巴图这么干，会不会是王爷的指使？"老齐头心中存疑。

"不会。"古平原答得很干脆，"如果是王爷指使，巴图不会藏头匿尾，一路上唯恐我们与蒙古人接触，他就是怕消息走漏，被王爷怪罪。"

"这么说来，这萨大夫还真是消息灵通。"老齐头边想边说。

"嗯，他算是这一带的名医，当初曾与几个大夫一起会诊过瘟疫。不过他也奉了王爷府的严令，绝不准把此事泄露出去，否则按'阵前扰乱军心'处置，那可是死罪。"

"如此说来，我们也不能利用这个消息来逼巴图就范？"

"跟官府自然是说不得。"古平原深深点头。

老齐头直摇头："不好办，现在虽是知道了巴图要药材做什么，可依旧是打官司没地儿递状纸。"

"我想了又想，虽然路途非近，而且缓不应急，可还是得找个人到前线去向王爷告状不可。这事一旦闹大了，只有王爷能给咱们做主。"

"我去！"刘黑塔抢着道。

"不行！"别人还没说什么，常玉儿先摇头，"大哥你那性子，见了王爷可别说不明白话再打起来。再说你看看门外那些蒙古兵，真要是动了刀兵，大哥你的那身武艺还能派上用场？"

古平原也认为刘黑塔不适合去，可驼队离了老齐头和孙二领房又不行，自己更是不能远离。

"我去！"这一次常玉儿非常沉稳地开了口。

"你？"几个人都吃惊不小，谁也没想到常玉儿会毛遂自荐。

还没等人出声反对，常玉儿竖起三根手指："听我说完。一来，我懂一些蒙古语，与蒙古人打交道不是问题。二来，我一个女人家深居简出是正理儿，所以无故不见了踪影，也不会引来客栈中人的怀疑。我大哥就不行啦，他那么大的个子，又喜欢到处走动，突然不见了人影，不出半天就被人发现了。第三嘛……"她转向老齐头，"听说蒙古人不愿意和女人起冲突，这可是真的？"

"那是半点不假，要是哪个蒙古汉子欺负了姑娘家，一辈子都被人瞧不起。他们性子骄傲得很，就是没人看见，也不会做这种事。"老齐头和蒙古人打了一辈子交道，对他们的习俗了如指掌。

"那就是了，所以整个驼队反而是我去最为安全。"常玉儿心感古平原为这笔生意舍身忘死，说来说去是为了常家，故此才大着胆子主动请缨。

她这么一说，几个人都没话了，虽然派她去，大家都极不放心，可想了又想，又反驳不了她说的那几条理由。

"好吧，如此就有劳常姑娘了。"古平原见那二人都犹犹豫豫，知道非自己下

224

个决断不可，即使是天大的责任，说不得也要背上了。

刘黑塔鼓着腮帮子不说话，他担心妹妹的安全，可也知道自己这个妹妹，看上去柔弱可欺，其实内心那份刚劲儿，比起男儿来也不遑多让，从小到大她决定了的事情谁也拧不过。

老齐头见他们决定了，搓着手道："既然这样，要安排常姑娘悄悄离开，也要费一番手脚。"

"先不忙，等两天再说。"古平原再一细思又幡然变计，"反正要让人混出去，走一个是走，走两个也不妨。等过两天我的病稍好了，我也要一起出客栈。"

古平原想的是，与其一帮人坐困愁城，不如自己出去看看，总之在客栈里困着肯定是无计可施。再者，他也担心柯尔克王爷护短，万一不肯给驼队做主，自己这边一定要做两手准备才好。

众人又是一番商议，最后决定兵分三路。

一路就是老齐头和刘黑塔带着驼队在客栈里等消息，这里面的重担就落在老齐头身上，他要把驼队的人，连孙二领房在内都要死死瞒住，只说交易正在进行，出了些岔子但却无妨。

二路人马就是常玉儿女扮男装骑马直奔千里之外的前线战场，去给王爷送信，最好能讨个公道。

至于这最后一路就是古平原这一路。他叫上了那个从悬济堂借来的懂蒙语的伙计乔松年，悄悄出去几天。就在乌克朵周围打听打听消息，看看能不能想出什么好办法。

"古老板，你可快去快回，驼队的大事还要你来做主。"老齐头干了一辈子驼队生意，最担心的还是这一次。

"放心吧，我绝不耽搁时间。方才萨大夫临出门那几句话，可真是误打误撞说得好。如此一来，我以及'服侍'我的药铺伙计几天不露面，客栈里的人也不会起疑心。"古平原对老齐头说。

等刘黑塔与老齐头离开房间，常玉儿慢走一步，神情复杂地对古平原道："古大哥，你怎么能吃那种药呢，万一伤了身子……"说着眼睛一红，落下泪来，她急忙把头偏开。

"哦。"古平原见她这样，倒不知如何措辞，想想道，"我们身在绝地，没有冒死之心，哪儿来的求生之道呢？常姑娘，你说呢？"

"我，我……"常玉儿心里想说的话何止万千，但女儿家的矜持阻止了她，最后只是默默点了点头。出房间时她又偷偷地回头看了一眼，如果此时古平原也向她看来，应该不难发现她那满目的关切之情。

两天时间过去，这一天到了吃晚饭的时候。驼队里的两个伙计忽然打了起来，从屋里打到院里，又从院里打到大门口，几十个伙计都上来劝，呼啦一下就冲过了门口。

把门的两个蒙古兵赶紧上来拦，哪拦得住这么多人。好在这些伙计也不远走，只是劝架而已。不多时劝住了，也就都纷纷回了客栈，蒙古兵这才松了口气。谁都没发现，方才一同出来劝架的人中，有三个人已经趁着夜色和人群的掩护不见了踪影。

"常姑娘，要你孤身犯险，我心中真是过意不去，你可千万要当心。"过了小半个时辰，在城里一家马号旁，三个人都牵着一匹马，古平原再三叮嘱扮了男装的常玉儿。

常玉儿虽然自告奋勇，可是心里难免也是忐忑不安。不过她一半是为自己，另一半却是担心古平原。她低垂着眼睛，小声道："古大哥，你也要当心，别被巴图的人撞见。"

古平原把她送到城门口，眼望着常玉儿柔弱的身子孤零零催马而去，回头又从城门楼子里看了看黑沉沉的城内，气得直咬牙："好你个巴图，我们拼了命地给你运药材，你竟然如此不讲商界道义，我非把你心里的如意算盘搅个天翻地覆不可！"

"古老板，我们现在去哪儿？"乔松年在一旁问道。

"去药店，不只是乌克朵的药店，巴彦勒格连同四座卫城里大大小小的药店都要转一遍。这一次你唱戏，我只在一旁听着。"这两天古平原把主意都打好了。

"我唱戏？唱什么戏？"乔松年听了个稀里糊涂。

"咱们去打听打听，最近王府有没有大宗地进药，进的又是什么药？"

"问这干吗？"

古平原已经把事情经过原原本本告诉给乔松年，此刻便直接说道："我想试试看能不能把千金方上的药材打听出来。你想，王府一定是不缺常备药的，要是大宗地进药，必定和这千金方有关。你不是来漠北蒙古做过几回生意嘛，看看能不能找几个熟识的药店掌柜。"

"我明白了。孟子曰'得道者多助，失道者寡助。'想来这巴图平常也是飞扬跋扈，想要找个一起对付他的人应该不难。这件事儿您就瞧我的吧。"乔松年极有把握地说。

古平原没想到一个药铺的伙计竟然也会"子曰诗云"，且谈吐不凡甚有见识，不由得深深看了他几眼。乔松年发觉了，脸一板又是一副拒人于千里之外的样子。

乔松年的确是得力，巴彦勒格稍有规模的药铺他都来送过药材，没几天的工夫就打听到王府曾经找过几家药铺的掌柜密谈。

"古老板，既是密谈，想必都受过嘱咐不能外泄。交情不够，话是套不出来的，还要防着打草惊蛇。"乔松年也很机警。

"是这个理儿。你既然这么说，莫不是有好路子？"

乔松年这才面露得色："不瞒您说，城里那家'延年堂'与悬济堂是老相与了，从上两辈的老掌柜开始就打交道，办货从来都是先付后给，连个押头都不要的。他们家的中原药材有七成都是从我们店里进的货。再者一说，嘿嘿，他们家的那位大掌柜挺赏识我，还曾经问过我愿不愿意在他那儿干。"

他边说，古平原心中边转着念头，待到听完，知道连公带私这个消息都可以向延年堂去打听，不过要些手腕还是要的。

"你们两家的交情比有些联号的生意还要休戚与共，所以你这样跟他去说，就说咱们这一回吃了大亏，如果不能挽回，悬济堂就要关门歇业了。如此一来，延年堂一定着急，到了那时再打听就十拿九稳了。"古平原密密嘱咐了一番。

乔松年心领神会，两个人商量好之后，这才来到巴彦勒格顺义街上的延年堂。这也是当地药业的一块老牌子了，门前的青石阶被进进出出的客人踩得溜光水滑，买药的人川流不息，一看生意就好得不得了。两个人进门时，刚巧大掌柜送主顾出门，一眼就瞧见了。

"哟，这不是乔老弟吗，怎么这个月来了，难道是哪家缺了什么急用的药材？对了，上次从你柜上进的大黄真是不错，配到八正散里其效如神啊。"大掌柜还当乔松年是生意之余来叙交情的，等让到里屋坐定了，听完二人的来意脸色都变了。

"乔老弟，你这……这不是要我的脑袋吗？"大掌柜坐在座中，往前躬着身，连声说道。

"掌柜的，这是什么话？以我们两家的交情，我怎么能害您呢？"

大掌柜直摆手："这个事儿别说你了，我店里的伙计都不知情。王府有严令，瘟疫的事儿谁敢泄露出去，就抄家灭门。要不就这么个大事儿，能一直瞒到现在？"

"是疖子总是要出头的，像这种瘟疫之灾，瞒着不是办法。"古平原忍不住了。

大掌柜看了他一眼，乔松年忙说："这是我们古货东，这一趟的驼队，他是首领。"

"哦，原来是古老板。你们的消息倒是灵通。"大掌柜与古平原毕竟是初见，神色中带着一丝戒备，语气也是淡淡的，"瞒自然是不能瞒到底，王府已经在想办法了。"

"可惜有人贪心，明明能配成的药，却要节外生枝。"古平原冷冷道。

大掌柜一愣："您这说的是……"

"是王府管家巴图，他人心不足蛇吞象，想要硬贪一万两银子的药材。"古平原知道如要求人相助，最好是待人以诚，再加上这是山西客商的老相与，想必也是信得过的人，所以把这件事的经过从前到后讲述一遍。大掌柜听完之后也吃惊不小，他只知道王府在找良医治病，却没想到良医已经把方子开出来了。

"哎呀！我说王府前些日子派人到我这儿打听几味药材的存量和售价呢，敢情是这么回事儿啊。"大掌柜听完一咧嘴，"你们这当上得可不轻啊！这不是血本无归吗？"

"唉。"古平原打个唉声，抬眼看了看大掌柜，"不瞒您说，那巴图把我们看得紧紧的，我是吃了十八反的药材，这才装病偷跑出来，到您这儿来求助来了。"

大掌柜一听古平原敢吃十八反的药，把命都豁出去了，也不禁为之动容，可是思来想去还是直摆手。

"不行，不行，你们这太难为我了。你们到了蒙古是行商，将来拔脚一走就

228

是了。我呢，是坐地的本地商人，家业都在这儿，一旦被巴图知道了，我非家破人亡不可。"

从这一刻开始，古平原和乔松年轮番来劝，可磨破了嘴皮子也没有用，大掌柜把头摇得像拨浪鼓，说什么也不肯帮这个忙。

最后古平原实在没有办法了，站起身拱了拱手："大掌柜，既然这样，我也不强人所难，请您借我一把梯子吧。"

"梯子？"大掌柜还以为自己听错了。仔细想一想，没错啊，古平原说的就是"梯子"二字，他莫名其妙地问道："借梯子做什么？"

"摘延年堂的老匾。"古平原不紧不慢地说。

"嗯？！"大掌柜怔了一下怒道，"古老板，我不帮你的忙，你就要摘我的老匾？"

"您误会了！古某是知道延年堂这块金字招牌快则三个月迟则半年必定保不住。你我虽是初交，但总算相识一场，我愿为大掌柜效劳，今日就把它摘下来。"

大掌柜气得把桌子一拍："这真是越说越不像话！古老板，我问你，我这延年堂的招牌凭什么保不住，愿闻其详。"

古平原不动声色地笑了："看来大掌柜还真是没明白其中的道理，那我就给您说一说。"

他往座中一坐，顺手拿起一个杯子："这一次的事情想必大掌柜也听明白了，要是如了巴图的愿，我们五十两银子把货卖了，回去悬济堂恐怕就要关门歇业，您这延年堂的药材七成都打悬济堂赊账进货，你能不受影响？这巴彦勒格的药铺哪个不看您家的买卖眼红，逮到这个好机会一定群起而攻之，非要挤死你不可！再加上巴图接下来还要大宗进药，依他的贪性，一定会把价格压到最低，到时候延年堂这样的大药铺必定首当其冲深受其害，这么一来您这买卖还能做下去？"

说着他把杯子往地下一摔，"啪"的一声脆响，把听得入神的大掌柜吓得一哆嗦。

"这是我卖了药材的结果。"古平原说着又拿起一个杯子，"再来说说我不卖这药材又如何。古某堂堂男子汉，如此受巴图之欺，若真是恶向胆边生，一把火把那药材都烧了，大家一拍两散倒也痛快。可有一宗，瘟疫早晚有一天传到巴彦勒格，到时候没有千金方的良药，只怕大掌柜一家也是难逃家破人亡吧。"说完他又把第二个杯子摔下，又是"啪"的一声，震得大掌柜两眼发直。

"照你这么说，你卖不卖药材，我这买卖都做不下去了？"大掌柜倒吸一口凉气，怔怔地看着古平原。

"那也不见得。"古平原见此情景，知道大掌柜已落彀中，再加上一把劲儿就差不多了，转过脸笑眯眯道，"大掌柜的，您也别太担心了，坏事难道就不能变好事吗？"

"这……"大掌柜平素也是个精明人，只是今天遇到了古平原，被他重一把轻一把揉搓得不知如何是好。

"您想想，要是您帮着我们顺利完成这笔交易，将来我们回了山西，武掌柜听说您这么帮忙，能不投桃报李？要知道山西商人最讲信义，这样一来，就算是巴图压价从您这儿购药，有悬济堂在后面帮衬着，您这边也不伤筋动骨不是？更何况巴图压价，受损失的不止您一家药铺，别家无此奥援，只怕就要捉襟见肘，到时候延年堂兴许还能再并上几个铺子……"古平原使尽浑身解数，先是晓之以害，接着动之以利。

大掌柜光听古平原这么说，就如同从地狱到天堂走了一圈，不知不觉间里面的衣服都被冷汗打湿了。

古平原冷眼看着他，见他站起身不停地在屋中踱步，知道此时不给他霹雳一击不能助他下决心。想到这儿端起第三个杯子，猛地摔到地上。

这第三声脆响，让大掌柜如同被定身法定住一样，身子一颤，回过头望着古平原。

"亏你还是大掌柜，临事而疑则祸不旋踵。既然这样古某告辞了。只是到了摘匾的时候，如果人手不够，古某随叫随到！"说完古平原冲乔松年一使眼色，二人同时往外走去。

"且慢！"大掌柜在后急叫一声。

古平原一只脚已经跨出客厅，听到呼声止住脚步却不回头。

"好吧。"大掌柜此刻心乱如麻，瞻前顾后觉得没有万全之策，不得已才道，"帮你们可以，只是一定不能让巴图知道。"

古平原心下大喜，回身道："大掌柜放心，古某愿意立下重誓。"

大掌柜苦笑一声："说吧，要我做什么？"

常玉儿出了乌克朵，催着那匹买来的灰斑马一路向南，沿着乌格塔勒戈壁的边上，往两军开战的牛肚谷疾驰。她出城的时候打听过，只要沿着一边是沙漠一边是草场的马道往南骑，不出五日就能到牛肚谷。

谁知这条路上越骑人烟越是稀少，头一日还能看见几个牧羊人住的蒙古包，主人家极是热情，主动留客住宿，走时还备好干粮食水。可从第二天开始，就再也看不到任何人影。常玉儿虽然会骑马，可毕竟不像常年在外的生意人，因为无法在马背上吃睡，三天下来已是困倦不堪，只是咬着牙坚持。

日近中午，常玉儿实在是疲乏得不行了。见路边有一蓬长得稍微茂密能遮阳的红矮柳，于是下马来到近前，将马拴在树上，将外氅铺在沙上，原想着只打个盹就走，不料竟不知不觉沉沉睡了过去。

等常玉儿惊醒的时候，还没睁眼就觉得脸上颈上被沙子打得生疼，耳边狂风怒号，她心里一惊，翻身一看顿时吓呆了。

就见方才还艳阳高照的天气，此刻已然变了脸，漫天遍野的黄沙将天地间充满，风声如同猛兽怒吼。最可怖的是，黄沙中还卷杂着一条条一缕缕的黑沙，不时聚在一起成了无数张人脸，时而狰狞时而怪异。

常玉儿从没见过这种天象，只看了一眼就不敢再看，其实也被沙子打得眼睛睁不开。她可不知道这是草原与沙漠交界处并不常见的"鬼面风"，风是从沙缝子里吹出来的，把地下的黑沙都带了起来，起而无踪去而无影，论起危害来并不如沙暴，只是骇人。

有经验的牧民遇到这种风，都会设法稳住马匹，让其卧下，自己以马做盾，挨上小半日也就过去了。

常玉儿根本就不知道这种方法，她还按着山西老家的习惯，想找个地方避风，这一下可坏了。常玉儿伸手去捞缰绳，还好，马还是照样拴在红矮柳上，她一手遮面，另一只手勉勉强强解开缰绳。

灰斑马早就被沙子打得受不住，缰绳刚一解开，就自己走了起来。常玉儿不敢撒手，只得跟在马后面跟跟跄跄地往前走，好在马也是往风沙小的地方去，迎头过来的风大部分都被它承受了。

就这么晕晕沉沉一只脚深一只脚浅地走着，也不知过了多久，常玉儿忽然感觉风声小了下来，打在手背上、额头上的沙粒也不那么多了。她一抬头，就见在漫天黄沙中隐约有一丝阳光，心里宽慰起来。

那匹马到了这个时候也累极了，不再往前走，静静地站着等风沙过去。常玉儿就蹲在它的边上，不时抬头望望天。

又过了能有小半个时辰，风终于止住了，而且这一住，连一点微风都没有，天上的云也被方才的大风扫得一干二净。常玉儿吁了口气，站起身来拍拍身上头上的沙土，然后展目四下观瞧。这一看不要紧，常玉儿不禁目瞪口呆，转身再看，更是傻了眼。

原来常玉儿不知不觉竟然走到了戈壁里面，四处黄沙，而且不辨方向，想回头都找不到路。看清楚自己的处境，常玉儿差点吓得哭出来，生平还没遇到过这么吓人的事儿。这要是在戈壁沙漠里迷了路，连个囫囵尸首都没有，黄沙一埋就了事，亲人这一辈子都不会知道自己究竟出了什么事。

常玉儿毕竟是个女流之辈，经得少见得少，别看她当初在乌克朵城里鼓足勇气自告奋勇骑马报信，可是真遇上了这样的危难，她也是束手无策。真恨不得时光倒流，回到当初在客栈那会儿，自己可再不敢主动请缨了。

不过后悔归后悔，此刻常四老爹、刘黑塔、古平原这些人没一个在身边，叫天天不应，叫地地不灵，只有一匹马眼睁睁地看着自己。

常玉儿这时候也是病急乱投医，搂住马脖子，声音里带着哭腔："马儿啊马儿，你方才是怎么走到这儿的，往回走好不好？要是能走出去，我天天给你吃上好的草料，绝不让你做拉车行脚的重活。"

也不知道灰斑马是听懂了还是肚子饿了，反正常玉儿说过之后，那匹马还真轻轻撒动四蹄，开始迈步走了起来。常玉儿这个时候捞根稻草就是救命的绳子，也不管那马往哪儿走了，只管在后面跟着。

等走了大半天，常玉儿心里越来越明白，这匹马也是不辨方向，否则这么长时间早就走回去了。现在看来只怕是越走越糟，反倒进了大漠的深处。到了这个地步，求神拜佛也不管用，马上的干粮食水只够勉强吃三天，而且马找不到青草饮水，还要分去一半。常玉儿是善心人，她可没想过把所有的吃食都留给自己，更不可能把马杀了来吃。

常玉儿听爹爹说过，沙漠里有时候会有绿洲出现，运气好的人就能碰上，自己眼下也只能把希望寄托于此了。此时已是朗月通天，常玉儿不敢多耽搁时候，就在月光照耀下，拖着脚一步步艰难地前行。

大漠里别说山峦，连个树影也看不见，无论走多久，往前看茫茫戈壁，往后看戈壁茫茫，连已经走了多远都不知道。中间胡乱睡过一觉，等醒了之后，连来时的方向都已分辨不清。

常玉儿的心越来越绝望，到了下一次休息的时候，她扯下一块衣襟，咬破手指蘸着血把自己的名姓住地写了下来。这是以防万一，万一自己倒毙沙漠，天可怜见有人遇到了，看见血书还能把自己的遭遇告知家人，也免得他们担心一世。

就这么胡思乱想着，一人一马在沙漠瀚海里走了两天两夜，饶是省吃俭用，食物食水都已经耗尽了，人马都疲惫不堪。常玉儿此刻迈一步有千斤重，喉咙里干渴得仿佛龟裂。

终于，常玉儿放弃了，她知道自己葬身大漠的事实已是不可改变。所不同者，是就葬在此处，还是再往前多走上几百米。

"算了。"常玉儿把脸贴着灰斑马的脖颈，无力地轻声道，"你也陪我走了这么久，该歇歇了。咱们就在这儿歇着吧。"

她一边说，身子一边往下滑，直到躺倒在地上，向上望着蓝天白云，想着小时候的事儿，自己在常家大院里玩耍的日子，想着爹爹、大哥还有那个与自己一夜肌肤之亲的古平原，眼角不禁流出两滴泪。

就在这个时候，她隐约听见有铃响，这个声音她这两个月是听熟了的，那是驼铃！

驼铃？常玉儿自嘲地笑了笑，自己是幻听呢，还想着老齐头的驼队会来救自己，那不是白日做梦吗？

她无望地把眼睛闭上，心里那份难过也不全是因为自己的青春韶华俱付黄沙，还懊悔驼队交给自己的使命已经不可能完成。王爷不知道此事，巴图就可以为所欲为，到时候驼队非吃大亏不可。而且爹爹还在山西殷殷地期盼着，到头来不但老宅保不住，独女也没了踪影，只怕老爹爹经不住这份打击，那常家就彻底家毁人亡了。

常玉儿是越想越伤心，忍不住哽咽悲泣起来。旁边的灰斑马忽然一声嘶鸣，常玉儿一愕抬头道："你也与我心有戚戚，知道闯不出这大漠而心中难过吗？"

马儿不会说话，却昂着头向南边望着。常玉儿挣扎着半爬起身，拢目也往那边望去，看了良久才发现在极远处的沙坡上，有几个小黑点在慢慢移动。

"驼队？是驼队！"常玉儿想要大喊求救，奈何嗓子早就失了声。别说那么远的地方，就是对面来人也不见得能听清她喊的是什么。常玉儿心里急得如同火上房，眼看着那驼队往远方走去。她使尽浑身力气跨到马背上，用力一抖缰绳，只觉得眼前发花，一头栽倒在鞍桥上便人事不知！

"这招儿可险哪！"为了防止泄密，大掌柜把古平原让到自己的小账房里，门窗紧闭，连水都不让人往里送，先沏好了一大壶菊花茶摆在屋里。"上火，非喝点菊花不可。"大掌柜心里有气，本来好好的生意，古平原一来搅得自己是担惊受怕。大掌柜的抱怨古平原只假作没听见，三个人在账房里密议，从晌午时一直商量到掌灯时分，古平原把自己想怎么办、要怎么办都一五一十说了出来，大掌柜听完倒吸了一口凉气。

"富贵险中求，更何况现在巴图逼得我们不是求富贵，而是求自保，那就非兵行险着不可了。"古平原得到大掌柜的支持，索性放开手脚，打算来个绝地反击，让巴图也知道知道厉害。

大掌柜端着茶杯皱眉不语，他知道这件事一旦自己插了手，要是被巴图发觉，今后在巴彦勒格就别想再做买卖了。"你得想个办法把我开脱出去，我还是那句话，我是坐地的商人，冒险也不是这个冒法。"

"是，银子上又没印着您延年堂的字号，借我银子巴图绝发现不了。"古平原只得再给大掌柜去心疑，"我只求您，等我收购了千金方上另一味药材——'茅尾草'之后，把库房暂借我存存货，时间不用久，三五天便可。"

古平原这些天一直在琢磨如何反败为胜。人到了这个时候，往往会突然之间冒出来隐藏最深的记忆。古平原就是如此，他在客栈的时候，看到一个伙计摔碎了壶盖被掌柜呵斥，其中一句"没了壶盖要这壶有什么用"一下子点醒了他，让他想起当年徽州商界一件广为人知的事情。

据说，有一年徽州开乡试恩科，有一家名作"天得记"的笔墨店事先得知了消息，下了血本将五府十八县的上好湖笔徽墨一扫而空，准备囤积居奇。因为恩科之前，秀才们彼此会文，必定要选用最好的笔墨，写出东西来"黑、大、圆、

234

光"方能博人一赞，要是用的秃笔臭墨，那就难免坠了名声。货都准备好了，这家店的东家就准备坐等发财。

这时候同一条街上，有一家"齐文阁"的笔墨店，它与"天得记"多年来互为对手。这一次"天得记"先知先觉，买卖做得又机密，等到"齐文阁"知道了消息，再想去收购湖笔徽墨已然来不及了。"齐文阁"的东家知道大事不妙，要是让"天得记"拔了这个头筹，今后几年内自家的店都要落了下风，甚至搞不好有破产关铺的危险。

"齐文阁"全店上下苦思了三天三夜，最后有一个从小就在笔墨店当学徒的伙计想出一招来。掌柜的听了这个主意之后，当场给这个小伙计磕了个头。

"天得记"对此毫不知情，可真等到秀才们会聚省城之时，上好的笔墨摆出来，竟然乏人问津。几日过去，这家店的东家急了，细一打听，才知道坏了事，原来"齐文阁"将秀才们平素用的纸都收购了来，握在手里一张也不肯卖出。

没有纸，谁会去买笔墨？再说纸价便宜，"齐文阁"就算是将其付之一炬，也吃不了多少亏，但"天得记"就不同了，重金收来的笔墨要是砸在手里，非倒铺不可。

到了这个份上，"天得记"的东家知道是自己虑事不周，一心只想赚大钱，没瞧得上赚不了几个钱的纸，结果就栽在了纸上。他只好摆了一桌和合宴去求"齐文阁"，最后又花了一笔大价钱将"齐文阁"手中的纸全数买下，这才搭配着将自家的笔墨卖出。

最后一算总账，利润上两家打了一个平手。但若论起生意的输赢，全徽州都知道"齐文阁"这一次真是反败为胜，赢得干净漂亮。

古平原就是从这个故事中得到了灵感，想出了死中求活，反将巴图一军的绝招。

古平原娓娓道来，这个故事把大掌柜也听呆了，怔了半晌才搔着头道："我就不懂了，你是怎么猜到巴图还没有买进千金方上其余药材的？"

古平原一笑，笑容中带着些许讥诮之色："我与巴图打过两回交道，看得出其人是狡狐之性。从这性情上看，我猜他断然不会在山西五加皮入手之前就买进其余药材。"

"哦，请问何为狡狐之性？"大掌柜颇感兴趣。

"两条，一是贪婪，二是多疑。巴图之所以向晋商大幅压价，其理由无非是个'贪'字，想把王爷给他的买药钱都据为己有。也就是说压了五加皮之后，他还会对其余本地能买到的药材一一压价。但他又担心如果不能顺利买到五加皮，那么即使将其余的七味药都买下来，千金方缺了一味也是无效，反而会因为损耗了大笔银子而受到王爷责罚，故此我断定他一定会等最难买的五加皮入手之后，再与本地药商做买卖。"

古平原顿了顿，见大掌柜听得入神，又道："诚如您所言，您是坐地的商人，绝不敢得罪王府的大管家，就是赔钱，也得二话不说地把药卖给巴图。不止是您，巴彦勒格及其周边大大小小的药铺都是如此，他就是吃准了这一点，所以才有恃无恐。"

"唉，古老板见事明白，要说这巴图的心也太黑了，不说别的，草原上的牧民眼巴巴地盼着治病良药，可他为了多贪些钱，宁可一等再等。这期间要死多少人哪！"大掌柜摇头叹息。

"古时贤者尚知'民为贵，社稷次之，君为轻'。现在不仅是倒过来了，连一个王府的管家都敢如此残民以逞，这世道真是……"乔松年在旁一直听着，此时无奈地摇了摇头。

古平原也沉着脸："所以我绝不能纵容了这条草原上的疯狼！非和他拼到底不可。"

大掌柜默默地点了点头："你的确是兵行险着，趁着巴图等待五加皮入手和收购本地药材的间隙，先行买断其中一味药，这样千金方就配不成了。不过我有一点不明白，你下一步想怎么做，用药材来要挟巴图？"

"是，我把茅尾草买进之后，就藏在延年堂的库房里，然后……"其实然后再怎么做，古平原还没有想好，他只知道买断了茅尾草对自己有百利而无一害，至不济可以用来和巴图谈条件。

"先走一步看一步吧。现在是我们在明处，巴图在暗处，所以我们处处受气。等把千金方上的药材抓在手里，就变成了我们在暗，巴图在明，形势就可以逆转。"

大掌柜再想不出什么话来反驳古平原，只得取出钥匙，亲手从小账房的钱柜里拿了三四张银票。

"这几张加在一起大概是五百两银子。茅尾草是千金方上最便宜的一味药，五百两足够将巴彦勒格附近所有药店的存货都买断，其余地方的货量就不值一提了。"

"多谢大掌柜。"古平原提起笔来要写借据，却被大掌柜拦住了。

"不必了，我信得过悬济堂，再说这件事还是不留笔据的好。"

古平原光棍玲珑心，一听就知道，大掌柜真正想说的是后面那半句话。既然如此他也就一笑作罢，反正自己是绝不会吞了这五百两银子的。

兵贵神速，依着古平原的心思最好能派出延年堂的伙计，分成十几拨同时去收药。怎奈大掌柜谨慎得很，自家的伙计一个也不许出面，说好说歹，只帮着古平原在城边子一家不起眼的马号雇了几辆大车和马夫。

"古老板，我这可是仁至义尽了。我的伙计要是一出面，整个巴彦勒格都知道延年堂收了茅尾草，传到巴图耳朵里，他立马就能把我的药铺拆喽。"

古平原细想想也是这个理儿，不能说大掌柜的担心没有道理，也不好强人所难。只好想了个变通的方法，他与乔松年一人领着几辆大车，按照大掌柜的指点去找药铺收药。好在马夫里也有人通汉语，跟着古平原勉强可做通译。不过这么一来时间就耽搁了，原本两三天能办完的事情，一直拖到五六天头上。

"怎么拖了这么久？到底是什么病哪？"巴图在他新起的宅子里正发脾气，他坐在正堂中央的狼皮椅上，双目瞪着跪在下面的客栈老板。巴图知道，王爷走前已命人在北面瘟疫蔓延的草原上，用火烧出了一片几百里的荒原，人畜损失巨大，而之所以做如此大的牺牲就是要抢出时间来配药。万一王爷回来了，药还没配好，又或者瘟疫越过了无人区，照王爷那霹雳性子，自己担的责任可就太大了。

"听萨大夫说是水土不服，又吃了不合适的药，内外毒加逼，所以格外重。"客栈老板小心翼翼地说道。

"就是再重，见个人说个话总行吧，我这边等着他卖药呢，他自己倒吃上药了，真是他娘的倒霉。"巴图不耐烦道。他几次派人到客栈去催，都被老齐头用"当家人病着，不敢做主"这句话给打发了回来。

"不知道啊，驼队的人都说听医嘱要避风，屋里只留了一个他们自己的伙计照看。别说我们了，就连他们自己驼队的人也是不让进的。"

"嗯？"巴图心里突然有些起疑，他当初不是没想过纵兵行抢，只是乌克朵到底也是柯尔克王爷治下，他也担心把事情闹得太大，一旦王爷回来听到些风声……现在驼队负责人病而不出，莫非有什么猫腻在里面？

"没有什么变化啊。"客栈老板是受了巴图的指令专门看着这些生意人的，他听了巴图的担心直摇头，"不会的，您老甭担心了，要是这些汉人有什么鬼心思，肯定会大吵大闹，现在他们一个个都只等着那姓古的病痊愈，好来拿主意。"

"可是，总这么等着也不是办法，要等到什么时候？这样吧，再等两天，要是还不见好，那就从王府请一位府医去给他诊治一下。"

客栈老板答应一声，见巴图无话，自己知趣地退了下去。

"禀大管家，有人要见你！"客栈老板刚刚退了下去，就有下人上前禀告。

巴图听了这话，目光一动，站起身不言语。走过来围着那个下人转了一圈，在他面前站定，许久才"嘿"地一笑："你是新来的？"

"是，大管家！小的名叫……"

"混账！"不等那下人把话说完，巴图忽然暴怒，一拳捣出，把他打了个趔趄。那下人吓了一大跳，这才抬头偷眼一看，心里更是害怕，就见巴图的脸扭成了一团，鼻孔张得老大，眼里闪着阴寒的光。

下人赶紧回想自己方才的话，没说错什么呀，这巴图老爷是怎么了？他也不敢分辩，原本弓着腰，此时扑通一下就跪了下来。

"不懂规矩的王八羔子，知道自己说错话了吗？"巴图恶狠狠道。

"知道了，知道了，大管家恕罪。"下人咽了口唾沫，急忙认错。

他不说话还好，一说话巴图更是恼怒，从墙上摘下皮鞭劈头盖脸就是一顿鞭子，直打得那下人哭爹喊妈，满地乱滚。

巴图打累了，这才把鞭子往地上一丢，喝道："给我滚！"

挨了打的下人这一次连声都不敢再吭，连滚带爬地出了正堂，转过几个角门，这才停住脚步，犹如做了一场噩梦。

"嗯，你这是怎么了？好端端弄一身伤。"旁边恰巧经过一名年长的仆从，看见了惊讶道。

那挨了打的下人委屈道："我怎么知道，好好地回了件事，就挨了一顿打。"

"谁打你的？"

下人不敢说，只往正堂那边望了望。

年长的仆从明白了，等到一细问经过，这才苦笑道："你是该打，谁让你管他叫大管家。"

"他可不是王府的大管家吗？"

"你还不服气？嘿嘿，我告诉你吧，也让你学个乖。咱们这位老爷打小就是贱奴出身，左巴结右奉承，跪在地上给王爷舔靴底，什么脸面都不要了，才巴结到王府大管家这个位置上。人家现在自己有了府院，要把从前不要的脸都找回来，要在这一亩三分地当老爷。可你呢，偏偏管他叫管家，这再大的管家不也是奴才吗？"

"照你这么说，是我不小心揭了他的疤？"

"那是，就算人人都知道他不过是个曲意逢迎的狗奴才，可他现在抖起来了，必须要下人在他面前尊称一声老爷，懂了吧？"

挨了打的下人这才知道这顿鞭子挨得实在不值，可也不敢说什么，想了想失声道："糟了！"

"又怎么了？"

"前院有人等着要见老爷，我这刚一开口就挨了打，事还没说明白就出来了，回头耽误事儿又是我的错！"

"那你再去回啊！"

"我可不敢去了，好大哥，你……你替我去回吧。"

年长的仆从无奈，只得问清楚事情帮他回事。

巴图此时气消了些，知道候在门外的是个药铺的掌柜，心里一愣。

"叫他进来。"

"是，老爷。"

不多时进来一个人，瘦高的个子，穿着皮袍，戴着顶羊皮帽，手心不停搓动着，堆了一脸的谄笑，就连巴图这样惯于媚上的主儿看着都直腻歪。

"什么事啊？"巴图端着奶子茶，轻轻吹着，爱答不理地问道。

"嘿嘿，小人给大老爷请安。"那人先趴在地上磕了三个头。

这一下倒真是对了巴图的脾胃，大抵喜欢奉承别人的人，也都喜欢别人来奉迎自己。他把茶碗往桌上一撂，仔细问道："你是什么人哪？"

"我？"这人没有起身，跪在地上眼珠子一转，答道，"我是狗啊！"

"狗？"巴图诧异之下倒觉得有趣，不免再问道，"你为什么说自己是狗呢？"

"小人是个汉人，姓乌，名叫乌恭。就在老爷家大门外隔着一条街的洪记药铺当三掌柜，这可不就好比是老爷家门前一条看家护院的狗吗？"这么无耻的话，也亏这乌恭说得面不改色心不跳。

"呵呵。好，算你这条汉狗会说人话。那你今天跑到我府上来有什么事啊？让我照顾你的买卖？"巴图笑了起来。

乌恭一挺身，脸上是极关切的神情："生意上的事那是大掌柜和二掌柜去操心，小人一向不甚兜搭，不过与老爷您有关的事情，也由不得小人不关心。"

"此话怎讲？"

"老爷，敢问您前不久是不是派人到药铺，拿着一张方子询问上面的药价和存量？"

巴图一愣，这事没错，他当初得知除五加皮外其余药材都不缺，这才带着从人去往山西购药。不过他不肯将"千金方"的事情透露出去，含含糊糊道："唔，好像是有这么回事，王府的常备药有些快用完了，打算适当的时候进上一批，不过也用不了那许多，也不着急用。"

"那就是了。"乌恭在药行里有个外号叫"千足虫"，出了名的有缝就钻有壁就爬，生平做事最喜欢狗仗人势。他在药铺里的那张桌椅也特别，别人都喜欢通透一点的地方，只有他找了个角落，背后就是山墙，用他的话说这叫作"有靠山"。

乌恭此前找的靠山是朝廷派在此地的一名驻弁官，算是他的隔省老乡。怎料其人不久前调回原籍，这一下把乌恭急得不得了，要再找主子投靠，想来想去就想到了王府大管家巴图。正巧古平原带人来店里买药，其实乌恭对这件事的因果也是稀里糊涂，不过他打定主意要巴结巴图，找个缘由不管三七二十一便顺竿儿爬了上来。他可不知道这下子误打误撞，还真撞对了茬口。

"就在昨个儿，有人赶着大车来，把您那方子上的一味药材全都收走了。小人怕老爷府上急着用药耽误了事，偷偷留下了十斤，这不就赶着给老爷送来了。"乌恭自以为说得得体，就算巴图用不着这十斤药材，也会欣赏他的忠心耿耿，这样一来自己不就投靠成功了吗。这是他打的如意算盘，可没想到话说完了，他往上偷眼一瞧，立时就吓了一跳。

乌恭从来没见过有人变脸变得这么快，方才巴图还是好整以暇，嘴角挂着一丝笑意，看上去红光满面。可一转眼间脸色变得煞白，眼睛睁得老大，指着乌恭的那只手很明显地在微微发抖。

"你说什么，再说一遍！"巴图的声音都有些发颤了，千金方上的药材缺一不可，自己瞧准了那其余的七味药都不是紧俏药材，存量又多，这才放心没有收购，只等五加皮入库后再大肆在本地收药。这个节骨眼上怎么会出这种事儿！

乌恭不知自己是否说错了什么，大着胆子又说一遍。巴图"噌"地站起身一把揪住乌恭的衣领："是什么人买走了药材，快说！"

"这小的可不知道，一手交钱一手交货的事儿。小的在店里只是三掌柜，有大掌柜在前面，就是有心想打听……"乌恭吓得牙齿直打战，惊恐地望着巴图，不知这位大管家为何方才还口口声声"不着急用"，此刻却急得如同被火燎了半边屁股一般。

"去你娘的吧。"巴图恶声恶气把他往地上一推，大声吼道，"来人！"

等叫来家人四处一打听，再逐一回禀之后，巴图往椅上一坐，如坠冰窟，半天没有言语。

"去把大营的驻军统领大人请来。"过了好半天，巴图才有力气说句话。

巴图做这件事情其实并非是一个人发财。因为他要借用军队的力量来押送和看守山西驼队，后期收药材的时候也可能还要借助军威，所以他把本地驻军统领也扯了进来，讲好将来银子到手，一人一半。现在出了这么大的事儿，他必须要跟统领商量了。

等不多时，一个方头虎目顶盔掼甲的蒙古军官大步进了巴图的宅院。

"军队正在操练，这么急找我有什么事？"

统领名叫铎山，打仗很是勇猛，不过有个毛病就是贪色。原先驻扎在前线时还好些，调驻巴彦勒格之后，没几年的时间，小妾已经娶了七个，在娼馆妓院里还包着十几个妓女。这还不算，每年借着清剿马匪的机会，还要强行侮辱牧民的妻女。这些事要不是靠巴图遮掩，早晚得在王爷面前露馅，所以一来二去，他和巴图就成了穿一条裤子的朋友。

他在女人身上的开销太大，光靠吃军队的空额空饷难以弥补亏空。这一次巴图提议在救命的药材上弄钱，他连犹豫都没有，就一口答应下来。

"你还记得那张千金方吗？"巴图脸色阴沉。

铎山不作声地点了点头。

"其中有一味药材被人全数收购走了！"

铎山闻言微微一惊："不会吧，你不是说那些都不是紧俏的药材，随买随有吗？"

"我当初的确是这样说的，谁料想会出了这种事！"巴图坐到椅上，将扶手重重一拍。

"这消息准吗？"铎山在地上来回踱了两步，回头问道。

"有个药店的掌柜来报信，我派家人到各大药铺去打听了，果然如此。"

"是什么人收的？"

"人家是现钱交易，交了钱把货装在大车上就运走了，根本没留姓名。"

铎山皱起了眉头，在地上转了几圈，猛然立住，回身道："千金方的事儿你没泄露出去吧？"

"你是说有人知道了消息后囤积居奇？不会不会，谁也没长天大的胆子，就算知道了这个信儿，怎么敢和王府对着干？"巴图不以为然。

"不见得吧，财帛动人心呐。就像咱们俩这一次，不也是拎着脑袋干这笔买卖吗？说白了，还不是和王爷对着干！"

"这……"巴图原本没想到有人恶意收购，还当是凑巧有人要用药，这时候被铎山一说，心里不由得也打起了鼓，"那你说怎么办？"

"如果真是有人存心和我们对着干，他这些药材运得远了没有用，还要搭上脚钱，所以一定是在近处藏着。城外不妨用士兵大肆搜索，可是城里就不行了，一旦惊动了王府不是玩儿的。"

"这个我来想办法，你只管城外就好。凡是能藏这几大车药材的地方，连和尚庙姑子庵在内，都要搜到！"巴图说道。

"这还用你说，事不宜迟，我这就去调兵！"铎山边说边往外走。

这边铎山离开了之后，巴图也紧急调集了自己的家丁。巴图虽然是王府的大管家，可也没权力调动王府护卫，只能动用自己的下人。不过人聚齐了也有近百号，他往当院一站，手里拿着一串王府的腰牌。

"给我听着，现在就到城里四处去搜，藏不住大车的小门小户就不必去了，军队官家的地方也不必搜，除此之外，都要搜到。谁能把这几大车药材搜出来，我重重有赏。要是有人敢阻拦，不必费话，把这个给他看，就说是王爷的命令。"

其实腰牌不是令牌，只是进出王府的凭证，巴图这纯粹是大言欺人。不过他也料定，打着王爷的旗号去搜，绝没人敢阻拦。

有钱能使鬼推磨，更何况是替王府办事，一点风险没有不说，还能堂而皇之地进人家的宅院，借机看看女眷也是好的。故此这班下人个个劲头十足，巴图一声令下，下人们急吼吼地往外走去，开始挨家挨户地搜药。

等人走了，巴图又叫过两个心腹。

"你们再带上几个人，别的地方不要管，专门去搜药铺！"这是巴图受了铎山统领的启发，能把心思用在这上面的人，搞不好就是做药材生意的，所以药铺要重点搜。只是巴图对古平原的驼队可没起半点疑心，因为在他的心中，古平原病得半死不活，驼队都被军队看管起来了，不可能放出手脚做这样的大事。

古平原可真没想到，会有乌恭这样的人向巴图卖好讨乖，更没想到自己的计策很快就被巴图发觉了。他把药材收上来之后存放在延年堂的库房里，还当万事大吉，打算今夜就回客栈。

古平原正在和大掌柜告辞，忽然有个药铺伙计神色慌张地跑了进来。

"大掌柜，我方才到前街的那家同行去串货，不知怎的来了一批人，如狼似虎般就开始搜店。听那意思，家家药铺都在搜检之列，我不知道怎么回事，赶紧跑回来报信。"

"啊！"古平原、大掌柜、乔松年都大吃一惊。

古平原向大掌柜使了个眼色，大掌柜连忙问道："你知不知道搜店的是什么人？"

"他们拿的是王府的牌子，奇怪的是没穿官服，都是一身下人打扮。"

古平原只觉得心往下落，不用问，这是巴图发觉茅尾草被人收走了，情急之下在到处搜药。照这个搜法，只要进了延年堂的门，那些药材非被搜出来不可，自己的一番心血就算白费了。

"知道了，你先下去吧！"大掌柜六神无主，但毕竟还记得把伙计叫了出去，然后慌里慌张地说，"真是怕什么来什么，这下可坏了。要是让巴图从我这儿搜出药材，我一家老小就全完了。"他急得眼泪差点掉下来。

古平原心里也发慌，但他毕竟还能强自镇静。见大掌柜已是失了方寸，知道跟他无法商量，干脆甩开大掌柜，只和乔松年商量。两个人匆匆几句，其实也没个结果，但是都觉得把药材再放在仓库里，无疑是坐以待毙，极为不智。

"大掌柜！"古平原一声大喝，把在地上直转圈的大掌柜叫住，"您不是觉得受了累吗？不要紧，古某这就离开，而且把药材也带走，您看如何？"

"好好好，那再好不过了。谢天谢地，你们赶紧带着药材走吧！"大掌柜巴不得他们说这句话。

"请您帮我们再雇几辆车来，把药材装车之后，我们这就走。"

仓促之间也雇不到那许多车，大掌柜干脆把自家用来驮煤的两辆牛车用上。牛就是走得慢，论起力气比马大多了，再把药材压得实实，堆得天高，两辆车就装下所有的草药。

"恕不远送了古老板，您可千万留神！"

"大掌柜放心，要是真有个万一，我绝不说出您就是了！"古平原斩钉截铁地说道。

大掌柜心里暗暗一挑大拇指，心里面称赞古平原是条汉子。这么危急的时候还不忘有此交代，说明这个人很够交情。

古平原和乔松年一前一后赶着两辆牛车，往延年堂西边的大街上走，因为他们方才听小伙计说了，搜药铺的人是打东边来的，往西走或许能避开。可是越走越多老百姓议论，都在说王府的人进各家各户搜检的事情。

起先古平原还没有听入耳，后来就听见街边有一处小户里传来叫骂声，就听一个女人扬着嗓门大喊："搜、搜、搜，搜你妈的搜，这是老娘的洗脚布，怎么着，你们王府的人是不是也要拿去闻闻？"

又听几个男声嘻嘻哈哈，有一人说："这娘们够泼的，瞧瞧你丈夫多老实，可惜了你嫁这么个孬人。算了，去别家看看！"

说时迟那时快，古平原还来不及掉头，就见几个凶形恶相的人从那户人家里出来，正与古平原顶头碰上，古平原再想掉头已经来不及了，心里一凉，暗道："完了，这是自己给人家送上门去了！"

常玉儿再醒来的时候，只觉得喉头温温的，有些辣意，不自觉咳了出来。边咳边睁眼，一看自己是在一架小帐篷里，身边有个须发皆白的蒙古老人正给自己喂水。

"啊，您是……"常玉儿想挣扎着起身，头却昏沉沉的。

"佛祖保佑，姑娘你总算是醒了，躺着不要动了，你的身子还没有恢复呢。"老人和蔼地说。

常玉儿听他称自己"姑娘"，知道行藏已被窥破，也就不再装男子嗓音。

"是您救了我吧！"常玉儿感激之下问道。

老人笑了笑："是你自己救了自己。"

常玉儿听了这话心里纳闷，老人看了出来，指着帐篷外面说："外面那匹灰斑马是你的吧？"

常玉儿点点头，老人微微一笑："你是个善心人儿啊。明明已经断水断粮，却还舍不得杀马喝血。也亏了没有杀马，否则你身体这么虚弱，就是看到了我们驼队，也不能赶上来求救。还好这匹灰斑马还有些体力，这才驮着你撵上了我们。你说这不是你自己救了自己吗？这也是佛祖的旨意，善有善报！"

常玉儿这才明白是怎么回事，不禁对上苍起了十二分的敬畏之心，默默地合掌祷告着。

"来，姑娘，把这个喝了吧。这是在马奶茶里放了沙荆根煮制成的药茶，最是补气益力，你喝了不出三天就能恢复如初。"老人指着罐中还冒着热气的茶水说道。

他的话提醒了常玉儿，常玉儿也顾不得头晕了，连忙翻身坐了起来。

"老人家，我昏睡多久了？"

"大概一天一夜吧。"

"呀，这么久了。"常玉儿盘算着自己出来的日子，她方出险境，就又念起了驼队交付的任务，"老人家，不瞒您说我是迷路了。本来从乌克朵出来，顺着戈壁滩往牛肚谷去，不想一阵大风沙把我裹到了沙漠里，现在我还要去牛肚谷。"

"那儿正在打仗啊，漠南和漠北打了好几个月了。这兵凶战危，姑娘，你可去不得呀！"老人吃惊不小。

"我有要事要找柯尔克王爷。要是找不到，很多人都会死，实在是耽搁不得。"常玉儿情急之下跪地磕头，"老人家，您帮帮我吧。"

"快起来，这是怎么话说。"老人赶紧把常玉儿扶起来，然后蹙眉道，"咱们现在所在的这个地方是戈壁的苦水井，其实再往南走一点就出了沙漠。不过要去牛肚谷嘛，沿着昆巴尔山转回大道还要三天三夜的时间……"

"那可来不及！"常玉儿一听就急了。

"你想快点到的话，就只能翻过昆巴尔山了。我倒是能给你指点一条山路，不过很险哪！"

常玉儿此番死里逃生，之前已经是把性命豁出去了，到了这个时候更是咬紧牙关：“还望老人家指点。”

"嗯，想不到一个汉人小姑娘竟也有此胆色。"蒙古老人听说常玉儿是为了很多人的性命才勇闯大漠，现在还要再闯极险的山道，不禁对她肃然起敬，"好吧，你跟着我们的驼队再走半日，到了沙漠尽头，我来给你指路。"

昆巴尔山在蒙古是一座名山，传说中是黄教苦行僧卡尔达拉遇魔神阻路，连破七道心障，终于得证大道的地方。它矗立在大漠边上，山上几乎没有树，是一座秃山。等来到山脚下，常玉儿往老人遥遥指点的那条路望去，心里顿时就是一翻个儿。

险，真是奇险！不错，人是可以骑着马上去。但是上了这条依着石壁开凿出的小路，再想下马就不可能了，除非从马屁股后面下去，想从侧面下马非掉到悬崖底下不可。

常玉儿这才明白，为什么老人说这条又细又长的路被称为"无常锁链"，这简直就是一条勾魂路。但从这条路过去，只要一天的时间就能到牛肚谷。想到过了这条路就能找到王爷诉说冤屈，她不再犹豫，一催马就上了山道。

在她身后很远的地方，那位蒙古老人遥望着常玉儿上了山，不住点头。

"汉人小姑娘，愿佛祖保佑你能顺利翻过昆巴尔山！"

常玉儿不知道蒙古老人在后面为自己祝福，她把全部心力都用在了控马上。其实用不着她多费心，灰斑马也知道身在险地，每一步都迈得格外谨慎。即使这样，有好几次蹄子蹬空，差点就歪着身子栽下去，半天下来，人和马都记不清吓出几身冷汗了。

常玉儿几次勒住马往上看，就觉得昆巴尔山如同一个石巨人，高高俯视着自己，要是抖抖身子，非粉身碎骨不可。老人当初指点道路时也说过，有时候走得再谨慎，遇到山崩，瓜大的石块从天而降，任你有天大的本事也活不了。

"活是幸，死是命"常玉儿又想起了古平原在黑水沼里挣扎的情景。心里苦笑一下，却又有一丝甜蜜的感觉。

见天色已黑，她从马后行囊里取出浸了松油的火把，用火镰点着，照着前进的路。再走一阵，天色完全黑了下来，就听得山谷里不时传来鸟兽归巢的鸣叫，间或也有几声猛兽之音。常玉儿不禁想到，万一在这山间狭道上遇到恶狼一类的凶兽，那可怎么办，真是避无可避了。

"唉，还什么都没看见呢，我在这儿瞎想什么。恐怕就连猛兽也不会来走这'无常锁链'吧。"

走这种山路，最险的地方就是树杈弯，走着走着前面没路了，原来是拐了一个急弯，这要是走得急了，肯定一头栽下万丈深渊。偏偏这条路上树杈弯还不少，所以常玉儿尽管心里面着急，却一点也不敢催灰斑马。

在这种地方想停下来打个盹那是痴心妄想，一个翻身就无影无踪。所以走到后半夜，常玉儿虽然困倦了，可还是强打精神往前赶路，偏偏赶上一个弯口连着又一个弯口，黑夜之中，非打起十二分精神来不可。

常玉儿打算过了这个弯口，就勒住马，熄了火把，好歹歇一歇吃口干粮。就在她神疲力乏之时，冷不防从前面的弯口冲出来一道黑影，火把一映，石壁上的影子张牙舞爪，如同饿虎一样扑过来。

常玉儿猝不及防，魂都吓飞了，手已经拽紧缰绳。这才想起来此处避无可避，避就是死路一条，除了掉进悬崖没别的路走。

好在常玉儿走的是下坡路，站在高处，对方是从下面往上来，从地势上看常玉儿占了优势。就在她一愣神的工夫，对面一声马嘶，常玉儿凝目望过去，这才发现对面也是一人一马，而且那匹马转过弯角突然见到迎面上方的火把，不由得惊了，只稍一晃动，左边的两个蹄子同时蹬空，顿时一声惨嘶，往悬崖下落去。

常玉儿惊得目瞪口呆，想救却反应不及。但马上的那个人反应可不慢，即刻甩镫离鞍，双脚一踩马背，腾身而起抓住了悬崖上的一块石头，只差了一点就和马一起摔成了肉饼。

常玉儿赶紧轻轻催马，来到近前，底下这个人抓住常玉儿甩过来的缰绳，灰斑马慢慢后退，将此人拽了上来。

常玉儿惊魂稍定，后怕之心又起。这是下山路，自己的马居高临下才没有受惊。如果换了一个时辰之前的上山路，那自己万万没有此人的高超本领，若不是此人能从已坠落的马背借力上跃，非摔死不可。

想到这儿她对对面这个人起了好奇心。借着火把照耀仔细打量，就见这个人浓眉大眼，穿着牧民常穿的长襟皮袍，蹬着硬实底的马靴，腰里还挎着一把蒙刀。

常玉儿打量对面来的这个人，这个人定定神，也看向常玉儿，心里那份别扭就别提了。要说自己的马是被对方惊下山谷，可人家又把自己救了上来，这脾气到底是该发还是不该发，他一时还没有想好。

正愣神的工夫，常玉儿先开了口："对不住，把你的马惊了，我赔你银子吧。"

此人闻言又是大大一愣，手一指，有些结巴道："你……你是女人？！"

常玉儿这才发现事出突然，自己竟忘了装男嗓。好在虽是夜半无人，然而这极险之地倒成了自己的护身符，也不必担心对方有什么歹意，当下大大方方承认道："是，怕走长路不方便，故此扮了男装。"

　　那人思疑着问："你一个女人，大半夜的走这条路做什么？要知道这路直通牛肚谷。因为打仗，前面出口的隘谷已经封了好几个月了，根本无人通行，不然我过弯口时也不会连个哨声都不打。"

　　常玉儿这才知道过弯口还要打哨，心里暗叫了一声惭愧。她忽然灵机一动，问道："这位大哥可是从牛肚谷来？"

　　"那是自然。"

　　常玉儿一路上见过许多如此穿着打扮的人，看他的衣着就猜到了几分："您是牧马人？"

　　"不错。我说你这个小姑娘，为什么半夜走这么险的山道？"

　　常玉儿道："我是要去牛肚谷找柯尔克王爷。"

　　"你要找王爷？"牧马人心里起了疑，左一眼右一眼打量常玉儿。

　　"我有急事！"常玉儿话不敢说明白，不由得涨红了脸。

　　想不到那牧马人倒笑了："没有急事怎么会大半夜走这条路呢？我也和你一样，有急事呢。"

　　"你……你有什么事？"

　　"这不是两家议和了，我家在大漠边上有一处马场。这几个月战线封锁，始终不得过来查看，心里急得很，所以就走了这条路，盼着快点赶到马场去。"

　　他说别的话常玉儿都没听进去，唯独"议和"两个字听得真，她又惊又喜道："议和？是漠南和漠北议和吗？"

　　得到肯定的答复后，常玉儿心里也高兴，无论如何，战事结束，王爷兴许就能腾出手来料理乌克朵的事儿。

　　"你遇到我也算是运气好，我出发的时候，两军也已经拔营了。你现在到牛肚谷估计一个人也找不到。"

　　常玉儿急问："那王爷去了哪儿？"

　　"战事结束，这些军情也都无须保密了。我在路边听说，这一次两家是在朝廷主持下达成的和议，不仅议和，还要结盟，故此要开结盟那达慕。牛肚谷地方狭小，所以两军挪动到西北方四十里外的乌兰牧场去了。"

　　"什么是那达慕？"这个词常玉儿第一次听到。

"简单来说就是赛马、射箭、摔跤，选出最好的蒙古勇士来祭敖包，感谢草原母亲的哺育之恩，"牧马人顿了顿又说："汉人姑娘，你我都急着赶路，还是赶紧各奔东西吧。"

说完，他身手敏捷地从石壁上找了块可以借力的石头，一悠一荡便已到了常玉儿身后，挥一挥手大踏步而去。

"你……你怎么知道我是汉人？"常玉儿扭头问道。

"你连那达慕都不知道，不仅是汉人，而且还是中原人。"牧马人的声音远远传来。

常玉儿一想果然如此，自己不禁也哑然失笑。

好不容易走出了狭长的山道，常玉儿注意到路边到处是打坏的兵器和埋锅造饭的痕迹，野草黄土上不时还能看到斑斑血迹。正如那个牧马人所言，前几日还在拼命厮杀的战场上，此时一个人影也不见。常玉儿心中暗自庆幸，要不是遇到了指路人，自己还真不知道该往哪儿找王爷。

常玉儿几乎是一夜没合眼，这时候却也顾不得休息，找了处水源饮了饮马，看着日头辨了辨方向，重又上马直奔西北方而去。

要出价，就出个让人无法接受、
又不得不接受的价

　　"他会来买吗？"

　　"嘿嘿，他还真是非买不可。"古平原这时稍露出得意的神情。也难怪他得意，巴图猝然发难，对驼队来说原本是一局死棋，古平原偏偏下出了一记活招。

古平原眼睁睁看着前面那群巴图的家丁，身子仿佛僵了一般，只等对方喝问一声："这车里装的是什么？"那就大势去矣！

可没想到的是，这伙人出了门之后，目不斜视，眼里冒着邪火，直盯盯地奔着街对面的那户人家而去。到了门口连门都不叫，直接就闯了进去。

古平原一直等到那群人全都进了那户院落，这才知道自己撞了大运。此时不走更待何时，他向后使了个眼色，带着乔松年避开人群，捡了条暗巷就钻了进去。

"古老板，这么走下去不是办法。看样子巴图的人兵分几路，就在这城里来回搜检。这一次是好运气，下一次难免被他们逮到。"乔松年着急道，"要是有个地方，只要能藏上一两天就好。巴图搜城一无所获后，自然会把人都撤走。"

他说的这些话，古平原何尝没有想到。可这是两大车的药材，不是两粒小药丸，仓促之间，到哪里去找地方藏药，更何况没有人会为了自己来担这份干系。

"既要藏得住，又要对方肯让我们藏，这真是难煞人。"情势间不容发，像老齐头这样经验丰富能做参谋的人又不在身边，古平原急得直跺脚。

突然就听得一阵急促的脚步声，古平原忙抬头向巷口望去，就见一队士兵排列整齐，大踏步走了过去。

"唉，要是军队也来插上一脚，那就更不好办了。"

"古老板不用怕。"乔松年不是第一次来巴彦勒格，对此倒是略知一二，"现在是未时，这是城里的守军出城操练，返回大营。跟咱们的事儿不沾边。"

他说不沾边，古平原听了却是眼前一亮："你说什么，城里有大营？"

"有啊，驻军大营就在附近，离此不远。"

古平原一下子就想到了自己当年初到奉天大营时的情形。那时初来乍到，老犯人欺负新犯人，什么苦活累活都派给自己干，"马无夜草不肥"，一夜要添三遍草料。关外数九寒天，就为半夜起来添草料，自己几次差点冻死。

"有了！"古平原一拍掌，倒把乔松年吓了一跳。

"咱们就把这两大车的药藏在军营。"古平原双目放出光来。

"啊？！"乔松年一咧嘴，"那能行吗，军队和巴图是一伙的，咱们这不是送羊入虎口吗？"

"虎要是不知道送来的是肥羊呢。"古平原嘴角牵出一丝诡秘的笑容，"我打算来个瞒天过海，用这两车茅尾草冒充军马的草料，送到军营的马号去。只要能拖上一两天，咱们再想办法把它弄出来。"

"不会被吃了吧。"乔松年虽然觉得这个主意不错，可又担心药草真的被马给吃了。

古平原笃定地回答："我在大营里待过，军营备马草从不少于三天的量，也就是说马号现存的草料至少能吃上三天，不会动用新来的马草。"

乔松年说得没错，再往前走过一条街，在城根底下就是驻军的大营，远远就看见刀枪剑戟幡、虎豹鹰狼旗，辕门、刁斗更是高高矗立。蒙古大营与奉天大营尽管营盘不同，但进马号绝不会走辕门。古平原大着胆子从西侧门入，不想还真撞对了。守门的士兵见他们拉的都是草，用枪往里扎了几下，古平原想起当初出山海关被查验的事情，心中自有一番感慨。

看看草车里没有别的东西，而且赶车人也不像歹人，士兵稍微盘问两句就放他们进去了。

进了大营就更好办了，古平原知道马号的位置都偏，因为人都不愿闻那味道，所以很容易就逆着人群找到了马号所在。

"古老板，咱们现在怎么做？"乔松年从没进过军营，看着一溜儿不到头的马圈有些发蒙。

"嘘，小声些，别让旁人听见你说汉话。"古平原赶着牛车，压低声音道，"草料库都是半露天安在马圈的两侧，我们把车赶过去。遇到马倌，你和他这样说，就说我们是内地来贩马的客人，与我们做生意的那家主人病了，担心误了军营的马草，我们就好心帮着把草料送来了。至于银钱，过几日等人病好了自然来结。这样留个由头，过两日再来就说草料送错了地方，反正也没收钱，他们自然会没二话地让我们把草拉走。"

"古老板，真有你的，竟然能想出这么绝的计策。把药草当成马草藏在军营里，任那巴图把巴彦勒格城翻个底朝天，也休想找到一根草药。"

"嘘声，有人来了。"古平原眼尖，一眼看见前面晃晃悠悠走来一人。

"哎，你们是干什么的，怎么这么眼生啊！"来人眯缝着眼，满嘴的酒气，皮袍子前襟扯开一半，连胸前的肉都喝红了。

乔松年连忙上前，把古平原方才教他的话一说，那人满不在乎地说："行了，那就卸在一边吧。"

古平原和伙计对视一眼，心里都是一喜，刚要听话卸货，从不远处又来了一嗓子。

"等一下！"

古平原忙停下手，就见又过来一个人，四十多岁的年纪，手心手背都是老茧，尤其是手指指节，一看就是常年提草料包，都被勒出了深印。

"我说老石头，你歇着去吧，用不着你管！"醉酒汉子歪着嘴道。

那个被称作"老石头"的人没理会他，走过来只看了一眼就道："这是茅尾草，苦得很，从来不用作草料，你们拉回去吧。"

没想到平地起风波，古平原刚要说话，那醉酒汉子大概是觉得"老石头"当着外人卷了自己的面子，怒道："我说收，你说不收，成心跟我过不去是不是？"

"嘿，去问问你那个当营官的干哥，要是把马喂坏了，连他都担不起责。"老石头不屑道。

醉酒汉子心里明白老石头说得不差，可是他一向仗着干哥的势力在马号里横惯了，面子上下不来，索性一转身骂骂咧咧走了。

"赶紧把车赶出去，牛车怎么能进马号，胡闹。"老石头一看就是个养马的老手，对古平原他们丝毫不假颜色。

古平原让乔松年居中翻译，自己对老石头说："大人，我们也是受人所托，您就让我们先把草卸下来吧。这样我们回去也能交差了。"

"我不是大人，只是个马倌。你说的那个不行，万一遇到方才那样的蠢材，把马喂坏了肚子怎么办，快拉走！"老石头的语气里绝无通融的余地。

古平原眉头一皱，从衣袖里拿出一张二十两银票，塞了上去。

"您就帮帮忙吧，这点小意思，请您喝酒。"古平原本以为一个马倌月例银子不过就是二三两而已，这张银票足以打动有余，谁知道估计错了。

老石头一见银票顿时火了，把手一抬，"啪"的一声把古平原伸过来的手打开，指着古平原的鼻子道："告诉你，我要是爱财，学着别的大营马倌，今天把军马拉出去配种，明儿偷偷卖上两匹报个病毙，想发财容易得很。老子一辈子只爱养马不爱钱。给我滚！"

古平原被他骂得一愣，乔松年凑近了对古平原说："这是个倔种儿，油盐不进，还不如跟方才那个人打交道，那人必定肯收钱办事。"

"不是这么说，这个老石头挺让人敬重的。"古平原心下打着算盘，见老石头还是气哼哼地杵在一边，把心一横，上前道："您既然爱马，就应该让我把草料卸下来，这些可都是救命的药材。"

老石头一愣："药材？救命？"他一下子让古平原给说蒙了。

古平原看看四下无人，低声道："往北去的草原深处起了能传染人的马瘟，这事儿您知道吗？"

老石头在军营里，来来往往又都是各地的牧马人，消息自然是比别处灵通，他犹犹豫豫道："听到一些风声，可也不知是真是假！"

"千真万确！"古平原就把王府怎样觅到千金方，巴图怎么买药行骗，自己怎么买断了茅尾草，巴图搜城自己无路可走，这才想到用药材冒充马草藏在军营马号的事情，从头至尾简短说了一遍，只听得老石头目瞪口呆。

"这是真的？"他惊疑不定地问道。

"有半句假话，让我死于刀剑之下，永世不得超生。"古平原知道事情的关键就在于老石头能不能相信自己的话，所以毫不犹豫立时就起了个重誓。接着说道："您想一想，要是瘟疫传过来，没了这批药材，马传染人，人也会传染马，到时候你养的这些马一匹都保不住，都会病死。"

这下正打在老石头的七寸上，他是个视马如命的人，一听这话顿时急了。

"那怎么办？"

"现在我和巴图正在较量，他不给个公道的价格，我是绝不会把药材卖给他的。你要是帮我一把，让巴图早些就范，到时候扑灭了瘟疫，这些马不也就平安无事了吗？"古平原知道要想说服一个人，必须让他能从中找到好处，而且最好是他极为关心的那样好处。

果然，老石头被他说动了，想了又想终于答应古平原将这批草药藏在军营里。但是将来不见得还是古平原来取，所以要留个凭记。

古平原想了想，从怀里取出一枚咸丰制钱，在喂马的石槽上一砸两半，其中一半交给老石头，嘱咐道："茬口能对上就是我派来的人，否则谁来也别把草药交出去。"

老石头点头答应，古平原不敢久留，拱拱手告辞。一路往外走，乔松年这才问道："古老板，你怎么就敢把实情告诉他，他也是蒙古人，你不怕他到巴图那儿告密？"

古平原边走边说："我们徽商有句话叫'交人交心，浇树浇根'，别看与这老石头相识不到一刻钟，这个人的心我已经看透了。他既然不收贿赂，就不是个贪图钱财的人，要是他肯收钱，我一个字的实情也不会说。你记着，一个人能不能信得过，不在于是蒙是汉，而在于他会不会因为贪婪而出卖原则。"

老齐头与刘黑塔在客栈里等得是望眼欲穿，眼巴巴地盼着古平原回来，可一等不回来，二等还是不见人影。他们可不知道古平原是到外面收药去了，还担心他出了什么事，急得心里发慌。面上又不能露出来，还要整天演戏让别人以为古平原还在房中养病。这一下可把二人害苦了，特别是刘黑塔这个直肠子人，几天下来，度日如年，嘴边上都起了一圈大泡。

就在刘黑塔实在忍无可忍要发脾气的时候，客栈老板笑呵呵地引着一个蒙古大夫来了。

"刘老板，这古老板这么多天了，还不见好。我从王府请了一位圣手神医，请他给古老板看看病吧。"

刘黑塔这几天憋得难受，没开口先瞪了客栈老板一眼，把他看得一愣。心说这大个子可真奇怪，我找大夫给他这边的人瞧病，他怎么反倒像我要给谁下毒似的。

"不行！"刘黑塔瓮声瓮气地说，"古大哥要避风，谁也不能进去！"

"这……这是大夫！"

"大夫也不行！"刘黑塔把住楼梯就是不让客栈老板带人上二楼。

客栈老板看他这个样子，心里突然冒出一个念头，不由得打了个哆嗦。他几天前拍着胸脯在巴图面前保证，古平原绝对在客栈里好好的没离开。可现在看刘黑塔这副模样，死活不让人上楼，连大夫都不行，那万一要是……

客栈老板不敢再想下去，要是真如自己所想，古平原跑了，那巴图老爷责罚下来可担待不起。

"不行，我说什么都要进房里看看。你们住在我这儿，万一有个什么三长两短，我的店还开不开了！"客栈老板抓住这个理由就要往上闯。

刘黑塔哪能让他闯过去，双手抓住他的肩膀，把他轻轻往后一推，其实也没用多大的劲儿，就见客栈老板活像被攻城槌打了一样，整个人"噔噔噔"倒退十几步。一个立足不稳，把财神像前的供桌都带翻了，香炉落地，扑出一层飞灰，弄得他满头满脸，模样活似《群英会》里的蒋干。

"好哇，你敢打人！"

"打你，打你是轻的！谁要是敢搅了古大哥养病，老子就不客气了！"刘黑塔没好气道。

早有人飞报老齐头，老齐头赶了过来，不住解劝着。可是客栈老板心里起了疑，总觉得就这么偃旗息鼓，万一人真不在房里，日后可真没法交代。故此他喊了一嗓子："来人，给我往上闯！"

来的也无非是厨子、跑堂的，刘黑塔哪把这些人放在眼里，上来一个丢一个，上来两个抛一双，三下五除二，满院子都是哎哟直叫的客栈伙计。

"好哇，你们敢情是强盗啊，你等着，我去报官！"客栈老板气急败坏撂下一句话往外就走。

"你看看，有话慢慢说嘛。现在弄成这个样子，这可怎么办，要真是官差来了，还能不让上楼？"老齐头急得差点没晕过去。旁边的伙计连同孙二领房也纳闷呀，古老板不就是病了吗，又没变妖怪，怎么就不让人进屋看看呢？

刘黑塔沉着脸摸了摸腰里的链子鞭："甭管谁来，我都一顿鞭子抽出去。"

"你那是混话，打了官差不就真成了造反的强盗了？"老齐头气得胸口鼓鼓的。实在没辙了，双眼望天不住默祷，"古老板啊古老板，你到底去哪儿了，你要是再不回来天可就要塌了！"

常玉儿策马来到牛肚谷西北四十里外的乌兰牧场，隔着老远就听到一阵阵欢呼雀跃的声音。她知道必是那达慕结盟大会正在举行，王爷必定也在此，一颗心总算放下大半。

因为漠南和漠北的王爷还有朝廷的使节都在此处聚会，乌兰牧场附近的关防极严，等闲人不得进入会场十里之内的范围。常玉儿刚走到禁区边上，就被手握长枪的士卒拦了下来。

"我的的确确是有急事，你们就放我进去吧。"常玉儿说得口焦舌燥，怎奈士卒都有军令在身，谁也不敢放她过去。

常玉儿不敢下马说出实情，谁知道蒙古军中是什么规矩，要是把自己带下去几番盘问，那非误了大事不可。

眼看士兵不肯放自己进去，常玉儿实在没办法，把心一横，伸手掀了皮帽，满头的长发散落肩上。阻路的士兵没想到这瘦弱骑士竟是个女人，而且看那模样还是个娇俏的汉人姑娘，不觉都傻了眼。就是这么一愣神的工夫，常玉儿一抖缰绳，双腿一夹，灰斑马向前一纵便冲过了号卡。

蒙古兵都是好箭法，立时就弯弓搭箭，按说常玉儿是躲不开的，可是蒙古兵犹豫了再三，也没松弦。没别的原因，就因为常玉儿是个女子，蒙古人个个自重为成吉思汗的子孙，怎么能对着女人的后背放箭呢？

也就是这么一犹豫的工夫，常玉儿已经冲了号卡。要说当初在巴彦勒格，刘黑塔要来送信，被常玉儿拦住了，还真是拦对了。今天这个场合，要换成刘黑塔来闯，那就成了潘仁美营里的杨七郎了，非被乱箭射死不可。

常玉儿冲过号卡，跑出十几丈听见身后有急促的马蹄声，回头一看，果然是哨官带着人追了上来，一边追一边吹起铜号角，通知前方有人闯营。

灰斑马劳顿多日，早已是强弩之末，勉强奔跑了一阵，与身后的追兵越来越近。常玉儿心下发急，再一看前面，巡营的骑兵得到讯号也已经赶了过来，等到两边人马前后包夹，自己就得束手被擒。

常玉儿不怕被抓住，但她怕这样一耽搁时间，要想见到王爷就不知是哪年哪月了。想到这儿，常玉儿一拨马头，慌不择路往斜刺里就冲。前方是一大片用一人多高的白布围起来的空场，白布扯开足有几百米，用木桩固定，看上去是个临时搭建的演武场。

白布围墙外面，每隔五步就有一个重甲武士手执长矛警戒放哨，他们一看常玉儿策马冲了过来，后面还跟着一队巡哨的骑兵，这些武士可不手软，将长矛一顺，往马头就扎来。

常玉儿大惊，往上一提缰绳。灰斑马福至心灵，居然用力纵身一跃，避过长矛，从围墙上面跳了过去。

一跃过去，眼界顿时开阔，常玉儿看得明明白白，这里是一处校场，现如今正在举行射箭比赛。二百多米的距离，弓手与箭靶分列两侧，看样子参加比赛的足有十几人。

这倒不足为奇，让常玉儿眼前一亮的是，就在弓手与箭靶中间的侧翼有一列看台，上面绫罗伞盖，下面虎皮大椅，桌上奇珍异果、珍馐美酒，两旁有俊仆侍酒，身后有力士警戒，居中坐着几个身着蟒袍、气势威武的贵人。

常玉儿猜想这可能就是王爷了，即使不是也必定是大官。自己往两边看看，士兵们已经纷纷从外面跑了进来，反正走投无路，与其被小鬼抓住，还不如找阎王投供。

常玉儿心疼马力，一路上都没太用鞭子抽。这时候可顾不得了，用尽吃奶的力气狠狠甩了一鞭子，灰斑马一声长嘶，直冲着看台的方向而去。

说时迟那时快，就这么一眨眼的工夫，校场里其实也发生了不少事儿。看台上的人都发现有人闯了进来，个个都是一愣。

常玉儿猜得不错，漠南和漠北的几个王爷再加上朝廷派来调解战乱的大臣正在端坐观赛。漠南有三位王爷，漠北只有一位柯尔克王爷，彼此的战事刚刚和息，没想到结盟那达慕上闹了这么一出儿。几人都是钩心斗角惯了的，不由得都对对方起了疑心。最怕的就是宴无好宴，万一来一出鸿门宴，那可不妙至极。

柯尔克王爷想着有备无患是至理名言，不言声已经把身边一套黄金胎的弓箭悄悄拎了起来，只等情形不对猝起发难。

台上的几个人在彼此猜疑，而台下的弓手此时正弯弓搭箭准备下一轮比试。比试以鼓声为令，为了公平起见，击鼓的这个人不在场内，而是在白布围栏以外。一共三次击鼓，从第一声起到第三声终，这期间弓手们必须射出一箭，迟则无效。

鼓手不知情，依旧在场外按照固有的节奏敲鼓。可弓手们都看见常玉儿纵马跑进校场，还没等他们反应过来，鼓声已经响了起来。

"咚！咚！！咚！！！"

常玉儿横穿校场，这时候弓手发箭极有可能误中她。要在往时，几名弓手可能就会停手不射，但今时不同往日。这些弓手一半是漠北人，一半是漠南人，早几日还打得你死我活，彼此间都有好友兄弟丧命在对方手里，一见了面两眼都是红的，恨不得抽出箭来给对方一箭，又怎么能甘心情愿地输给对方？再说，此事还牵扯到各自王爷的面子，那就更不敢任意妄为了。

随着最后一声鼓响，十几个弓箭手同时发箭，箭似流星闪电一般射向箭靶，其中一支直奔常玉儿而去！

二百米的距离，用的都是五石以上的硬弓，弓箭手不仅准头好，双臂一挽都有千钧之力，这要是射中了，非穿个透心凉不可！校场里人人都看见了，可谁都没办法，只能眼睁睁地看着这一幕。

常玉儿也用眼角余光看见了，想躲已然晚了，连眼睛都来不及闭，心里顿时一凉，千山万水来到此地，没想到功亏一篑。

就在电光石火的一刹那，就听"噔"的一声大响，火花四溅，灰斑马受惊，前蹄高扬，常玉儿本就分心，冷不防又来了这么一下，在马上坐不住，"咕咚"一声栽落马下。

一时间，场内众人面面相觑，不知道发生了什么事。

只有柯尔克王爷心知肚明。他方才拎弓箭在手，是为自卫准备。可是看漠南的几位王爷也是个个诧异，不像假装，而且闯进来那人十分鲁莽，竟敢在弓箭手发箭时横穿校场，无异于自杀，更加不像是有什么阴谋在里面。故此他在最后一刻发箭，射落弓箭手的那支箭，救了常玉儿的性命。

等到人们弄清了是怎么回事，不禁欢声雷动。大家早就知道柯尔克王爷是神射手，想不到一手弓箭绝艺竟如此出神入化，不是两膀千斤力又怎么能拉开强弓后发先至，这准头更是无与伦比，所以大家无不欢呼"巴图鲁！"这在蒙古语中是"勇士"的意思。

蒙古人最敬勇士，漠南的几位王爷见了柯尔克王爷的威武，不由得心折，同时举杯相敬。到了此时，柯尔克王爷心中也是得意，毫不推辞，举杯就饮。

连饮了三杯，想起了还在场中的那人，他见常玉儿还没爬起来，自己起身走了过来。

此时弓箭比赛自然已经停了下来，柯尔克王爷来到常玉儿近前就是一怔。他方才全副心力都在观察同席之人，没注意自己竟救了个美貌女子，而且这女子不像蒙古人，却像个汉人。

"嗯？"王爷心里疑惑，见常玉儿昏迷不醒，忙叫过随军郎中，军医看后回禀："王爷，这女子好像是坠马时撞到了头，故此昏迷。至于什么时候能醒，那要看调养得如何。"

"哦。"王爷点了点头，刚要说话，军医又道："王爷，她口中一直在念叨着什么，小人不懂汉语，故此听不分明。"

柯尔克王爷自幼随父在北京住过些时日，懂汉话而且很是纯熟，听军医这么一说，稍稍俯下身子，果然常玉儿虽然昏了过去，可是气息微弱地翻来覆去念叼着几个词。王爷仔细听了听，听出来了，常玉儿竟一直在说："乌克朵……瘟疫……药……"

王爷听清之后倒吸一口凉气，漠北与漠南顺利停战结盟，固然是因为朝廷派大员下来和息。但其中还有一部分是因为他始终挂心后方的疫情，不愿把这场仗拖延下去，所以双方在合谈的时候，漠北做了许多让步。一旦和议成了，瘟疫就变成了王爷心中的第一等大事。现在听一个莫名其妙闯到校场里的汉人姑娘嘴里念叼着这么几个词儿，王爷心里没来由地一阵发慌。

"来人，把她带到我的大帐里，找人好生伺候调治。一旦醒了，立刻报给本王。"

"是。"

"还有，我现在就向漠南的几个王爷辞行，不随大军一同班师，今晚连夜起程，轻车简从返回巴彦勒格。"

"是，请示王爷，这女人带不带走？"

柯尔克王爷略一犹豫："弄一辆马车，不管她醒不醒，都与本王一起走！"

古平原与乔松年藏在客栈旁的一条暗巷内，眼瞧着客栈老板冲了出来，虽然不知道去哪儿，可是客栈里只住了自家的商队，不用问必是出了什么事儿。

二人对视了一眼，乔松年道："古老板，咱们都在这儿转了大半天了，可就是进不去，这些蒙古兵守得太严了。"

古平原绷着脸沉思片刻，忽地破颜一笑："只有等机会了。"

"就这么干等着？"乔松年急道。

古平原倒是能稳住心神，问道："一起走了个把月，只知道你的姓名，却还没叙过年齿，依我看，你像是比我大着几岁。"

乔松年一愣，没想到这个关头古平原还有心情扯闲，回道："我是道光十年的人。"

古平原点点头："那比我大着八岁呢，看不出你已经过了而立之年。"

"哼，而立？"乔松年忽的大是感慨，"学未成，名未就，而立两字不过是打在脸上的两记耳光罢了。"

他这般牢骚,古平原倒不觉意外,微笑道:"几日朝夕相处,我已经觉出你不是寻常伙计。"接着把那日悬济堂众伙计齐声"推荐"他的事情讲说一遍。

乔松年一晒:"我早就猜到如此,他们巴不得我死在蒙古才好。"

"这又是为何?"

"燕雀安知鸿鹄之志,且容不得鸿鹄有志,否则岂不衬得他们猥琐渺小。"乔松年翻翻眼皮,不屑道。

就此谈下去,古平原才知道,原来这乔松年身上尚有秀才功名。只是乡试一而再、再而三地不中,祁县老家重商轻文,他家里又贫,一心只想读书,弄得家里连隔夜粮都没有,要四处去借,时间长了妻子四邻都没有好脸色。后来妻子央求人替他到悬济堂找了份伙计的差事,他却自觉与整日钱眼里打交道的生意人难以相处,也不与人交往,闲来便用医书的书皮包着四书五经看。时日久了,竟惹得众伙计人人厌憎。

"当今之世难容清高之才,不过天生我材必有用。乔兄一时困窘,倒不必萦怀于心。"

"乔兄?"乔松年抬起头,困惑地看一眼古平原。

"实不相瞒,古某以前也读过书,虽然也是学业未成,不过还知道尊崇读书人。乔兄虽在商户却不忘经史,今日种种正应了孟子的'天将降大任于斯人也',来日必有成就。"古平原说得很是诚恳。

大概乔松年自从委委屈屈地当了伙计之后,就再没有听过如此知心的话了,一时间激动莫名,眼角慢慢淌出泪来。

古平原正要安慰几句,忽听从街角传来大批马队的嘈杂声音,抬头一望,顿时心头一紧。

客栈老板气急败坏跑到巴图府上报信,他可不敢说别的,只说驼队中人不许王府的大夫进古平原的房间。就这一句话就够巴图想半天的了。

铎山统领也在座,等巴图斥退客栈老板之后,铎山一拍桌子:"我就不明白,当初在黑水沼畔黑了他们多好，完事把药材抢过来，尸首往沼泽里一丢，神不知鬼不觉。你偏不肯，还把人弄到乌克朵来了。"

"我不是想着撒撒灰迷迷外人的眼嘛，让王城里的人都知道到山西买药确有其事，也免得将来有人起疑心撺掇王爷查账。"

"哼。你那都是后话，眼前怎么办？听客栈老板话里的意思，他也疑心那驼队的领头人跑了。"

"事到如今也没别的办法了。"巴图这边查了三天，把巴彦勒格以及附近的卫城和牧场大大小小的蒙古包都查了个遍，就是查不到茅尾草的去向，心里直冒火。此时他半点耐心皆无，决定今夜就把山西驼队的事情解决，以免夜长梦多再起风波。

"这件事你不便出面。"巴图道，"借我一队兵，我现在就带着大夫再去客栈。不让看也得看，要是人真跑了，就借着这个由头，说他们意图行骗，亮出官家的身份把那批药材没收。"

"要是没跑呢？"铎山跟了一句。

"没跑更好，今晚就得卖药，不卖我就抢！"巴图从牙缝里挤出一句话。他起先不愿意这么做，因为乌克朵虽是卫城，毕竟与王城近在咫尺，传扬出去恐怕有麻烦，但现在却把心一横，决定不再等待驼队服软。

铎山满意地点点头："你早这么想就好了，也不至于拖了这么久还弄丢一味药材。你先把五加皮事情解决了，这边我再多调人马，像篦子似的筛上三遍，这茅尾草就是藏到地底下，我也一定把它翻出来！"

二人商议停当，巴图带了人来到客栈，这一次气势可不小，不止步兵，还带来了马队，马蹄声响，刀枪互撞，人声马嘶，离着老远就能听见。

老齐头虽说是走西口的经验丰富，但从来不和官府硬碰硬，面对这种情况也是六神无主，急得团团乱转。

刘黑塔却不管那些，他守着楼口打定了主意，今天无论是谁，敢上楼去闯古平原的房间，都要先问问他手中的九节链子鞭。

巴图在客栈门口下了马，带着底下人风风火火一进来，就看见活似凶神恶煞一般盯着自己的刘黑塔。他先不理会这莽汉子，开口问老齐头："你们驼队的当家人呢？那个姓古的，叫他出来见我！"

老齐头赔着笑脸："巴图老爷，这古老板一来就染了重病。大夫说了，不能见风，一遇风就反复，故此才躺了这么久养病。就快好了，您再宽限几日吧。"

"老爷没那工夫。"巴图没好气道,"你说大夫让避风,我现如今就带来一个好大夫,让他给古老板看看吧。"说完冲身后的府医摆了摆手。

府医看了一辈子病都没见过这样的阵势,眼瞅着刘黑塔直勾勾地望着自己,咽了口唾沫,硬是没敢动。

"怎么着?"巴图勃然大怒,冲着身后的军队一挥手,"给我把他摁住!"

士卒群起往上一冲,就要去逮刘黑塔。刘黑塔气不顺都好些天了,这下可算是逮到出气筒,双步一跨,居高临下站稳脚跟,链子鞭抡开"呜呜"作响,那真是密不透风。有几个士兵试着用枪去戳,被链子鞭一挂,"嗖"的一声就不知去向了。

这又不是打仗,谁肯玩命?再说军事主官又不在当场,巴图也不是行伍出身,士卒们都不想为了他去犯险,故此一步步都在往后退。

巴图一看更急了,从怀里拿出一张银票,大喊道:"谁把他按住,我赏银百两!"

重赏之下必有勇夫,还真有不怕死的要往前冲。老齐头在一旁把巴图的心事窥得明明白白,他分明就是想让刘黑塔打死士兵,这就等于是犯了重罪,连借口都不必找,直接就能把货物没收,将驼队赶回山西。

老齐头虽然看得明白,可是没有用,他阻止不了刘黑塔,更加拿巴图没辙,眼睁睁看着士兵往上一闯,不由得把眼睛一闭,心里说:"完喽,这一下算是全完了,什么渡枯水河,闯黑水沼,全白费,这笔买卖是彻底砸锅了!"

就在这千钧一发之际,忽然从楼上传来一声:"慢着,古老板说请巴图老爷上来。"

要说这时候,谁的话刘黑塔都听不进去了,他眼睛都已经红了,唯独这一声他听了之后,鞭子也不抡了,气也不鼓了,人半转身回头看,已经是目瞪口呆。

说话的不是别人,正是跟着古平原出去的乔松年。只见他站在楼梯上方,从古平原的房间里半探出身来了这么一句。

老齐头也是惊讶得差点没一屁股坐在地上。古平原带着这个伙计一走好多天,怎么他突然从房间里冒了出来?而且听这意思古平原也回来了,这到底是怎么回事?

但这个时候根本就没工夫多问,而且巴图在场也不能细问,老齐头走过来一拽刘黑塔的衣服,狠狠瞪了他一眼。

刘黑塔慢腾腾地走下楼梯,边走边摸摸后脑勺,低声嘟囔着:"古大哥这是玩什么大变活人的把戏哪？"

巴图可不管这些，他也不知道其中的内情，一见古平原发令让刘黑塔让了开来，自己便急匆匆带着大夫上了楼。

一进屋，就见古平原仰面卧在床上，半闭着眼，看上去确是委顿不堪。巴图一使眼色，那大夫上前也不问话，先就给古平原把上了脉，不多时放开手，走到巴图身边低声道："这个人前些日子确实是中了毒生了一场大病，倒不是装的，现在身体里的余毒还没有清呢。"

"嗯。"印证了这一条巴图把心放下，这才和缓脸色，"古老板，这笔生意拖了这么长时间，虽然你病还没好，也讲不得了，你到底卖还是不卖？"

"这……"古平原躺在床上，费力地半撑起身，脸上现出为难的神色。

"我可告诉你，你要是不卖，我还有别的法子，到时候你可别后悔！"巴图语带威胁。

古平原不答言，过了好半晌才叹了口气，做出痛心疾首的样子："算了，我们也拖不起了，卖就卖了吧！"

"这才对嘛。识时务者为俊杰，来按手印立字据。我们这就成交。正好我带了人来，现在就调车搬货。"巴图一听古平原肯卖了，顿时露出满意的笑容，从袖口里拿出一张五十两的银票放在桌上。

这时候老齐头和刘黑塔都上了楼，就在房门口看着。一见古平原要与巴图五十两银子成交，刘黑塔张口就要喊，老齐头手快一步，捂住了他的嘴。

"别喊，我看这里面有事，你就听古老板的吧。"

"唉。"屋里面古平原做出一副愁眉苦脸的样子，"巴图老爷你这一抽过墙梯，我可是看病都没有钱请大夫了。"

巴图哈哈大笑："古老板这是哪里话，其实我已经照顾你们。按理说这批货我已经用不到了，念在你们千里迢迢赶过来，我这才勉强收下。你们汉人有句话怎么说来着'狗咬吕洞宾，不识好人心'。古老板这可是屈了我了。"

"是，是。"古平原故意装成敢怒不敢言，"那，我们现在就交易？"

"自然。我的人就等在外面，古老板收了银票，我就要运货了。"

古平原收下银票，手微微抖着在字据上签字画押。巴图拿过字据看了看，拱拱手道："这一趟辛苦古老板了，再会再会。"

古平原像是没听到一般，盯着手里的银票发呆。巴图得意地一笑，走到门外刘黑塔身边时，用清晰可闻的声音不屑地说了句："一群窝囊废！"说罢上马扬鞭而去，留下随从将一包包药材运走。

刘黑塔气得浑身发抖，要不是老齐头按着他，他立时就要和巴图拼命。等巴图的从人搬空了货物，顺着来时的街道返了回去，看看客栈中人也都散了去，老齐头走到古平原身边。刚要问话，还没等他张口，古平原一掀被，从床上跳到地下，此时神采奕奕，全然不是方才那副"窝囊样"！

老齐头今晚上先是被刘黑塔吓，后又被古平原惊，一颗心七上八下，好不容易才嗫嚅着："古老板，这到底是怎么一回事，你能不能跟我老头子说明白？"

那边刘黑塔也扯住乔松年："你们是怎么进来的？"

古平原一笑，他是个谨慎人，虽料想交易完成后客栈的人应该不会再监视驼队，可还是先让乔松年到门外去把风，这才把老齐头和刘黑塔让到桌边坐下。

"齐老爷子、刘兄弟，让你们担惊受怕了，真是过意不去。"

刘黑塔一挥手："我可没怕，不过真要急死了。古大哥，你先说说，这上楼的楼梯被我把住了，大门外又有巴图的兵看守，你到底是怎么进来的？"

"这可真多亏了你。"

"多亏了我？"刘黑塔丈二和尚摸不着头脑，看看古平原的脸色又不像是在说笑，越发不明白了。

"我与乔松年其实已在客栈外等了多时，就是没有机会进来。原打算着明日等客栈运送米面蔬食的车来了，行些贿赂，夹带我们混进来。可没想到巴图竟然带兵乌乌而来，当时我便知道要糟，巴图这一来是非见我不可，那岂不穿帮了。没想到刘兄弟这一抢鞭子，引来众人围观，连大墙外守卫的兵卒都过来看热闹。我和乔松年趁机钻狗洞入内，又搬了把梯子，从二楼的窗户进到了房里。这可不是多亏了刘兄弟嘛！"

古平原这一解说，刘黑塔和老齐头这才明白。刘黑塔可得意了，一捅老齐头："嘿，听见没有，我还立了功了。"

老齐头可笑不出来，他心里一直在转着买卖上的事儿，张口问道："古老板，你这一回把药材五十两卖给了巴图，咱们不还是竹篮打水一场空吗？"

他这一问，刘黑塔也静了下来，盯着古平原看。

古平原摇了摇头，把那五十两的银票拿出来往桌上一拍："想拿这张银票当货款，他是白日做梦！"

"那……"

"你们不必问了，别看现在巴图得意而去，等一会儿我要让他哭都找不着坟头！"

"可……"老齐头一转念恍然道，"敢情古老板已经有了妙计。"

"妙计不敢说，还要仰仗老爷子多帮忙，成败全在今天。要是一切顺利，我担保巴图的发财梦做不过今晚。"

老齐头知道厉害，凛然受命。此时客栈外把守的士兵岗哨都撤了，驼队中人进出都已无妨。古平原将孙二领房叫来，要他先带着几个得力的伙计赶到乌克朵城边的码头上，将斡难河上的渡船雇三条，就在码头上候命。

孙二领房带人刚刚离开，古平原又道："刘兄弟，你先带几个人在这附近转一转，看看还有没有巴图的人在沿街搜检。我就在这儿等你，你快去快回。"

刘黑塔带着几个人，骑上骆驼沿着大街小巷转了几圈，眼见街上太平无事，回来报道："哪儿都没见那群龟孙子的影儿！"

古平原已经把驼队中十几个领头的伙计都叫到房里，听了这话立时道："好，太好了。各位兄弟，咱们现在要办一件大事，这事办好喽，就能拉上一大车银子风风光光地回太原；要是办不好，就只能灰头土脸地回去。我把话说在头里，要是只拿这张五十两的银票，我是没有脸回去，只能一头扎到斡难河里淹死。"

刘黑塔振臂一呼："古大哥，这话何用你说，五十两银子，把人都欺负死了。老子和那巴图没完，就是要跳河也抱着他一起跳。"

屋里的这十几个伙计这才知道，原来这一趟买卖被人骗了，顿时大哗。这一趟，人人都知道是美差，所以临出来的时候，都许了不少的愿，有人甚至已经借了债买房买地，这一落空，不说面子，就是逼债都能逼死人，无不惊骇。好在古平原在这一路上已经将驼队的心收伏了，伙计们也都知道这位古老板有勇有谋。因此短暂一阵慌乱之后，又很快安静下来，只拿眼睛看着古平原，听他如何说法。

古平原等驼队的伙计静下来了，脸色"刷"的一下沉了下来。他挺起身子，一开口是谁都没听过的郑重口气："各位兄弟，你们听的没错，这一回跟我们做买卖的不是人，反倒是一匹狼。我们的药材是怎么运到蒙古的？这大家心里都有数，是拿命换的！现在他想拿五十两就把我们打发了，纯粹是做梦！别说五十两，讲好的六千两银子，他哪怕少一两，我都绝不答应！"

"没错，我们绝不答应！"

"古老板，你就说吧，怎么办？咱们兄弟都听你的！"

驼队的伙计们被古平原这几句话撩拨得群情激奋，一个个眼珠子通红，巴图要是就在眼前，能被当场活撕了。

古平原顺势又加上一把火："更何况这不只是银子的事情，这一趟要是栽了，别人不会说我们如何如何，而是会说山西商人窝囊死了。要是不把这场子找回来，今后山西商人还能在蒙古立足吗？"

毕竟姜是老的辣，老齐头听了不由得一阵眉头紧蹙，他不明白古平原这是要干什么？这样接二连三地撩火，难不成要鼓动驼队抄家伙去和巴图拼命，那可太不智了。他是驼队领房，对驼队的安危负有重大责任，觉得不能不出来说话了。就在他刚想开口之际，古平原仿佛料事如神，对着他先开了口："齐老爷子，您放心，巴图手里有军队，不到万不得已，我们犯不上蛮干。"

说着，他递过来一样东西，老齐头接过一看却是半个铜钱，一时莫名其妙，拿眼睛瞪着古平原。

"齐老爷子，我在城里的军营马房里存了一批货。你拿着这半枚铜钱，到马房去找一个叫老石头的马倌，他就会把货交给你。我要你做的事情就是立刻带上驼队，将我存在军营里的这批货运到渡口，与孙二领房会合，之后半点也不要耽误，将所有货物都装上船。我这边也与刘兄弟立刻赶往渡口，咱们在那儿会合。"

老齐头这时候彻底糊涂了："这……这是哪儿来的货啊？是什么货？"

"是能要巴图命的货。"古平原轻轻一笑，拍了拍老齐头的肩膀，"现在一刻值千金，没有时间细说。事成之后，我陪您聊上三天三夜也不妨。"

老齐头弄不清楚怎么回事，干脆也就不问了。而驼队的伙计也一个一个按照老齐头的指示将骆驼牵出，准备出发。

这就看出古平原一路上的手段了，要不是他仗义疏财、善于结交，收伏了驼队的人心，此刻众人心乱如麻，又怎会乖乖地听他差遣。

古平原与刘黑塔牵了两匹骆驼，这边驼队一出发，他们就抖开缰绳向渡口方向骑去。

刘黑塔是个直肠子，有话从不肯憋在肚子里，一边赶路，一边问道："古大哥，你要老齐头去取的，到底是什么货？"

古平原面色凝重，显见得是在想心事。刘黑塔问了三声，他才答了一句："是千金方上的另一味药材，我把附近的这味药都买光了。"

"那我就奇怪了。"刘黑塔纳闷道，"咱们来蒙古卖的就是药，现在买卖折在了手里，几乎是血本无归，你怎么还去买药？再说你把那药都买光了，为的又是什么？"

古平原满腹心事也被他逗得一笑："刘兄弟，话都被你说完了，你怎么还来问我啊。"

"什么？"

"你自己说的，这味药都被我们买光了，那不就结了。"

"怎么就结了？"

古平原知道不把话说透了，刘黑塔终究是不能明白。于是边催马边侧头道："'奇货可居'这句话刘兄弟你总该听过。"

"不错，是听过。当初我依你的主意到太原府卖'喜货'回来，老爹就说过这四个字。"

"茅尾草虽不值钱，现在全在我手里。任何人想要买，要么从我这里进货，要么对不起，明年草原春绿，新枝抽芽时自己去采。至于说到我手里这批茅尾草，也不要高价，我是五百两银子进的货，除去本钱，哪个拿六千两银子来，我就卖给他。"

"啊！"听到这儿，刘黑塔才算是辨出了点味道，"古大哥你的意思是，这批货要卖给……"

"对喽，就是要卖给巴图！"

"他会来买吗？"

"嘿嘿，他还真是非买不可。"古平原这时稍露出得意的神情。也难怪他得意，巴图猝然发难，对驼队来说原本是一局死棋，古平原偏偏下出了一记活招。

"你要知道，药材不分贵贱，只要是方子上的药，少了一味都不成。巴图之所以有恃无恐，是因为他仗着王府的势力，知道本地药铺不敢坐地起价。可咱们就不同了，非和他斗到底不可。巴图那边步步紧逼，以为稳操胜券。他可没想到咱们暗中下手断了他的后路，这一招就叫'釜底抽薪'。"

"巴图夺了咱的五加皮，咱们就买断他需要的茅尾草。"刘黑塔边听边乐，听到这里嘴角已经咧到腮帮子上了，"厉害，古大哥你可真够绝的！不过咱们雇船干什么？"

说话间，渡口已经到了。古平原翻身下马，嘴里回道："雇船是为了让巴图那小子看一场好戏。他别想欺负了咱爷们就算完，今天我要不捏出他的牛黄狗宝来，就把古字倒着写。"

刘黑塔更乐了："古大哥，我还当你是读书人，没想到一急眼说起话来也是这么糙。没说的，我给你打下手，冲锋陷阵都归我去。"

古平原自嘲地一笑："嗯，这都是在关外营和兵学的。我估摸着齐老爷子也要到了。刘兄弟，这渡口肯定有巡更的更夫，你找一找，把他手里那面铜锣借来，等会儿我有用处。"

"好嘞！"刘黑塔领命而去。

古平原抬眼打量渡口，在乌克朵城外，这里是斡难河上第一大渡。修有木码头三十米，连着一排的拴桩，有两条够得上号的渡船，每条可载五十余人，不分早晚停在码头上。

"古老板。"孙二领房见他来了，赶上来说，"您要我雇三条大船，可这码头上只有两条大船，我已经派伙计去找了，看看有没有渔船……"

古平原满意地点点头，摇手道："不必，有这两条船足够了。我们也算是运气好，只怕再过一个月河水便要上冻了，那时我这一计也就没了用武之地。"

孙二领房莫名其妙地点点头，古平原也不和他细说，只向着驼队该来的方向扬首眺望。

过了小半个时辰，老齐头也带着驼队赶到了。也难为他如此短时间便能将古平原交代的事情办得如此圆满，只是也拼了老命，须发皆乱，在寒气逼人的清晨催着骆驼跑，鼻洼鬓角全是热汗。

古平原赶前两步，接过老齐头手里的缰绳，说道："齐老爷子，这场戏用不着这么多人上场。等会儿我们把这些药材装上船，留十几个胆子大的伙计与我一同登船。您老便带着其余人星夜赶往漠南去，咱们约一个大市镇，等事情办完了在那里会合。"

方才古平原在驼队伙计中拼命撩火，怕的就是关键时刻没人敢上船搏命。但此时以老齐头为首，这些走西口的汉子都已经义愤填膺，用不着古平原再多说，个个都争着以身犯险，打头的就是那个在高头营犯规矩被打的小高子。

"这是什么话？"老齐头胡子一翘一翘，"古老板，不瞒你说，我拿着那半枚铜钱一取货，看见这些药材，你要做什么，我就猜了个八九不离十。那巴图是王府的大管家，手里有兵有权，咱们这回真是要在虎口里夺肉吃了。"

古平原点头："他要不把咱们逼到绝路，我也不至于使这釜底抽薪之计。如今说不得只好再赌一赌命了，黑水沼敢闯，这斡难河我也一样敢闯！"

"不！"老齐头一抬手，意态甚坚，"现在大家是同船合命，没道理让你古老板一而再、再而三地玩命，我却只在一旁看着。这一次说什么我也要领着人上船，就请古老板吩咐吧。"

这在古平原的意料之外。想要拒绝，但看老齐头已经下了决心，三言两语无法改变，况且此刻实在没有时间争执。只得临时改变计划，由古、齐二人分带五个伙计各上一条船，刘黑塔哪里肯干，手里拎着铜锣，一副谁敢拦我上船我就和谁拼命的样子，古平原无法，只得加了他一个，让刘黑塔上了自己那条船。随后让孙二领房将其余的伙计远远带开，先取官道后走小路，直奔漠南，免得被人抓了人质，那就麻烦了。

而且孙二领房还有一个更重要的任务，古平原叮嘱再三，要他一旦离开巴彦勒格的地界，就马上分出几个人，分别沿着不同的道路去牛肚谷。务必找到常玉儿，将此地的情势告诉她，以免回来误蹈罗网。

"找不到我妹子可不行，听见没有？"刘黑塔瞪着大眼珠看孙二领房，等他连连答应这才作罢。

万事俱备，古平原吩咐大船驶离岸边一箭地之后停下。刘黑塔拿起铜锣敲得震天响，渡口本是热闹之地，早起做生意的人不少，还有些附近的住户也都被锣声吸引，纷纷赶到渡口看热闹。

巴图带着药材心满意足地回到自己府上，派人去知会铎山统领，告诉他五加皮已然到手，从明天开始要全力以赴搜寻茅尾草的下落。他忙了几日，好不容易算是解决了山西驼队的事情，打算好好歇上一夜，便搂着新买来的汉人姨太太颠鸾倒凤折腾了半宿，刚沉沉睡去，就听家人在房门外小声来报："禀老爷，铎山统领大人来了，急着要见您。"

"嗯？！"巴图一下子把眼睁开，这么急大半夜找过来，不问可知必是出了什么事。

"请他等着，我马上就来。"

家人刚要回头，就听铎山的脚步声响了起来。还没等巴图起身，铎山用力一推门，大踏步走进房中。

"啊！"三姨太只穿一件红绸肚兜，光着两条雪白的腿，正站在地上准备伺候巴图穿衣。没想到铎山竟然问都不问就闯了进来，吓得往床上一钻，用被遮住身子，"嘤嘤"地哭了起来。

"你，你这是干什么？"巴图心中也很是恼怒。

铎山一反好色常态，看都没看裸着身子的姨太太，冲着巴图冷笑一声："亏你还有心思搂着光腚女人睡觉，我问你，你昨天晚上和谁做的交易？"

"山西驼队啊，怎么了？"

"是不是那个姓古的人？"

"是啊！就是他躺在病床上亲手和我做的交易。"

"病床？呸！你让人耍了还不知道呢。"

"这到底是怎么回事，你越说我越糊涂了。"巴图一头雾水，他顾不得生气，呆呆地看着铎山。

"你跟我出来见一个人就明白了。"铎山回身出去。

巴图也顾不得身上的衣服还没穿整齐，趿拉着鞋就跟了出来。一出来就见院当中跪着两个人，仔细一看都认得，一个是前头来报信的那个"汉狗"乌恭，还有一个则是巴彦勒格城里数一数二的大药铺延年堂的大掌柜。

"这是怎么回事？"巴图可不傻，一想这二人的身份，心下一转就想到了，"难不成是和茅尾草有关？"

"还算你有几分明白！"铎山一指乌恭，"你说吧！"

乌恭向上磕了个头，心里有几分为难。他没想到铎山统领会让他当场对质，这一说出来就把延年堂的大掌柜得罪到了死处。

"管他呢，上面这两个人我只要巴结好了，区区一个大掌柜我还怕他不成！"乌恭打定主意，冲上又磕头道："小人听说老爷们在城里四处寻找茅尾草，小人也替老爷着急，便也四处打探。起初是没有消息，可就在昨天夜里，我们药铺进一批货，雇了几辆大车。这事儿是小人负责，偶然间听车夫闲谈，居然就是他们受雇于人，前几日将这附近药铺的茅尾草都买下运走了。"

巴图听到这儿，已经耐不住性子，急急问道："是什么人？"

"小人也这样问，可车夫也不知道那二人的身份，只知道是两个汉人。小人又问他们将药草运到了何处，结果……"他顿了一下，侧眼看了看延年堂的大掌柜，"结果他们告诉小人，说是全数运到了延年堂的仓库里。小人好不容易脱开身，急报巴图老爷，结果门上挡驾，说老爷正在休息，外客一概不见。小人没有办法，这才又去大营找到了铎山统领。"

"听明白了吧。"铎山皮笑肉不笑地看着大掌柜，"我接了报，就带着人去了延年堂。可是仓库早空了，只在地上发现些零七碎八的茅尾草，证明此人所言不虚。"

巴图早听呆了，大掌柜也是巴彦勒格场面上的人，二人虽无深交，却也常见。平素不见他有此胆识，怎么敢和王府架这梁子？

"你说，你把茅尾草弄到哪儿去了？"巴图逼近了大掌柜恶狠狠地问道。

大掌柜现在肠子都悔青了，没来由管这一档子事儿，结果把自己兜进去了。听见巴图问，忙不迭地苦着脸答道："巴图老爷，我冤哪，这'茅尾草'不是我买的。"

"那是谁？"

大掌柜方才在药铺里已经挨了铎山的鞭子，吃痛不过将古平原招了出来，此时也没有必要再瞒着了。就把古平原怎么找到自己剖说利害，怎么说动了自己答应藏药，又把药都用牛车运走了这些事一五一十全都讲了出来。

"不可能，我方才还见他在客栈里病得起不来床。再说客栈外有士兵把守，里面又有咱们的人监视，他怎么可能跑出来办这么大的事儿。"巴图在自己脸上狠狠掐了一把。

"要我说，你是小瞧了这个汉人。你没听客栈老板说他这么多天都不见人影，那必是使了金蝉脱壳之计。他既能悄悄出来，想必办妥了事情就又神不知鬼不觉地回了客栈。"铎山不愧是领兵打仗的统领，一听事情经过，就把古平原的行动分析了个八九不离十。

巴图自认算无遗策，结果却让个年轻小伙子给玩弄在股掌中。他气急败坏地抓住大掌柜的衣襟把他扯起来："这些我都不管，我只问你，药材呢？"

大掌柜被他勒得喘不上气，拼了命才挣得松些，抖着嘴唇答道："这我真不知道，你们前几天搜城，他赶着两辆牛车把药材运走了。打那以后我再没见过他，也不知道药材的下落。"

"你问他做什么？"铎山插话道，"到客栈问那姓古的，不就什么都知道了嘛！"

"对！"一语惊醒梦中人，巴图暗骂自己愚蠢。这时候不找古平原更待何时，他急急忙忙道："那驼队里有个会耍链子鞭的大个子，看样子不好对付。"

"不要紧，我随你一起去！"铎山知道事情已经到了节骨眼上，点了自己的亲兵卫队跟着，一行人风驰电掣般来到客栈。

折腾了大半夜，这时天色已亮。客栈早值的伙计刚出来要熄灯笼，冷不防一队快马飞奔到前，把他吓得后退几步坐在石阶上。

巴图与铎山也不理会，下了马，推开大门径自而入。客栈老板还在睡觉，睡梦中被铎山一把抓了起来。

"驼队呢？山西驼队的人呢？"

老板吓得直哆嗦，还以为来了强盗，等看清是巴图一伙儿，这才战战兢兢地道："您不是说买卖做成了，他们愿意走就走，不必再管了吗？"

"走了？"

"是，大概走了能有两个时辰了。这结账结到后半夜，我刚刚才睡下。"

巴图与铎山面面相觑，心里不约而同想到一个字："追！"

但是派多少人追？往哪条路上追？二人还没商议停当，就听门外有人跑进来报讯："老爷，您快去河边看看吧，出大事了！"

没用半个时辰，巴图带着一队兵卒气急败坏地赶到渡口。一抬眼就看到古平原抱着胳膊，站在船头，正静静地看着他。

"姓古的，你不要命了吧？你须知道这里是柯尔克王爷的地界，你一个小小的山西商人敢和王府作对吗？"巴图一见古平原摆出的阵势，就知道绝没有善了，只好先声夺人，希望在气势上压倒对方。

古平原不慌不忙，抱了抱拳："巴图老爷，您既然来了，想必是有人把我方才说的话转给了您。此刻我倒是要当着河边这老老少少的面，问上一句，我说的可对？"

"你说的都是放屁！"巴图恶狠狠地嚷了一句。方才古平原把巴图将六千两银子的货款压到五十两，意图私吞货款，这才使得自己买进茅尾草，逼巴图谈判一事，原原本本地当着码头边的百姓面讲出，并求"诸位蒙古的乡亲父老主持公道"。

古平原猜得不错，巴图干这些事，王爷确实是不知。巴图也是仗着王爷远在前线督战，才敢如此胆大妄为。他以为只要在王爷回来之前配好了药就万事大吉。没想到古平原出此奇计，不仅当众揭穿了他，而且逼得他不得不出来对质。

274

但古平原说的话巴图一个字也不敢认，河边人多口杂，一旦认了，王爷回来之后听到点风声，自己就得立地化为齑粉。

"少废话，姓古的，你就说你想做什么？"巴图死盯着古平原，眼神要是一把刀，古平原现在身上大概早已被刺出了透明窟窿。

古平原听问，先不紧不慢地反问一句："做什么？"接着淡淡一笑，蹲下身，从一个事先豁开一道口的货包里拽出一把茅尾草，拿在手里慢慢地捻了捻，接着冲巴图一扬："巴图老爷，先前你我做了一笔买卖。买卖嘛，有赚就有赔，既然成交了，那就不必再提。不过，有一样货，我还想卖给你。"

"什么货？"明知古平原说的是什么，巴图还是不由自主地问道。

"就是这两大船茅尾草。这可是好药材，凉血平热，滋阴益肺。"

他慢悠悠地说着，巴图恨得牙痒痒，心知不能不买，暗道等我把你们诓上岸，再慢慢摆布你。"好，我买了，你把药材运上岸来。"

古平原始终是一副不着急的样子："巴图老爷，真不愧是王府的大管家，买东西都不问问价吗？"

巴图强忍着气："多少钱？"

"概不零卖。"古平原举起一根手指，看定了巴图，"这两船货一共纹银一万两！"

"嗬！"别说码头边的老百姓，驼队的伙计也吓了一跳，连老齐头都张大嘴，谁也没想到古平原会狮子大开口。

巴图更是大怒，急吼道："穷疯了的王八羔子，两船茅尾草顶多值三四百两银子。"

"话是不错。可是我倒要请教大管家，整整一驼队上好的岢岚五加皮，成本也要三千两，你今儿早上为什么只给五十两？"古平原这句回答真是针锋相对，巴图立时哑了。

"问得好！"刘黑塔在旁一声大锣，心里痛快极了。

听到这里，巴图便知道自己原先的如意算盘已然落空，心下一阵懊丧。不甘吼道："我要是不买呢？你们难不成还在河里待上一辈子！"

"不买？"古平原冷笑一声，"实话跟你说，这两船货除了你巴图老爷，别人就是想买，我还不卖给他。要是你善财难舍，哼，刘兄弟！"

他们二人是早就商量好的，刘黑塔一听古平原发话，放下大锣，回身拿起半人高的两捆子药材，二话不说"砰"的一声丢到了水里。

草药、草药，药材原本就是晒干的草，吸水性特别好，一落到水里，包裹散开，水流再这么一卷，眨巴眼的工夫就都沉了底。

古平原平静地往水中一指，不紧不慢道："看见没有，我这船上的伙计不消半刻钟就可以把所有的药材丢到水里喂王八，大不了之后我们也往水里一跳便是。你要知道，敢闯黑水沼的人，不会把性命看得有多重。只是不知等王爷回来，巴图老爷怎么交代此事？"

巴图看着湍急的河水里不时翻上来的水泡，脸色煞白，冷汗早已经浸透了后背的衣衫。他原本想的是，山西商人到了蒙古地界，自己想怎么摆布就怎么摆布，这才勾结驻军统领演了一出请君入瓮，只道一万两银子稳稳当当到了手了，却不合惹上了一帮不要命的汉子。一下子形势逆转，巴图方寸已乱，那副趾高气扬的模样早已消失无踪，他抖着嘴唇半晌方才咬牙道："那，那万一你们拿到银子却不交货……"

老齐头不等他说完便大声吼回去："不认识字也摸摸招牌，山西商人什么时候做过接银子不付货的事。"

那边船上刘黑塔同时也叫："我呸！老子没你那么不要脸！"

天光已然大亮，河岸边围观的百姓越来越多，以至于大声鼓噪起来。巴图是绝不甘心把一万两银子交给古平原的，他心里暗暗起了杀机，打算命人登船强攻。能夺回茅尾草固然是好，要是夺不回，干脆就连人带药材，全让他们喂鱼。反正乌恭拿来的那十斤茅尾草用来配药，足够保住王府及自家有余，至于其余的百姓，那就顾不得了。

他打定主意，刚要回身下令，就在此时，一只手忽然紧紧地拽住了他的手腕。巴图心里有鬼，这一下几乎没吓得叫出声来，急回头看去，却是铎山统领。

巴图见铎山攥住自己手腕的那只手紧似虎钳，龇牙咧嘴地问道："你这是做什么？"

"做什么？"铎山冷笑一声，甩开他的手，"我倒问你，你要做什么？"

"我打算派兵强攻，这些人留不得，不然王爷回来知道了可不得了！"

"你也知道不得了？"铎山一声低吼，"你抬眼看看，现在河岸边的百姓有多少？至少有二三百人，你只要来硬的，就等于是明明白白承认输了理。等不到天黑，别说乌克朵，就是整个巴彦勒格都会知道王府的大管家私吞了药款，到了那个时候，你想瞒也瞒不下来。"

巴图愣了一下，急得团团乱转："照你这么说，咱们手上的兵是一点用都没有，这不是要了命吗？"

铎山一把扳住他的肩头，恶狠狠地说："你给老子闭嘴！听着，这件事情你和我都担着血海一般的干系，万一犯了事，你我是一条绳上的蚂蚱，谁都别想好。"

"这还用你说……"

"知道就好。就如你说的，这伙子山西商队的人一个活口也不能留，但是不能在这儿下手。现在他们要什么，咱们不妨就给什么，一定要设法让老百姓以为这只是生意上的纠纷，余下的事儿咱们不妨慢慢解决。"铎山打仗是把好手，此刻使出了战场上常用的欲擒故纵之计。

"这……"巴图舍不得那一万两银子，不禁犹豫着。

铎山见巴图犹豫，凑近了身子，用低沉得可怕的声音问道："你还记得去年偷了王妃屋里一支金钗的满桂儿是怎么死的吗？"

巴图当然记得，满桂儿是王府的副太监头领，原本极得王爷信任。也不知怎么，去年春天突然痰迷心窍，从王妃的屋里盗了一支镶满珠玉的金钗，将珠宝与金钗拆开卖给了外地的珠宝商人，满以为做得神不知鬼不觉，却被人揭发了出来。王爷得知之后大怒，将满桂儿捆起来，就在当院架起柴火，用蒸笼活活把他蒸死，尸体丢出去喂了狗。当时王府上下仆从都被叫来观看，巴图一辈子也忘不了满桂儿困在蒸笼里那绝望的嚎叫声。

"听说满桂儿卖的那支钗不过一千两银子。现如今你拿了王爷一万两，哼哼……"铎山在巴图耳边冷笑两声。

"别，别说了，都听你的。"巴图只是强撑着才没有瘫下来。

铎山点点头："你去和他们说吧，记住一定要说软话。把他们哄下船，让老百姓以为这件事和息了，咱们就有了缓手的余地。"

巴图毕竟是见过大场面，很快定下神。心下一盘算，便有了主意，假意冲着古平原笑道："好，好，好！不就是一万两嘛。其实我当初是想和你们交个朋友，先拿那些货款给你们驮队买些草原上的货物，也好给你们个惊喜。谁知你们这么着急，这都是误会呀。我在王府还有事情要照应，就请你们把药材运上岸，我现在就如数付清货款便是。"

一直站在古平原身边的刘黑塔没想到巴图这么快下了软蛋，一张大嘴已然咧起，其余的伙计也是喜出望外，只有老齐头赶紧冲古平原使了个眼色。

古平原明白老齐头的意思，他自己也不敢信巴图方才那番鬼话，但无论如何他肯交易就是万幸。想着不管怎样还是稳妥为上，于是他扬声道："巴图老爷，虽然有着许多人在一旁做见证，可是万一等我们上了岸，你翻脸不认人，那该怎么办？"

巴图含含糊糊地说："古老板，算你厉害，那你说，要如何交易？"

"简单！"古平原提出的交易方法，是谁也想不到的。

古平原要求巴图用小舢板将一万银子的货款送到船上，之后古平原带着众人将货物卸到对岸。然后用一艘空下来的船装上骆驼，顺流而下，待到下游渡口再上岸，且将货船留下，驼队众人即刻飘然而去。

"就是这个法子，巴图老爷觉得如何？"

巴图都要气疯了，他万没想到古平原如此机智。正想喝骂，铎山从后按住他的肩膀，巴图回过头去，见铎山冲着自己点了点头，意思是要自己答应下来。

巴图疑惑地一皱眉，铎山的神情却是不容置疑。巴图只得转回头，对河中央的古平原喊道："古老板，就这么说定了，我巴图光明磊落，你说怎么交易，我都听你的就是！"

刘黑塔与老齐头听见这一说不禁喜动颜色，古平原却知道巴图诡计多端不能大意。好在只要按照自己的计策走，船在水里，料他们也搞不出什么花样。大不了将船靠在对岸，骑上骆驼逃，隔着一条大河，想追也不是那么容易。

只听老齐头一声吩咐，伙计们打叠精神，将船上的药草都卸在了对岸，然后又用一艘空船装上骆驼。为防止巴图抓人质，古平原和老齐头等几个驼队首领都没有上岸。等着巴图叫人送来一张崭新的万两龙头银票，一个伙计取了回来，老齐头验看无误，冲着古平原点了点头。

古平原这才拱拱手，站在船头笑道："这一趟辛苦巴图老爷了，再会再会！"

这正是方才巴图在客栈里向古平原说的话，此番拿来用，这个现世报可是真快。巴图气得直咬牙，眼睁睁看着古平原的船沿着斡难河顺流而下，回身问铎山："就让他们这么走了？不错，事情是解决了，可一万两银子也没了。费了几个月的劲儿，结果竹篮打水一场空。"

铎山脸上现出阴狠的表情："你没听之前那姓古的说再会吗？你放心，用不了一天的时间，我准能让你再见到他。"

"是吗？"巴图不太敢相信铎山的话。

"那当然，这些山西商人自以为得计，可惜他们不了解这里的地理水情。斡难河只有在乌克朵一带河水还算是湍急，自然船速较快。可是到了三十里之外水流平稳，就是下水拉纤，那船也走得慢悠悠的。"铎山是行军打仗的行伍出身，又奉命驻守此地，自然对附近的地形了如指掌。

"他们还以为能顺流而下急速跑出几百里，待见到船行不快，自然就会在附近的码头弃船登岸，骑上骆驼走。我看他们应该是在……胡杨码头！必定是在此处下船！"

"那就好办了，带上人马，把他们都抓住，杀了喂鱼，把银票抢回来。"巴图瞪着眼睛。

铎山摇了摇头："说到打仗，你可真是外行！胡杨码头地势开阔，一个不留神跑出去几个，那就是心腹大患。再说码头那地方人多眼杂，怎么能做这种灭口的事儿？最重要的一点，我至少要抓一个活口。"

"抓活口？为什么？"巴图不明白铎山的用意。

"我听从黑水沼一路押驼队过来的军官说，这支驼队可不止这些人。说明他们怕被一锅端，已经兵分两路而行。要是我们不抓个活口，就无法得知其余那一路人的动向。斩草必须除根！"铎山将手向下虚劈。

"对对对！你想得真周到！"巴图恍然大悟，连连点头。

"派快骑在后面撵上他们，你和我带上亲兵就在后面几里地远远跟着。一旦看准了他们要往哪条路上走，就利用快马迂回过去，找个稳妥的地方设口袋阵。只要他们钻进来，哼哼，不管是生擒还是歼灭，那就随你我的意思了。"

乌克朵东门外有一处十里亭，亭内建有康熙年间勒制石碑。据碑文记载，康熙二十七年，漠南蒙古准噶尔部首领噶尔丹率五万大军奔袭巴彦勒格，土谢图汗为掩护部族老幼，率两千死士在十里亭迎战。结果两千兵卒无一撤退，全数牺牲在此，土谢图汗为免被俘受辱，也挥刀自刎。

再后来土谢图汗的女儿宝日龙梅格格乔装乞丐，千里奔赴京城向朝廷求援，却在民间偶遇微服的康熙。康熙欣赏她能全父志，遂发兵准噶尔，一仗打了八年。康熙三次亲征，终于击溃噶尔丹，夺了柯尔克蒙古的草原。宝日龙梅感念康熙为父报仇，自愿入宫为妃，育有一子，便是后来九王夺嫡时帮助雍正登基、立下大功、被封为铁帽子王的十三阿哥胤祥。

这些事情就像提线木偶，一拎就是一串。其中的恩怨，却又都早已随着斡难河水东逝远去，仅留下一个斑驳的石碑供后人凭吊。

此刻石碑前正有两人在追思忆古，其中一个中年人是蒙古牧民的打扮，身穿皮袍，头戴皮帽，粗壮的五短身材，微微有些罗圈腿，手指关节处都是厚茧，一看便是多年骑射留下的痕迹。

另一老者却是中原人氏的穿着，棉袍长衫，手里一支竹节挂杖，面容清癯，双目有神。老者手抚石碑，感叹道："从康熙三十五年立碑到今日，一百五十多年了，当初在这里血染沙场的将士尸骨早已化为尘土。所谓成为王，败为寇，其实就算噶尔丹没有败，到今天还不是黄土一抔。他为了自己的狼子野心，造了那许多杀劫，此刻只怕是在地狱受苦。"

中年蒙古人听了，先是半晌不语，后又沉重地说道："这话说得深了，我品着滋味，怕不是在教训我。"

"哪里，哪里。老朽不过是怀古追思，一时心有所感而已，并非另有他意。"老者微微一笑。

中年蒙古人苦笑道："但我却听出了弦外之音。此地此景，这番话叫我无言以对，为一己之私而造万千杀劫，确是不该。噶尔丹虽是我们部族的仇人，但前车之鉴应该记取。"

老者抚须颔首："嗯，方从修罗场上归来，就能有此心得，也算不易了。"

中年蒙古人又道："其实我们蒙古人生长在草原，心胸最是宽广。这一次的事情过去也就过去了，今后漠北漠南还是亲如一家的兄弟。绝不会做面上笑，背后捅刀子的事情，这一点您大可以放心。"

老者刚要答言，从旁边却传来一声怪里怪气的插话："蒙古人当然不会背后捅刀子，不过要杀人，除了刀子还有的是办法。下点毒药啦，弄条绳子把人勒死啦，这不都是蒙古人的拿手好戏吗？"

老者闻听便是一皱眉，中年汉子更是勃然色变，向旁看去却是一队正在亭边歇脚的驼队。

这一队驼队正是孙二领房带领的，他们听从古平原的安排，从乌克朵东门出来，马不停蹄跑了十多里，稍歇一歇还要继续赶往漠南。本来他们与亭中的二人是井水不犯河水，但此刻驼队伙计人人憋着一股子气，听了亭中人说什么"蒙古人心胸宽广，不会背后下刀子"的话，心中俱不忿。有个伙计平时就爱阴阳怪气地嘲讽人，这时候忍不住多了嘴。

中年蒙古人走近两步，沉下脸问道："看你们的样子是到草原上做生意的客商，怎么如此不守规矩，在明亮的日头下说主人的坏话。"

那说话的伙计慢腾腾地站起来，一哂道："你说谁是主人呐？"

"在大草原上，自然蒙古人是主人，你们是客人。"

"那我倒要请问了，天底下有主人偷客人钱财的道理吗？"那伙计侃侃而谈，全然不顾孙二领房抛过来的眼色。

其他伙计也纷纷鼓噪起来，你一言我一语："对啊，哪有这个道理！""蒙古人怎么转了性了，青天白日的，要做贼吗？"

中年汉子听了几句，脸色已然涨红，大声道："胡说，蒙古人是从来不做贼的。"

"那可不一定，连王府的大管家都做了强盗，硬是勾结军队来强买我们的货物，别的蒙古人还好得了吗？"

中年汉子倒是一愣："王府的大管家？你是说巴图？"

"不错，就是这王八蛋，你认识他，也不是什么好东西！"伙计们又纷纷叫了起来。

如果是古平原或是老齐头在，他们就会发觉面前这二人不是普通人，别的不说，单从衣着上看，那汉子的獭背皮袍与老者手上的翠玉扳指都不是寻常人家所有。但这群伙计哪里识货，只管聚在一起说得热闹，连骂人的脏话都吐了出来。

老者在一旁听了多时，见中年汉子恼得额头青筋直绽，便踱过来搭言道："且慢，既然你们如此不满，何不把话说个明白。实不相瞒，我们刚刚从外地过来，这城里发生的事情倒不是很清楚。"

"和你说？癞蛤蟆打哈欠——口气倒是不小！说了，你管得了吗？！"伙计没好气地道。

孙二领房这时候是一百二十个不愿意节外生枝，趁着话缝站起身来，牵过骆驼："都少说两句，该赶路了！"

没想到那中年汉子一步迈过来，竟然抓住了孙二领房的手腕，面色不怒自威："话没说明白，谁也不许走！"

伙计们大哗，本来就是怒火上头，这一下如同火上浇油一般，一众伙计握紧拳头便围了过来。

就在这时，就听身后"哗啷啷"一阵刀剑出鞘的声音，驼队众人大惊。回头看去，就见一队牧民打扮的蒙古人手执刀剑，正围拢过来。

"坏了，叫你们快走，被巴图撵上了吧！"孙二领房心一沉。

奇怪的是，这一队人马只是用刀逼住了驼队，并不动手抓人。一个领头的急匆匆跑过来，对着中年汉子跪倒磕头。孙二领房及伙计们都是常年走西口，蒙语都略通一二，一听之下都惊得呆若木鸡，那个伶牙俐齿的伙计愣了半晌，舌头打结地问道："您……您是王爷……"

此人正是柯尔克王爷，他带着常玉儿以及请来的客人——朝廷派来调解争端的理藩院尚书崇恩大人，做便服打扮，轻车简从赶回巴彦勒格。

一路上王爷很着急，不知道巴彦勒格是否出了什么事情。他担心瘟疫已经蔓延到了王城，又不明白巴图奉令去买药，难道说还没将药配好？更主要的是常玉儿始终没有醒来，迷迷糊糊间嘴里还是嘟囔着那几个词"乌克朵、瘟疫、药……"，王爷中间到马车上看过她几次，被她说得心烦意乱。

好在离巴彦勒格越来越近，一路上并没有看到逃难的灾民，王爷这才放下心来。又觉自己恐怕是杯弓蛇影，草木皆兵，不禁有些好笑。眼瞅着快到城边了，说："咱们一路也没怎么好好歇歇，这一进了城，样子狼狈，可别让人认出来，再传出什么王爷打了败仗跑回来的话。这样吧，大家在十里亭歇歇，整顿一下再进城。"就这样，一队人在十里亭暂时停住脚步，不想却遇见了孙二领房的驼队。

此刻身份揭破，柯尔克王爷自然拿出应有的威仪："我且问你，方才的话究竟是什么意思？"

孙二领房刚要答话，忽然从后面跑来一名蒙古仆妇，又惊又喜道："王爷，那汉人姑娘好像是醒了！"

"汉人姑娘？"常玉儿去牛肚谷送信一事原本也是瞒着孙二领房，但现在自然是什么都知道了。一听眼前的人是柯尔克王爷，再一听"汉人姑娘"，孙二领房不觉就脱口而出："可是前去报信的常姑娘？"

"嗯？"王爷与崇恩大人对视一眼，都觉得事情非比寻常，王爷忙问道："你说什么，哪个常姑娘？"

"驼队里有位姑娘前几日骑马去找王爷报信，她姓常，是我们货东的女儿。"

"你随我来，是不是她一看便知。"

载着常玉儿的马车就停在几丈开外，车上共有两个仆妇照应着。孙二领房跟过来一瞧，这可不是常玉儿嘛。他身上就肩负着寻找常玉儿的任务，此刻乍然遇上，又惊又喜，连忙喊了两声："常姑娘，常姑娘！"

常玉儿养了几日，头上的伤已经快好了，就算没有孙二领房这几声喊，她也已然悠悠转醒，又听到身边有人在叫自己，一个惊悸醒了过来。转眼看去，身边几个人就只认得孙二领房，这就好比是见到了亲人，眼泪一下子夺眶而出。强撑着由仆妇扶着坐起身，问道："孙领房，我……我这是在哪儿？"

孙二领房并不知道她从乌克朵出去的经过，但见她的目光从王爷脸上扫过却不认得，也觉纳闷，赶紧说："常姑娘，你这不是把王爷请回来了吗？"

"王爷，王爷在哪儿？"常玉儿即使是受伤昏迷，心中也挂着此事，一听孙二领房的话，立时神情紧张。

"这位不就是柯尔克王爷嘛！"孙二领房向王爷看去。

常玉儿顺着他的目光一看，顿时记起，不错，那天看台上确有此人。只是他当时穿着华服盛装，眼下却做普通牧民的打扮，不过眼里的威仪却是丝毫不变。

常玉儿挣扎起身，就在车里跪倒下拜："王爷，请给草民做主！"

柯尔克王爷站在一旁，静静地听着孙二领房和常玉儿的对话，心里知道这里面肯定有事儿。又见常玉儿跪拜，清朝的仪制，王爷礼绝百僚，不要说小小一个民女，就是中堂来拜，也不过点点头抬抬手罢了。他示意两边的仆妇将常玉儿搀起来："姑娘起来吧，你的伤还没全好，好在我们已经回了巴彦勒格，有什么话进了城再说也不妨。"

"不！"常玉儿一刻也等不得，听说已经回了巴彦勒格，忙问孙二领房："我大哥呢，买卖怎么样了？"

"唉！"孙二领房叹了口气，"古老板要破釜沉舟，担心咱们被人家一勺烩了，就让我领着大半的伙计逃走避难。这不是，出了城就遇到王爷和你了。"

"什么破釜沉舟？"王爷与常玉儿异口同声地问。

崇恩大人在一旁听了多时，知道这么七嘴八舌地说下去，事情必定缠杂不清，他插口道："我看还是让这姑娘先说，你为什么要千里迢迢赶赴战场来找王爷？"

这番话，常玉儿一路上早已在心里反反复复说了不下百遍，这时她终于能一吐为快，当下便原原本本把事情经过诉说一遍。

王爷听了之后鼻子都要气歪了。他在外头出兵放马，万没想到后院起火，竟有奸邪小人做出如此魑魅勾当。当着汉人行商与朝廷大员，只觉得脸上无光，刹那间火撞心头，大声怒道："好个狗奴才，看我不拿油锅炸了他！"

"慢来，慢来！"崇恩大人老成持重，接着又问孙二领房，"你方才说破釜沉舟，那又是怎么一回事啊？"

等孙二领房把古平原的计策一五一十说出来，第一个急的就是常玉儿。大哥和古平原此刻都在险地，说不准会出什么事儿。巴图手里有兵，万一真是悍然不顾，就凭驼队那几个人，非被碾成齑粉不可，她赶紧把目光投向王爷。

王爷心里那份急，丝毫不亚于常玉儿。担心客商安危倒在其次，他最担心的是被古平原当作讨价筹码运上船的那些药材，这些可都是蒙古人的救命药。古平原要是一时意气用事，把这些药给沉了河，蒙古的万千生灵只怕就要遍野涂炭。

他转向崇恩大人："老师，没想到出这么大的事儿，也是我驭下不严所致。这样吧，我让人先护送您到我府上，我这就赶往码头。"

崇恩大人听了无话，两路人变作一行，急匆匆往乌克朵码头赶去。

古平原带着驼队一路顺流而下，果然就像铎山统领所料那样，不出三十里地，水流平缓下来。他们所乘的是渡河的渡船，上面只有一根橹子和一支长竿，刘黑塔在船头用力撑船，后边派了个会掌船的伙计摇橹，其余的人只能在一旁看着，却是有心使不上力。

老齐头看了一会儿，又张目前望，揣摩着水势，不多时对古平原说："我看不能再乘船了，这么着比骑骆驼还要慢得多。"

古平原也正想说这话，他往两岸看了看，一指北岸："这里离乌克朵可不远哪，不可大意。咱们从北岸下船如何？兜个圈子再兜回南岸去，这样稳妥些。"

"理儿上讲是没错，但往北去是大黑山，那儿的马匪连蒙古骑兵都头疼。真要是运气不好撞见了，可就麻烦了。你别忘了，咱们带着一万两银票呢。"

古平原点点头："那就算了，还是走南岸，上了岸吩咐伙计们即刻上路，除了大小解之外，吃喝都在驼背上，越早离开漠北地界越好。"

这何须他说，伙计们都知道身在险地，巴不得早早远离乌克朵。找了处码头从岸边下船，此时日已渐渐升高。老齐头匆忙之间忘了带指南针，在地上立了根蒿秆，算算时辰，又看看日影，末了一指："往偏东北方走，过了滩涂就是官道，上官道后走上五十里有小路，那是通往漠南的近路。"

论起识途，老齐头的话从来没有任何争议，驼队立时出发，就奔着老齐头指点的方向前进。一路上伙计们都闭着嘴赶路，驼队里只有刘黑塔兴高采烈，骑在驼背上，不住地高声喝叫。古平原喊了他几次，见他充耳不闻，只得骑到他的身边，大声道："刘兄弟，刘兄弟！"

刘黑塔一转头，嘿嘿笑道："古大哥，喊我做什么？"

"我说你小点声！这要是路边有牧民听见，还以为我们是打家劫舍的强盗。"

刘黑塔意气风发，全然不当回事儿，还是笑着大声说："古大哥，这一次我是真真正正服了你了。要说你走黑水沼，不瞒你说，那一晚我都想好了，你要是不走，那我也要走。以胆搏胆，我不输给你。可这一次在乌克朵，能从巴图这条恶狼嘴里抢来一万两，我实在是甘拜下风。"

"这也是运气好。"

"不全然是运气好。"老齐头也赶了过来，"说运气，你先遇到萨大夫，后遇马倌老石头，那都是好人哪，这的确是运气不假。可是你能想到明修栈道暗度陈仓，从背后捅巴图一刀，这可完全是你的本事。"

"可不是嘛！"刘黑塔现在想起码头上的那一幕还直乐，"看见巴图那脸色没有，活似死了娘老子。算他便宜，古大哥没让我去取银票，不然我非唾他两口。"

"罢了罢了，咱不惹那份闲气，反正现在钱货两清，还多落了四千两银子。就算这些日子担惊受怕，也足贴得过了。"老齐头脸上也不由得浮起一丝笑意，这笔买卖实在做得漂亮。原本是"货到地头死"的断头生意，最后却弄了个"奇货可居"，不仅没赔钱，倒差点赚了翻倍。

老齐头走了一辈子西口，打算着冒险走一趟黑水沼，回去便卖骆驼从此歇下，想到日后在酒馆里喝老酒，几杯下去讲讲这最后一笔生意，过程是如何的惊心动魄，结果又是如何的出人意料，管教旁边人听得张口结舌，那场面想起来就心里熨帖。

"这一趟，古老板也发了大财。常家给你多少那是出来时就定规了的，可是这多出的四千两银子完全都是你的功劳，谁也拿不走一分。"

"话可不是这么说。"古平原没多解释，但心里早就打定主意，这钱绝不能独吞，常家和驼队的众位伙计都要有份。

几个人谈谈说说，天刚下午就到了老齐头指的那条小路。说是小路，其实是牧民放马踩出来的一条路，也很宽阔，只不过沿路没有驿站营旅，与官道相比算是条"野鸡路子"。

　　老齐头当先，其余人随后，众人拐上小路后大约小半个时辰，一队快马跟踪而至，打头的正是铎山统领与巴图。

　　"你弄清楚了，他们确实是走了这条路？"铎山问一直跟在驼队后面的探子。

　　"回统领大人，千真万确，您看这地上的驼印。"

　　果然，一条岔路，官道上没有骆驼的脚印，而小路上的驼印却是一目了然。

　　"走官路，防着被人瞧见或许还要多费些手脚，走这条路嘛……"铎山看了一眼巴图，"他们是找死呢，往前走有一处地方，正好给他们当坟场！"

　　古平原他们丝毫不知后面有人追踪，一口气跑出来几十里地毫无异状，还以为要么是巴图认输了，要么是自家顺河而走成功甩脱了巴图，故此伙计们也都渐渐放松下来。

　　往前走着走着，地势忽然起伏不平，忽高忽低，再往前竟有不少的小山丘，与方才一马平川的草场截然不同。

　　"这儿叫馒头岭，再往前是老边沟，过了夹道不远就又可以拐上官道了。"老齐头指着那一座座的小丘说道。

　　"这地方怎么有点像坟头啊？"刘黑塔嘟囔一句。

　　"别乱说。"古平原知道驼队走西口忌讳不少，担心刘黑塔口没遮拦让人家心里腻歪。

　　不想老齐头却道："何止你说，蒙古人早就传言，此处是蒙古始祖乞颜部带兵与其他部落打仗的地方。传说仗打了三年又三个月零三天，那三年草原上刮的风都是腥的，死的人更是不计其数。后来战场上忽然起了一阵红光，地藏王菩萨显出神通，将此前所有死去的人入土封坟，并告诉各部族，今后再死在此地的人便不能入轮回，这才止住这场大干戈。这也就是馒头岭的由来。"

　　老齐头说得活灵活现，一干人都听愣了。刘黑塔张着口半晌才说："我的娘啊，敢情真是坟头啊。"

　　不知不觉，驼队已经越过馒头岭，进了老边沟。这是馒头岭后一处颇高的横亘大山，不知在什么年月仿佛被盘古一斧劈裂开一道山缝，可供来往的行人通过，所谓的近道，指的就是此处。

　　驼队一边在山缝里走，一边在骆驼上分发了干粮食水补充体力，老齐头还叹道："这一次为了避祸回来得匆忙，不然赚来的银子应该买些货物带回去山西，脱手又是一笔，可惜了。"

古平原刚想说此事到了漠南再办也不迟，就听两边山坡上如同夜猫子似的几声怪笑："呵呵，古老板，咱们这可是再会了！"

谁是自己命中的贵人?

古平原心知崇恩这番话千金难买，当下衷
心地深鞠一躬："大人的金玉良言，晚辈记下了。"

"我看将来你的生意一定会做得很大，只
盼你在洋人面前扬我大清的国威。唉，可惜我
老了，很多事情也不知能不能见到了。"

柯尔克王爷带着一干人等来到码头，却见码头上风平浪静，毫无变化争端。

王爷派人将看管码头的税吏叫来，等到问清楚才知道，古平原已经拿了一万两银票坐着船走了。

常玉儿与孙二领房及一群伙计脸上刚露一丝笑意，却见王爷的脸绷得紧紧的，发令道："把巴图找来见我！"

结果下人找了一圈也不见巴图的人影。再一细打听，巴图与驻军统领带着亲兵不久前从南边城门离开，沿着河也往下游去了。

"坏了。"王爷不禁脱口而出，巴图在他面前一向恭恭敬敬，此番才露出狐狸尾巴。至于铎山统领，那更是一向在战场上杀人不眨眼的恶汉，他二人勾结在一起，不问可知那是去杀人灭口了。

王爷当即做了调派，先是派人将巴图已经收购来的药材妥为保护，随后命令将巴图与铎山的家眷严加看管。这都是嘴一动就能下令的事情，最难办的是如何制止他们杀人。

常玉儿先喜后惊，这才知道大哥和古平原的大难非但没过去，而且命在旦夕。她眼巴巴地望着王爷，等他拿主意。

"到府里把我的海东青放出来。"王爷沉思片刻，有了主意。

驼队众人心中纳闷，可也不敢去问。不多时就听到半空中一声尖鸣，抬头一望，隐约看见云端有只鸟，离得远了看不清样子，迎风而翔却是毫无涩滞，飞到码头上空时，忽然如箭一般笔直落下。众人刚一惊，就见这鸟已经轻轻落在了王爷肩上。

王爷见众人惊诧，爱惜地抚着那鸟儿的羽毛道："这就是海东青，是草原上第一猛禽，等闲人也难见到。从前乾隆皇帝拿三千头牛羊向我曾祖父换去一对。"

"这么贵重？"伙计们看看王爷不像是开玩笑，再看看那比鸽子大不了多少的鸟儿，个个不禁咋舌。

"海东青一是凶猛，别看个头小，连能把羊抓上天的羊鹰也打不过它。它能在空中用利爪抓开羊鹰的肚子，用利喙叼出它的肠子；二是飞行迅速，一天能飞三百里；第三嘛就是眼力甚好，你看方才它飞得那么高，却还是能从人群中认出它的主人。"

"您是要用海东青去追巴图。"常玉儿冰雪聪明，别人还在懵懂，她已然猜到了王爷的心思。

王爷赞赏地看了她一眼："不错，让海东青在前面引路，我带着兵将随后，不过常姑娘，你和驼队就不能跟着去了，会拖慢速度。"

牵扯到驼队的安危，常玉儿自然不能固执己见。尽管心里着急，还是只能眼睁睁地看着王爷带着王府护卫，如怒风卷云一般挟风而去。

古平原与老齐头等人正在交谈，冷不防山坡上传来一声怪叫，古平原顿时一惊。抬头上看，就见两边的半山坡上不知何时已然站了几排刀剑出鞘的士兵，当中冲自己冷笑的，正是巴图！

古平原立时觉得心上一缩，怕什么来什么，看这架势不用问，这是来灭口的。驼队这时候有些乱了，老齐头还算能掌得住，连喝几声稳住阵势。

古平原定了定神，向上一拱手："巴图老爷，莫非是货不对吗？不然怎么银货两清还要大老远撵上来？"

"哈哈哈！"巴图皮笑肉不笑，"我说姓古的，你是揣着明白装糊涂啊。我问你，拿了我的一万两就想这么一走了之？天下没这么便宜的事儿！"他突然变了脸，恶狠狠地说。

"古大哥，怎么办？"刘黑塔一见巴图就两眼冒火，"这王八蛋不怀好意，我冲上去对付他！"

"千万别轻举妄动，他们居高临下，咱们会吃大亏。"老齐头连忙制止。

这话声音大了些，上面的人也听到了，铎山统领大声道："还算你们有个明白人，看！"

他把手一挥，就见弓弩手一字排开，单膝点地，从背后摘下一张钢铁大弩，摇动机簧，安上弩箭，向着山谷中的驼队瞄准。

就听铎山大声吼道:"下面的人听着,你们受漠南蒙古所派,到我漠北做奸细,意图蛊惑人心,动摇我漠北军心。王爷有令,凡敌方细作,抓到后立斩不赦!"

他一双眼睛凶光毕露,将腰中蒙刀抽出,向天一举:"不过念你们运送药材有功,本统领可以从轻发落,只要你们说出其余同犯的下落,就当是立功,概不追究!"

老齐头凑近了,低声对古平原道:"古老板,这些蒙古兵好狠毒,先给咱们安上个掉脑袋的罪名,然后再逼咱们说出孙二领房他们的下落。"

"不能说,不说最多咱们这十几个人一块死,说了整个驼队都保不住性命。"古平原也低声道。

"对,我也是这意思,不能说!你们都听见没有!"老齐头回身对着驼队喊道。

"哼,不说?"铎山冷笑一声,"我只数到三,到时候可别怪我辣手!"

巴图在一旁小声问:"真的要放箭把他们都射死了,那一半的驼队可就抓不回来了。"

"你放心。"铎山是老行伍,"慢说他们还有骆驼遮蔽,就是没有遮掩,乱箭齐发也不会把人都射死,必定留两个喘气的。"

说着,他高举腰刀:"都听我令!一!"

古平原、刘黑塔以及驼队众人面面相觑,都知道性命危在旦夕,老齐头一声喊:"快下骆驼,找地方躲着!"

两边都是弯弓搭箭的兵,众人匆忙间只好钻到骆驼肚子下面。与此同时,铎山那硬冷无情的声音几乎没有任何迟疑,数到"三"后,他手中的刀往下一劈,喝道:"放箭!"

就听山谷中顿时响起"嗖嗖嗖嗖"的声音,弩箭一连串地射了下来。

老齐头躲在骆驼后心中暗想:"这么远,箭射下来应该没什么力道。"没料想弩箭打在身旁的石头上竟是火星四溅。

驼队中毕竟没有人与蒙古军队打过交道,像蒙古兵用的这种重弩更是没有见过。

寻常弓箭的射程大概三十丈,而且射到二十丈之外基本上已无杀伤力,所以有"强弩之末,力不能透鲁缟"之说。但蒙古军队配置的重弩则不同,它是蒙古骑兵吃了明朝蓝玉所创"雷霆弩"的亏之后,仿制而成且青出于蓝的一种可怕兵器。射程可以达到一里,是普通弓箭的五倍有余,力大势沉,一箭射出可以穿透十张牛皮。

这种重弩是蒙古人的不传秘器，别说老齐头，就是清军将领也难得有人见过。

其实蒙古人的弩箭一射出来，古平原便知道不对劲了。他在关外经常看官兵练习射箭，无论是多少石的硬弓，射出之后何曾带着这种风雷之声。但这个时候出言提醒已经来不及，骆驼中了弩箭，惨嘶着倒了下来。为防压着，众人只得又赶紧往外爬，这一下无异于给蒙古人当了箭靶子。转眼间已有四五个伙计中箭，其中一个贯胸而过，眼见是不活了。

刘黑塔见势不妙，趁着这一波箭雨过去，蒙古兵向弩上安箭矢的工夫，一步跨到一匹侥幸没有中箭的骆驼旁，翻身上去，双腿一夹就要冲上山坡拼命。

铎山在上面看得分明，阴笑一声，拿过一张弩，瞄准刘黑塔就是一箭射出。

刘黑塔没防备，古平原却是看见了。眼看着弩箭如流星闪电般奔刘黑塔而去，说时迟那时快，古平原向前一纵身，抱住刘黑塔的腿，生生将他从驼背上扯了下来。饶是如此，还是慢了一步，原本弩箭射向胸腹，刘黑塔身子一侧，一箭钉在肩头。

刘黑塔也真是强悍，硬是一咬牙没吭声，把弩箭拔出来一折两半。

巴图看着山谷中人仰马翻，血流遍地，极是开心。只觉得方才码头上的气出了不少，又扬声喊道："我再问一句！另外一半驼队的下落，你们说是不说，要是等到再次放箭，你们想说也晚了！"

"且慢，容我们商量商量！"古平原大声喊道。

"就给你们一袋烟的工夫。"铎山知道这些人插翅难逃，倒也不着急。

古平原将几个头领叫到一起，急急道："棋差一着满盘输，咱们这一次是真输在这儿了。事到如今，我去使个缓兵之计，自己留下做押，让巴图放你们走。万一他要是同意了，你们就赶紧走，走得越快越好，千万别管我。要是他不同意，那我在前面吸引他们的注意，你们瞅个机会往后跑。好在进山谷还不远，要是能跑出山口，立刻就要四散开来，钻山洞，进草丛，怎么都行，能跑出一个算一个。"

"不行！"刘黑塔声音大得自己都吓了一跳，"古大哥你是一个文弱书生，不如我去。等你们都跑走了，我就抢起鞭子打死一个够本，打死两个还能赚一个！"

"你们都别争了！"老齐头的声音像是从坛里发出来，闷得让人心里堵得慌，"还是我去，我已经老了，黄土埋了半截的人了，你们还年轻呢。"

"齐老爷子，这可使不得！"几人同时说道。

老齐头一摆手，脸上露出既凄凉又骄傲的神情："我是领房，驼道上的规矩，遇到危险，领房要最后一个撤走！我老齐头当了一辈子领房，从没让人戳过脊梁骨，今天也不会！"

古平原还要再争，怎奈老齐头心意已决，说是即使古平原或刘黑塔上去，他也绝不离开，宁可死两个，也不独活。话说到这份儿上，众人实在无法再争了，而且也实在没时间再磨了，几个人只得答应下来。

"我们有人上去，不要放箭！"刘黑塔把手拢在嘴边，大声喊道。

老齐头边走边道："你们要是听我喊'听天由命'这四个字，那就不要犹疑，立刻撤腿往后跑，受伤的人也不要管了，活是幸死是命，听到没有！"

众人含着泪答应下来，目送着老齐头艰难地一步步往山坡上走。古平原不忍再看，悄悄把头低了下来，泪水一下子滴落地面。

老齐头走到离巴图和铎山十步远的地方停了下来，脸上似笑非笑，也不言声，就这么看着二人。

铎山一皱眉，问巴图："怎么是个糟老头子？"

巴图还没回答，老齐头开口了。

"我是驼队的领房，驼队出行路线都是我安排的。"

巴图看着铎山点了点头："确实如此，这个老头子是领房没错！"

"所以你们要问那半支驼队的去向，他们都不知道，只有问我。"

铎山不耐烦道："想要留住你这条老命，就快点说！"

老齐头不慌不忙蹲下身，打着火镰点上旱烟，吧嗒吧嗒连着抽了好几口。铎山连声催促，他这才一咧嘴："说也行啊，不过我有一个条件。"

"条件？你说吧。"

"把底下的人都放走，他们走得没影了，我就说。"老齐头的语气平静得似乎在赶集时与菜贩子讨价还价。

"哈哈哈，这老头莫不是疯了？"铎山哈哈大笑，"告诉你，你说出来我饶你一命，至于其他人，嘿嘿……"他狞笑着，"明年的今日就是他们的忌辰！"

"既然这样。"老齐头一袋烟抽完，在地上磕了磕烟袋锅，站起身来忽然大吼了一声："那就听天由命吧！"

巴图与铎山一愣神，就见底下驼队的那些人撒腿就往来路上奔，再看老齐头，满不在乎地抱臂而站。

铎山一咬牙，把手里的弩抬起来对着老齐头当胸就是一箭，这一箭正中老齐头心口。老齐头皱着眉低头看了看，伸出手似乎是想将箭拔出来，然而终于仰面朝天摔倒在地。

"老不死的。"铎山骂了一句，巴图紧张地说，"他们跑了。"

"追！"铎山神色自如，"人能有弩箭跑得快吗？"

老齐头倒在山坡上，几个人回头都看到了。刘黑塔怒骂道："这群王八羔子，等将来落在老子手里把他们个个扒皮抽筋。"众人尽管悲痛，但为了老爷子不白白牺牲，只能向山谷外疯了似的跑去。

铎山的兵在山坡上也不能骑马，但却能追在后面放箭，转眼间又射倒几个人，古平原急中生智大喊："蛇行，蛇行！"

伙计们一愣，随后反应过来，边跑边左右晃动身体，这样一来，蒙古兵的准头就差了。

众人跑了一阵，已是累得上气不接下气，古平原见前方就是开阔地，给大家伙鼓劲："前面马上就到了，大家准备四散开。"

话音未落，就听从前面传来一阵急促的蹄声，声音又密又急，来者不在少数。

这马蹄声听在古平原耳边不亚于平地打了一声惊雷。"坏了！"古平原心中顿时一凉，"想不到巴图竟然在后面也埋了伏兵，这杀人的心思真是狠毒到了极点。"

然而弓弩手在后不停放箭，众人想掉头那是势比登天，更何况转眼之间前方的马队就来到近前。

只见领头一员将弁，催马上前在众人面前停住，刘黑塔正怒火中烧，把链子鞭拽出来，上前就打，那员将吓了一跳，急忙拨马闪开。

"你这人，怎么见面就打？"

"爷爷打的就是你。"刘黑塔二话不说，又要抡鞭。

"慢着。"古平原往后一看，见弓弩手们都已停手不射，而且个个面带惊怔，知道其中必有古怪。定定神仔细看去，这些人都背着洋枪，盔甲也与巴图带来的兵不太一样。正不知如何是好，那员将弁又问道："你们可是山西驼队，有没有姓古的商人？"

"我就是，敢问你们是？"古平原疑疑惑惑地答道。

"王爷，他们就是山西驼队。"这员将弁没答话，反而扭头向后喊了一声。

"王爷！"古平原身子一震，"哪位王爷？"

那员将笑道："自然是我们漠北草原的主人——柯尔克王爷！"

二人正说话间，后面的王爷已然下了将令，手执洋枪的骑兵队向铎山的手下包抄了过去……

古平原在王爷府前再次打量了一下自己的装束，整整衣冠。旁边刘黑塔却只是看着王府大门，啧啧称赞："厉害，比咱常家老院的大门还要高出五尺。这王府不必进，光看大门就叫人羡煞。"

古平原道："朝廷的仪制，做多大的官，宅院都有一定之规。像柯尔克王爷是世袭罔替的亲王，王府大门许用五扇开间，门前可用擎天石狮。你常家大院要是也按这么来一套，第二天就得被兵拆了不说，还要按律治罪，因为那叫'逾制僭越'。"

孙二领房一拍刘黑塔的肩膀："听傻了吧，古老板到底是读过大书的，比咱们知道得多。"

这一下劲儿不大，刘黑塔却差点没蹦起来："我说你轻着点。"

"哎哟。"孙二领房这才看见他里面裹绷带的肩膀，"对不住了，我这一高兴啊，忘了你身上带着伤呢。"

"你忘了，老子可忘不了，我操他巴图十八辈祖宗！"刘黑塔咬牙切齿。

古平原脸一沉："刘兄弟，这是王府前面，你不要口没遮拦。再说人死如灯灭，什么恩怨都了了，你就少说两句吧。"他依然在心伤老齐头和几个伙计的死，心绪始终无法平静。

想起昨日在山谷中发生的惊心动魄却又大起大落的一幕，三人至今心有余悸。

王爷亲身驾到，自然是一呼百应。而且铎山的手下只知道是来剿逆，并无叛逆的心，待听到是被铎山骗了，立时就放下手中的兵刃投降。

铎山见大势已去，带着几个心腹想要拼死一搏投往漠南，结果还是被火器精良的王府护卫截了下来。至于巴图，一见王爷现身，吓得心胆俱裂，瘫在地上，抓他倒是没费半点工夫。

王爷命令把人带回乌克朵码头当场问案,其实一切都是明摆着的,有人证有物证,巴图和铎山哪能抵赖。

王爷大怒之下,将二人处死,处置却又有差别。因铎山曾立有战功,从宽赏了他一个全尸,用弓弦绞死在码头上。这也还罢了,对巴图就没那么便宜了,王爷恼他假借王府名义残杀良民,将他绑在船头,用重弩乱箭射死,真个是万箭穿心。并且放开船绳,让船载着巴图的尸首顺流而下,以为宵小所戒。而这二人的家眷全部都发给披甲人为奴,家产籍没充公。

古平原的老师信奉"君子远庖厨",也是这般教导于古平原。虽说关外五年磨练了他的心肠,但如此近地看着王爷非刑杀人,古平原至今想来还是有些头晕目眩。刘黑塔就不同了,他被射了一箭,只觉得是吃了大亏,再加上为老齐头报仇的心,恨不得咬巴图和铎山一块肉下来,并不以为王爷的处置有多么严酷。

王爷处置了巴图,转回头却对古平原等人好生安慰。他已经从常玉儿口中得知了事情的来龙去脉,对于古平原甘冒奇险为漠北蒙古运送药材一事大为激赏。此时大漠南北战事已然平息,唯一让王爷放心不下的就是这场瘟疫。现在药材有了,自然心里一块大石落地。一喜之下,竟然纡尊降贵邀请古平原等人到王府赴宴。

清制重农轻商,"士农工商",商人排名最后,仅比娼伶贱籍高上一等,从未听过王爷请商人吃饭。古平原惶恐不安,再三辞谢不成,方才带着孙二领房和刘黑塔来到王府。

本来他不想带着刘黑塔,想让他在客栈好好养伤。可刘黑塔说得好:"古大哥,去王府吃饭,别说咱们太谷的买卖家,就是太原府的知府也不见得有这份体面,你成全我,回去我就有得吹了。要是你不让我去,一股火上来,我这伤,好不了!"

古平原拿他没办法,只好听他的,不过临行时嘱咐他不要在王府乱说话,刘黑塔把胸脯拍得山响,满口答应。

出大门迎接的是新任王府大管家,殷鉴不远,因此对这几名山西商人丝毫不敢怠慢,弯腰引路,几人穿过三重高墙院落,绕过王爷理事的银安殿,来到内府。

王府通常分为三大部分,前庭理事,中庭起居,后院则是大花园。古平原虽是王爷请来的客人,可在内宅也不能随意走动,更不能深入。管家一哈腰,将他们请进了内宅第一重院的正屋。

古平原等人一进屋就闻到满屋的肉香,就见大屋左侧的石板地上特意打出一个深坑,坑里架满柴火熊熊燃烧,上面一个铁架,用拇指粗的铁钎子穿起一只羊羔和两条牛腿,正在翻转烧烤。羊肚子和牛腿上塞满涂满了各种让人食指大动的香料酱料。两名仆人手执牛耳尖刀,将烤好的肉一片片地割下来装盘。右侧却是一个圆桌,桌中也是掏空一个大洞,上面放着炭火盆,盆上悬空支着汤锅,锅里有各种调料以及山蘑野芹等山珍,已然煮沸。

王爷身着蟒袍居中而坐,左手边有一老者相陪,正在叙话。王爷见古平原等人进来,起身笑道:"好个不怕死的买卖人,来来来,你是本王请来的客人,就请上座吧。"

古平原哪里敢与老者打横就座,现放着一位体制尊贵的王爷不说,就是旁边的那位老者也是红珊瑚的顶子再加上仙鹤补服,分明是位一品大员。别说古平原的举人功名已然革去,就是状元也不敢在这样的场合如此僭越。

古平原要让,王爷偏偏就要他坐上座,古平原急得出了一身汗。还是那位老者解围道:"王爷,我看就不要勉强了,这样,他反而心里不安,哪能安坐用饭。"

"也罢。"王爷想了想。

老者也不肯坐,结果古平原、刘黑塔和孙二领房均坐在下首。

落座之后,王爷向古平原道:"古老板,本王来介绍,这位便是理藩院尚书崇恩大人。"

古平原瞿然而惊,立时站起身拱手躬身:"失礼了,原来是崇大人。早听说崇大人是道光五年那一科的探花,学识渊博,乃是三朝元老、文坛泰斗,今日得见前辈风采,是晚辈的荣幸。"

崇恩捻须而笑:"那都是三十多年前的事了,古老弟不必客气,快请坐吧。"

古平原道:"后生小子,不敢当大人的称呼。"

"不然,你虽年轻,做事却有决断有担当。俗话说长江后浪推前浪,叫你一声老弟,我倒觉得没什么大不了。"

王爷也笑道:"我这位老师虽说满腹诗书,为人却不迂腐,最喜欢提携后进,看到年轻人有出息比什么都欢喜。"

"先不说这些。"王爷用解腕刀挑起巴掌大的一块肉,"我们蒙古人的规矩,大口吃肉,大碗喝酒,就是瞧得起做主人的。来,谁来吃了这一块。"

刘黑塔是个大胃汉,听他们方才让来让去,眼睛瞅着烤好的牛羊肉,早就馋涎欲滴，一见王爷赏肉，瓮声瓮气地道："我来吃！"

"好！"王爷索性连解腕刀都递到他的手上。刘黑塔也真不客气，一块吃完再来一块，顷刻间三五块足有二斤重的肉下了肚，又咕嘟嘟灌了一皮囊的马奶酒。随后抹一抹嘴，站起身来。

大家当他是吃饱了，没想到刘黑塔松了松裤带，又坐下来了一句："真不错，看来今儿晚上有得吃了。"

众皆骇然，王爷却高兴得满脸放光，连声吩咐道："再加一只羊、两条牛腿。"

古平原家里虽是破落下来的大户，却留下不少大户人家的规矩，惜食养身就是一条，因此对这样的饕餮盛宴颇有难以下咽之感。别人都在看刘黑塔，他却与崇恩大人攀谈起来。

"崇大人，方才我听王爷称您为老师，这是何故？"

"呵呵，这事儿说起来也有二十多年了。那还是道光年间，柯尔克老王爷奉旨进京筹划整顿满蒙八旗的事务，这一住可就长喽，足有两年的时间。老朽那时正在理藩院的兵刑司衙门供职，与老王爷可说是天天见面。当时老王爷的独子，也就是现在的王爷也随同进京，只是年纪尚小又贪玩。蒙老王爷器重，委托我代为施教。后来旗务之事告一段落，王爷父子返回蒙古，算起来我与小王爷这段师生之谊也不过短短一年多的时间。"

"原来如此，想来大人此行便是王爷想念老师，故此请来相叙。"

崇恩摇头道："并非如此。我这一趟是奉朝廷之命排解漠北蒙古与漠南蒙古之间的战事。这种事只要有一方让步，便好解决。我想凭着当年有过师生之情，柯尔克王爷也许会听我一言。没想到这张老脸还真是管用，连漠南蒙古都给了我几分薄面，算是不负朝廷的重托。"说着脸上不自禁地露出微笑。

古平原心思灵动，一听便知道这哪里是朝廷的委派，分明是这位老人自告奋勇。垂老之年能有此义举，真是难能可贵，赶紧在座上拱手道："大人宅心仁厚，不远万里来解兵危，免除全蒙生灵倒悬之苦，晚辈实在是不胜钦佩。"

崇恩点头，脸上颇有欣慰之感。他年近古稀，这一趟风尘仆仆实在是辛苦。不过好在有人能解他的苦心，就好比风雪夜归一碗热茶喝下肚，通身舒泰之极。

崇恩对这年轻人起了亲近之感，于是问道："古老弟，听你的口音不是山西味道，而且谈吐不凡，却如何做了晋商驼队的掌柜？"

刘黑塔在一旁听了高声道："这位老大人，您可不要小瞧了咱古大哥，他可是一肚子的学问。就是可惜时运不济，不然也弄个状元或者摘个这个……这个什么花来玩玩。"他只知道状元，却不晓得探花是什么，还当是牡丹月季之类。

古平原连忙道："刘兄弟别乱说，我只不过是读过几本书，崇大人实在是抬举在下了。"

刘黑塔有了几分酒意，把事先答应的话早忘到了脑后。听古平原驳他，不服气道："要不是糊涂官判糊涂案子，古大哥你一个文弱书生也不必到关外受那几年苦，恐怕早就金榜题名了。"

古平原恨不得用条牛腿把刘黑塔的嘴堵上，可是崇大人已经听到了，颇感兴趣地问道："难不成老弟还受过什么冤狱？"

这下连王爷也注意到了，双目注视古平原。古平原知道不说肯定是不行了，但也不能全说，只好站起身行了个礼，向王爷道过欺瞒之罪。然后半真半假，将自己当年在京会试闯祸被发配关外一事说了出来，自然没提私逃出关这一节，只说是刑满释放。

"古某自关外出来便得了一场大病，幸得常家相助保住了一条命。因此投桃报李，自愿来跑这一趟商队。"

这一段往事曲折至极，即使是刘黑塔之前也不甚了解，席上众人更是听得目眩神迷。尤其是崇恩大人，怎么想怎么觉得古平原这一趟急人之急，与自己的主动请缨竟是丈夫壮志殊途同归。自己是存着以死报国之念，古平原却是有以死报恩的觉悟，不由得对古平原起了惺惺相惜之感。

众人都在想着古平原的经历，席面上无人说话自然就冷了下来。孙二领房见状举起一杯酒，向着古平原道："古老板，说来说去，咱们竟忘了敬王爷一杯。要不是王爷及时赶到，我们此刻怕是都成了巴图的箭下鬼。"

"不错，自然要敬王爷，不过王爷的救命之恩又岂是杯酒能报。"

王爷一杯饮下，放下杯子却道："若是这样说，这草原上每个人都要敬古掌柜了。巴图如此对你，可说是狼心狗肺至极。若是换了旁人，搞不好就将那五加皮的药材全都毁去，五十两银子不要也罢，大家一拍两散。而你却能死中求活，保全了这批药材，也保全了全蒙百姓，称得上是大仁大义。"

奇怪的是，王爷话一出口，驼队三人却都是默然不语，连刘黑塔也不开腔，只管一杯杯往嘴里倒酒，席面上一时鸦雀无声。

"嗯？"王爷与崇恩对视一眼，心知有异。

古平原沉默半晌，终于开口道："王爷这句'大仁大义'，古某不敢领受。"

"那是为什么？"王爷迷惑不解。

古平原不言语，却从怀中取出一物，放在桌上。

王爷认得此物："这不是火折子吗？"不管是行商还是行军，这都是不可缺少的东西，王爷惯于军旅，自然不陌生。

"是，我将全驼队的火折子都带上了船，两艘船上带了不下十个。"

王爷本在注视桌上的火折子，此时霍然抬眼瞪向古平原："你……"

"不错，当初在码头，巴图若真是苦苦相逼，不肯退让，我便要点火了。那药材不过就是两堆干草，着起火来，神仙也救不得。"古平原缓缓道。

王爷倒抽了一口凉气，再看看刘黑塔和孙二领房的脸色，已然信了十成，崇恩也在一旁听得怔住了。

王爷的脸色慢慢阴沉下来："你可知道你若放火，一把火烧掉的不仅是两船药，还有蒙古万千生灵的性命。"

"王爷，这话您该去和巴图说。是他设陷于前，残杀于后，根本就不把这两船救命的药材放在心上。"古平原丝毫不让。

"所以本王处死了他！可即便那狗才害你，百姓又何辜？方才听你说，你也是个读书人，危难时刻难道就可以忘记圣人教你的仁恕之道吗！"王爷的脸色越来越沉，话中也带着冲冲怒气。这也难怪，古平原要真是一把火放出来，倒霉的可都是柯尔克草原上的子民。

"古老弟，王爷教训得是。你与巴图不同，他是个不知礼的奴才，你毕竟是读过圣贤书的学子，无论如何也不该牵连无辜，你还是快向王爷赔罪吧。"崇恩怕王爷大怒之下处置古平原，立时出言希望能转圜席上尴尬的局面。

古平原一声不响，孙二领房暗暗扯了一下古平原的袖子，暗示他听从崇恩的话，免得当场吃亏。

谁知古平原却一推桌子站起身来，面不改色地对着王爷道："此事即使重新来过，古某也还是会准备点火。想我驼队出生入死走过黑水沼，到头来却险些被人置于死地，老天也未免太不公道。既然天地都不仁，为何一介草民要有仁心？别人既然用阴谋对我、用刀枪对我、用弓箭对我，难道我还要笑脸相迎不成？我自然要以水挡之、以火攻之、以玉石俱焚还之！王爷！实不相瞒，当时的古某没有仁心，只有一片狠心。那时的我，狠得下心让巴图的亲友，甚至全草原的蒙古人与我陪葬。"

古平原握着拳咬着牙说完这番话，眼角已然迸出泪水。

刘黑塔与孙二领房面面相觑，谁也没想到古平原表面一声不响，心中的怒气竟然比刘黑塔还大。而且就在漠北蒙古最高统治者柯尔克王爷的面前直言不讳，竟然连要蒙古人与他陪葬的话都说了出来。想到白天王爷雷霆霹雳一般处置巴图与铎山的手段，两人都不禁暗暗心惊。就是刘黑塔自问胆子大，自思也不敢在王爷面前如此哓哓而谈。

崇恩在一旁先是震惊，他也没想到，古平原一个小小的平头百姓居然有如此胆气，敢在王爷面前挺腰子，绝不卑微也绝不诺诺，一番话说得理直气壮。崇恩忽地又想起一事，看着古平原的眼神便不自觉地缓和了下来。

两旁伺候的从人哪里想过还有人敢这样和王爷讲话，俱吓得瑟瑟发抖，一个个不自觉地往屋角挪动，怕的是王爷迁怒杀人。

王爷的脸先是涨得通红，银酒杯被他在掌中捏得变了形，一双眼冒火似的直逼古平原。古平原并不避让，就这么一声不吭地回视着王爷。

就这么对峙良久，忽然"啪"的一声，王爷把手中的酒杯重重放在桌上，猛地爆发出一阵大笑，随着笑声还有一连串的"好！好！好！"

"说得痛快，你不像个阴柔狡诈的中原人，反倒像我们成吉思汗的子孙！老实说，易地而处，本王只怕比你做得还要绝！"王爷大声赞许道。

满屋子的人这才长出一口气，崇恩笑道："王爷，这年轻人虽然傲气，你却不能不佩服他的胆量。"

王爷点头称是："本王不怪他，倒也不全因为他胆子大，而是他能诚实不欺，心中如何想，口上便如何说。奇怪，你这样的人居然是个商人，呵呵。"

古平原也恢复了常态，微微一笑道："莫非王爷认为，身为商人就不能讲个'诚'字？"

"这个……"王爷沉吟了一下，"商道诡变，如果讲诚……唉，那如何赚取金钱呢？"

"古某率队走黑水沼，想要做成这一笔买卖的心可谓至诚。请问王爷，这一趟我能不能赚到钱？"

"哦？哈哈哈……"王爷又是一阵大笑，"能，当然能，就按你在河上与那狗才谈好的价格，纹银一万两！"

"不，王爷，那是古某一时气极，脱口而出的戏言。货款只要六千两便好，那是巴图与太原悬济堂药铺武掌柜谈好的价格。多出的四千两，古某明日就送回王府。"

王爷摆手道："笑话，此一时彼一时，太原府的买卖已被那杀才搅了，现在说的是买你那两船茅尾草的生意。既然当初在码头已用一万两成交，虽然是巴图的缓兵之计，本王一样应承下来。"

古平原还要再说话，王爷又是一抬手："有一个人你们不想见一见吗？"

古平原一怔，自己此次来王府除了赴宴，还要接常玉儿。王爷昨日带兵去追巴图，临走时吩咐人将她带到王府休养，不知现在如何了。

"常姑娘，你请出来吧。"王爷向后喊了一声。这屋子本是里外两进，王爷话音刚落，就有一名仆妇扶着常玉儿从后面走了出来。

这一出来，几个人都不禁看傻了眼。就见常玉儿身着一件红色绸缎长袍。外穿九凤提花的大襟翻毛短坎肩。头饰华贵而庄重，以金银饰为主并镶有各种宝石，头戴白色的貂皮冠，流苏溢彩，活脱脱是位端庄秀丽的蒙古格格。

常玉儿见众人注目自己，倒觉得不好意思，低着头呢喃道："这府上也没有汉人的衣服……"

"哈哈哈。"王爷见常玉儿羞红了脸，大笑着，"这都是我那早出嫁的大格格留在府里的物件，想不到和常姑娘如此相配，就送与你了。"

"不，这太贵重了！"常玉儿怎么敢收，连忙摇头。

王爷说话自是一言九鼎，他一指常玉儿，对古平原说："你们这位常姑娘可真是了不起，别看是汉人，可这胆子连蒙古人都要瞠乎其后。现在我大营里的兵都在讲说当世花木兰勇闯那达慕的故事呢。"

古平原等人直到此时才知道常玉儿当初所冒的风险，听到走"无常锁链"之难，闯两军兵禁之险，还有最后险些被一箭射杀的情形，几个人都是越听越是心惊，背上的冷汗都冒了出来。就这常玉儿还留了些，把在沙漠里险些被困死那一段瞒了没说。

刘黑塔见常玉儿短短时日脸便瘦了一圈，身子骨更见伶仃，显见得这一趟走得艰难。他狠狠一搏大腿:"唉,早知道这么不容易,打死也不让我妹子去,非我去不可。"

古平原更是站起身来到常玉儿身边,嘴唇嗫嚅一下,竟忽地双手举杯当胸:"常姑娘,你为了驼队,为了这次的买卖,竟甘冒如此奇险,古某敬你一杯。"

说着一饮而尽,末了竟向常玉儿一揖。

常玉儿的脸一下子变得苍白,侧身避开,轻声道:"不敢当古大哥这个礼数。"她心中想,其实你还少说了一样,我这样做难道不是为了你吗?

古平原站直身向屋中扫了一眼,低声道:"要是齐老爷子在就好了,大家团聚,生意又做成了,他准高兴得呵呵大笑。"

一句话众人沉默起来,王爷点头道:"那位齐领房的事本王知道了,他舍生取义,真是条汉子。都怪我迟了一步,这样吧,连他在内所有身亡伙计的棺椁都由王府准备,额外再取五百两银子,将来回到山西好好给他们发送。"

第二天清晨,王爷派来的军士到了客栈,将牛肉干、干粮、马奶酒、帐篷等驼队远行的必备之物送来许多。最让古平原喜出望外的是一张盖着王爷大印的通行文书,别看只是轻飘飘一张纸,却免了驼队许多的麻烦。

古平原封了十两银子的红包给那军士,军士退后一步:"不敢,我们王爷军法甚重,拿了这银子是要掉脑袋的。"

"哦,那请进屋喝茶。"

"我还要回去复命,古老板,外面有人想要见你。"

"见我?"古平原不解,此地没有熟人呀。待到出门一看却是理藩院尚书崇恩大人。

"大人。"古平原赶忙跪倒见礼。

"请起,请起。"崇恩笑道,"今后见到老朽,可不要再行这样的礼节,我不是什么大人了。"

古平原闻言一愕:"大人刚刚立下大功,朝廷定有褒奖,怎么会说这样的话?"

"你岂不闻急流勇退,昨晚老朽已经写折子乞骸骨,请求开去一切差使,辞官归隐。今儿一早便已经拜发了此折，想来朝廷必能如我所请，所以此时此刻我已然把自己当成一个糟老头子喽。"

"大人……"

"哎，你可不要对我多有劝慰，我这么大把的年纪，不早点回家享享清福，还恋栈不成。倒是古老弟昨晚的一席话，险些让我一夜无眠呢。"崇恩虽是老者，眼神却锐利，说话间扫了古平原一眼。

古平原知道崇恩绝不会无缘无故来找自己，当下也不开口，只静静地听。

崇恩点点头："我在理藩院也曾掌过'贸易''赋税'这样与商人打交道的职司，这几年我见过的商人不少，有手腕的不胜枚举，有风骨的商人却只见过两个，一个是山西的乔致庸乔东家，另一个就是你了。"

听到这话，古平原连忙拱手逊谢，崇恩却接着叹了口气。

"说到这些年，我大清朝的商人却越来越不成器。自从道光爷那一仗打输了，洋人把买卖做到了中原，商人们要么是一提洋人就怕得要死，总觉得自己比人家差上那么一大截，甘心情愿去当洋人的狗腿子，帮着他们来欺侮天朝子民；要么干脆两眼一闭，仿佛不知道身边有洋人这么一个大敌，依然打横炮窝里斗，只斗得两败俱伤，白白叫洋人捡了便宜。"

古平原道："我在关外少见洋人，只听说最近这几年关内人参的购买量翻了几番。因为人参能治烟毒，而吸鸦片的人是越来越多了。"

"就是喽！"崇恩有些激动，"总理各国事务衙门未设之前，与洋人的贸易一向是理藩院主导。那年两广总督林文忠公来京，老朽和他谈论与洋通商一事，你知道他怎么说？"

"晚辈不知。"

"他说，'我们卖给英法诸夷茶叶、丝绸、瓷器，他们呢，透过十三行卖给我们鸦片。鸦片，还是鸦片！简直是一群浑蛋！终有一日我非一把火把洋人的鸦片全都烧光！'这是林大人的原话。老朽从那时就知道洋人狼子野心，不可不防。"

"林文忠公莫非就是林则徐大人？"

"正是。可惜他远戍伊犁坏了身子，起复后不久便病逝，若他在朝，也不致会有庚申年的那场大变。"崇恩一阵伤怀，又道：

"这且不说了，你可知道，昨晚你对这王爷侃侃而谈时的神态，像极了当年的林文忠公，老朽真是感慨万千。这一次，你明知危险却不退让，也不示弱，有勇有谋，应对得法。尽管最后险些功亏一篑，但即便如此，巴图也别想从你那里占到什么便宜。如果人人都像你那样去对付洋人，几次下来他无利可图，自然知难而退。"

古平原这才明白崇恩为何来寻自己说话，但自己从未和洋人打过交道，不知是否会辜负了老人家的期许。

"你不必怕他。"崇恩大声道，"洋人，别看他红眉毛绿眼睛，一样是两个肩膀扛个脑袋。我与洋人打交道多了，你循礼，他也与你讲理，怕的是你一开始瞧不起洋人。后来人家一动武，你又怕了，服软了，洋人当然再也不会用正眼看你。你记住，与洋人打交道只有四个字'不卑不亢'。"

古平原心知崇恩这番话是历经纷繁发自肺腑的由衷之言，真的是千金难买，当下深鞠一躬："大人的金玉良言，晚辈记下了。"

"我看将来你的生意一定会做得很大，只盼你在洋人面前扬我大清国威。唉，可惜我老了，很多事情也不知能不能见到了。"

驼队离开乌克朵很远了，古平原依然不时回望那座越来越小的城，他知道，城中有位老人也在如此望着他离去的方向。崇恩大人的话给了古平原不小的触动，尤其是老人家的期许更是令他热血沸腾，心情久久难复。

回山西就不需要走黑水沼了，战事平息，一路上安靖无事。王爷特批的通关文牒不仅在漠北通行无阻，就是到了漠南蒙古也是顺顺当当地过桥过卡。唯一美中不足的是这一年的春节，驼队只得在路上过了。不过一想到赚了大钱，竟是人人兴高采烈，全无半点思乡之意。

古平原却是例外，俗话说得好"每逢佳节倍思亲"，别人只要再忍上十几天就能一家团聚，自己的亲人却远在千里之外，几年音书不问，一想到这里古平原恨不得肋生双翅飞回古家村。

但无论如何，他也要先回太原府，把这一趟的买卖交卸了再说。

驼队紧赶慢赶，总算在正月十五的前一天进到了太原府的境内，看样子这碗元宵肯定能在家里吃上，伙计们都是有说有笑。

刘黑塔与古平原骑着马走在前面。刘黑塔走着走着，忽然嘿嘿笑了起来。

古平原奇怪地看他一眼，刘黑塔不好意思道："古大哥，这……这卧云居你去过没有？"

"卧云居？听都没听过。"

"嗨，这么有名的地方，古大哥你怎么能没听过呢？那儿的元宵是省城头一份，那花样号称'雪中送炭'。我四年前吃过一次，现在想起来还……嘿嘿嘿。"

古平原心事重重也被他逗得一笑："没说的，反正咱俩是赶不回太谷去过节了。干脆到了太原府，我就请兄弟你去卧云居吃个饱。"

刘黑塔大乐，连声叫好。

古平原忽想起一事，回头叫道："乔兄！"

被他喊来的是乔松年，他不知道古平原喊自己做什么，来到近前不解地看着他。

"乔兄，记得你说自己是祁县人氏。过了太原往南，再走几十里路就是祁县乔家堡。"

古平原再问道："这么说，你要是赶快些，灯节也能在家里过了？"

乔松年摇一摇头："不是这个规矩。我要先到太原见过掌柜，然后才能返家，一来二去灯节肯定是赶不上了。"

"那就别去太原了。"古平原从马褡裢上取下一个小包裹，里面沉甸甸的不知是什么物件。他将包裹往乔松年手里一递，乔松年疑惑地接了过来。

"这里面是二百两银子，是从我这一次出门所赚的钱中分出来的。乔兄省些花用，过日子想必是够的，连同今年春闱入场的本钱也有了。悬济堂的那份差事我和武掌柜去说，请他给你留着。万一这一场还不如意，你再回药铺也不迟。"

古平原目中含笑娓娓道来，乔松年可听傻了，二百两银子！小康人家过几年日子都用不完，古平原就这么大方地给了自己？

"乔兄，大丈夫交朋友但求相知于心，何必为了钱财做此小儿女态。我还等着乔兄科场连捷，喝你的捷报酒呢。"古平原见乔松年感动得喉头哽咽，一时说不出话来，连忙出言宽慰。

"今后乔某但有寸进，不敢忘古老弟今日的恩德。"乔松年双目流泪，与古平原拱手作别。

等他走远了，刘黑塔纳闷道："古大哥，你这二百两也给得太容易了吧？"

古平原不答，他是感怀身世，见了落魄的读书人便想帮上一把。等驼队再往前走了一段，眼瞅着快到太原城了，就听路旁树林里一声高喝："站住！"

驼队一惊，个个心道杀虎口都过来了，难不成回到太原，还遇上拦路抢劫的马匪？

古平原颇知道轻重，驼队在口外带的羊毛、兽皮等货物还罢了，自己身上进货剩下的九千多两银票可损失不得，立时扬声道："大家戒备！"

驼队遇袭时如何处置都有一定之规，孙二领房一挥手，刘黑塔带着十几个青壮伙计从侧翼冲到前头，刘黑塔早就把腰缠的九节钢鞭拽了出来，一双大眼眨也不眨，向着不远处发出声音的树林里注目。

然则不大工夫，刘黑塔却大叫了出来："李嫂！怎么是你？"

从树林里走出来的却是常家的帮佣李嫂！

就见李嫂满面惶急之色，见了驼队，这才如释重负，她拧着一双小脚，急匆匆奔着驼队而来。

刘黑塔先下马抢了过去，张口就问："李嫂，你，你这不会是来迎我们的吧？"

古平原听他问得不得法，插言道："难不成常家出了什么事？"

李嫂说："可不是，出了大事了！我都在这儿等你们三天了。"

一句话让众人急得不行，偏李嫂只是嘴快，说话全无章法，说了半天，大家才算是明白了经过。

事情就坏在陈赖子身上。他去关外调查古平原的身份，因为王大掌柜许了他好处，所以办得格外用心。再加上又是有的放矢，专去流犯大营打听，结果没用多少时日，居然被他查出了在常四老爹出关的那一天，山海关外跑了一个流犯。再细一打听，便彻底弄清了古平原的来历。

陈赖子了解底细之后如获至宝，知道这是整垮常家的绝好机会。因此不敢耽搁，就在五日之前回到了太谷，将此事密报给王大掌柜。

王大掌柜听了这个消息之后，当下备了份水礼，一架"二人抬"到了知县衙门。不多时便有两个差役赶到常家，如狼似虎般捆走了常四老爹。

"现在王天贵已经派人，在太原府的几条要道特别是悬济堂的门口日夜看守，只等古少爷回来，便要动手抓人，一同送到太谷县衙去过堂。这是窝藏逃人、携犯潜逃的罪名，不死也要抄家！"

这些事情一半是陈赖子自己透过的口风，一半是李嫂托人打听，一番话说下来，古平原心中登时就是一沉。

真是怕什么来什么，常四老爹先前最怕的就是被卷到"逃人案"中，没想到闯过山海关，却在山西犯了案。古平原想一想道："我明白了，太谷县只能管所辖之地，王天贵又怕我跑了，所以急不可耐地到太原府来抓人。"

李嫂拍手道："可谢谢老天爷把你们盼回来了，我这妇道人家遇上这样的祸事哪里有主意，只好把门一锁，到这里来等你们。"

常玉儿早就从后面赶了过来，听了之后此刻脸色已是煞白。想到爹爹已经被抓到牢里几日，那是个暗无天日的地方，一双儿女又不在近前，只怕已是吃了不少苦头，想着眼泪不由"吧嗒吧嗒"地掉了下来。

刘黑塔黑着脸转回身，一扳鞍桥就要上马，古平原连忙抓住他的手腕，急问道："刘兄弟，你这是要干吗去？"

刘黑塔把眼一瞪："杀了陈赖子和王天贵，把老爹从大牢里救出来！"

"那你是准备劫牢反狱，其实就是造反。接下来又怎样？"

"接下来？"刘黑塔被他问得一愣，"我没想过，反正先救人再说。"

"接下来天地虽大，没有你和老爹的容身之地。兄弟，听我说，救人不是这个救法。"古平原冷静地说道。

"那依着你要怎么救？"

"总之，先回太原再说。"

常玉儿走了过来，抬眼看着古平原，她从来没有这样直视过他，她怔怔地道："你打算去投案？"

"常四老爹根本不知道我是流犯，我是私藏在常家车队偷偷入关，此后又说了谎，骗得了老爹的信任，这才有了这一趟的买卖。这些都是事实，只要到了县衙门，我就能说清楚，也就能把老爹出脱了。"古平原不敢看她的目光，视线越过她的肩头，面无表情地用平静的语气说道。

众人面面相觑，愣了片刻这才知道古平原的用意，刘黑塔大叫："不行，古大哥，你这样说，许是能救出老爹，可你……可你……"

"就是当场砍脑袋我也认了。总之我不能连累老爹，这件事在我入关之时便已经下定了决心。"古平原说着从身上把那九千多两银票拿出来，往刘黑塔手里一塞，"刘兄弟，这钱该怎么分，你和孙二领房还有武掌柜商量，给伙计们多分点。至于我的那一份，麻烦你汇到我的家乡去给我娘，我今生能尽的孝，恐怕也就是这么多了。"说着他鼻子一酸，险些坠下泪来。

孙二领房在旁听不下去，凑过来道："古老板，你……你当真是流犯，私逃入关？"

古平原默默点头。

"我明白了。"《逃人法》不是冷僻的法律，一般百姓都听过。孙二领房踟蹰了一下，说道："要我说，你干脆一走了之。衙差抓不到人，等于没有明证，也就不能指认常四老爹窝藏逃人，岂不是比你自投罗网强得多。"

"对，这位领房说得对。"李嫂一拍巴掌，也对着古平原开口道："我去牢里看过常老爷，他要我转告你，快走，千万别被官府抓到。"

边上的常玉儿和刘黑塔也都频频点头，看样子大家都觉得这不失为一个好主意。

古平原略一思索，依旧摇头道："不行，你们说的是太平世界的官衙，清官治下的牢狱，才有这样的法度。这太谷县我也有所耳闻，那县令与王天贵一个鼻孔出气，必是黑狱无疑。即便抓不到我，奈何入关这一趟，车队伙计人人都见过我，到悬济堂接买卖时更是满城轰动，这些都是旁证。既有旁证便可动大刑，那何止是皮肉之苦，简直就是人间炼狱。老爹年纪大了，岂能熬刑？"

一番话又说得众人白了脸。古平原见他们都默不作声，依旧将银票塞给刘黑塔。

刘黑塔一边摇头，一边双手推着银票，说什么也不肯接，连连道："有别的办法，一定有别的办法！姓王的老王八蛋不就是要宅子嘛，给他！"

古平原硬是把银票塞到他的手里："没那么简单，此事既然已经见官，那就只有我亲身到场才能出脱老爹，别的法子只怕都不管用。"

古平原话音刚落，就听旁边树林里传出一个流里流气的声音。

"说对了，就是要你去才行！"

随着这声喊，从树林里又钻出好几个人，一看穿着打扮就知道不是什么正经人。

"陈赖子！"刘黑塔一看见为首的那个人，立时大吼一声，伸手就拽九节鞭。

古平原一把按住他，当初刘黑塔被王天贵抓了，陈赖子曾经到常家报过信。但当时只闻其声，看的是个背影，今日才算是见到真容。一见那副二流子相，他不由自主地皱了一下眉头。

陈赖子可见过古平原，太原城里古平原一诺千金之时，他就站在人群里。他看了看站在一旁如花似玉的常玉儿，又瞧瞧气度不凡的古平原，心里突然起了自惭形秽之感。他原本存着份癞蛤蟆想吃天鹅肉的心思，此刻不由得又嫉又恼。

"姓古的，可找着你了，别费事了，跟我们去县衙门吧。"

"做你的春秋大头梦，有老子在，谁敢！"刘黑塔手被古平原按着，嘴可不闲着，一声高过一声。

"我要是你就不这么喊，别忘了，常四那老小子可还在大狱里。"陈赖子斜愣着眼睛瞅着刘黑塔。

"你把我爹怎么了？"常玉儿踏前一步。

"没什么，没什么……"陈赖子对着常玉儿一脸的涎笑，"只是把他安排到了太行山恶虎沟二当家的牢房里。也不知老人家年纪大了，半夜顶着夜壶让二大王方便抗不抗得住，嘿嘿嘿。"

常玉儿听了身子一晃险些晕过去，刘黑塔气得肺都要炸了。古平原实在拦不住他，只得使劲儿把他往后一推，喝令几个伙计抱住他。随后强压着心头怒火对陈赖子道："我跟你去投案！"

"古大哥！""古老板！"众人齐发一声喊。

古平原冲着身后摆摆手，再不回头，大踏步来到陈赖子面前。

"一人做事一人当！你捆了我去吧。"

"废话！自然要捆，不然你当我还要请你坐大轿不成？"陈赖子越看古平原越觉得不顺眼，只觉得这人看向自己的眼神中满是瞧不起的味道。

"还不服气，哼哼，老子有招治你！"陈赖子一肚子坏水，眼珠一转叫人把马牵过来，先是把古平原捆了个罗锅式，接着把眼睛蒙上，最后倒着往马背上一捆，让他的脸就冲着马屁股。

"进大牢之前先闻闻马粪味吧，牢里的味道比这还鲜灵呢。"陈赖子这才觉得稍稍出了一口气。大家见古平原当众受了这样的侮辱，胸臆之中都塞满了怒气。

"你……你要把人带到哪里去？"常玉儿情急问道。

"哪儿去？嘿嘿，告诉你们，奉天大营的海捕文书已然到了县里，写得明明白白，抓到了古平原只要验明正身，不必押解回关外，直接就在县衙门前的十字街……"说着，他把手对着古平原的后颈一劈，眼睛一瞪，"咔嚓！干净痛快。"

谁都没想到会是这么个情势，竟然刻不容缓就要杀头，一时俱倒吸一口凉气，张口结舌，彼此面面相觑。

陈赖子见此情景，又道："不过常四那老小子，收容流犯、助其逃亡，家产嘛，是没收了，至于人，十有八九也是流放。你们再想见爹，就到关外去看吧。我那儿还有二百两银子的赏钱要领呢，少陪了，哈哈哈哈！"说完他狂笑着带领几个手下打马直奔太谷县而去。

《大生意人2》即将出版，精彩值得期待！

内容预告：

回到山西的古平原出人意料地保住了一条性命，却立即陷入了新的困境。被迫在老狐狸王天贵手下当差，古平原需要的不仅是高明的经商手腕，还要有冷酷无情的奸商心肠，尽管他渴望坚守住商人的底线，然而世事难料，一场惊世骇俗的"大典妻"让古平原受尽世人责难。

就在古平原忍无可忍之际，竟意外地发现早已有人将枪口对准了王天贵，只是这个敌人的敌人非但不是强援，反而却是随时能致他于死地的张广发。身处京商与晋商连番争斗的巨大漩涡中，古平原在被各方势力利用的同时，也在巧妙地利用着各种力量——与乔致庸交好，与"日升昌"结盟，他一步步不露声色地布着自己的局。直到有一天，两大商帮猝然发现自己竟置身在火药堆上，而那根可怕的引线却牢牢握在古平原的手里。

是以牙还牙与仇家玉石俱焚？还是趁此良机攫取惊天财富？古平原面临着从商以来最为艰难的抉择……

快读·超好看小说库™

好看！好看！超好看！

快读·超好看小说库，紧贴当下阅读的最新趋向，挖掘国内优秀原创小说作者，为您倾力打造一场精彩纷呈、充满魅力的小说盛宴。每部小说，都以独特的题材、新颖的视角与流畅的阅读快感，与这个时代的神经紧密相联；每次翻开，都将让您在大呼过瘾的同时，更能汲取丰富的人文知识，收获别样的人生感悟。

《坐稳》

一部置身当代职场角力漩涡最黑最深处、却又始终坐稳的"终极职场权谋小说"

30岁前的机会在跳槽，30岁后的关键在坐稳！

稳住！
就能赢

　　职场即江湖，表面越平静，实则越险恶，而"坐稳"二字，正是身处职场中高层必须掌握的生存进阶智慧。

　　小说《坐稳》以某驻中国的世界500强公司为背景，从一场小小的人事调整开始，最终演变成一场谁都无法控制的巨大震荡：公司上下，从实权派到实干派，从销售总监到大区域经理，明争暗斗，人人自危。大难临头之际，唯有一个人不动声色，巧妙周旋于各派势力之间，并最终成为最后的大赢家。

　　与职场小说的作者多为在职白领不同，《坐稳》作者杨众长堪称一位货真价实的"成功人士"，其本人经历颇具传奇色彩：他曾先后拥有政府公务员、国企高管、世界500强外企高管等多个身份，亲身经历过无数次职场震荡与权力风波而始终稳踞高层，现已功成身退，移居海外。本书即为作者根据其20多年职场高层之亲身经历呕心创作而成。

　　作为新一代职场小说扛鼎之作，《坐稳》甫一面世，即率先在京沪广深职场人士间迅速走红，不仅在当当网长期稳居排行榜前3名，更被誉为《杜拉拉升职记》之"升级版"，成为当仁不让的办公室抽屉必备读物！